Grundwortschatz

Deutsch als Fremdsprache nach Themen

Übungsbuch

Erwin Tschirner

Grundwortschatz
Deutsch als Fremdsprache nach Themen – Übungsbuch
von Erwin Tschirner

Redaktion: Maria Funk
Umschlaggestaltung: Cornelsen Verlag Design
Umschlagfoto: JUNOPHOTO
Layout und technische Umsetzung: Buch und Gestaltung, Britta Dieterle
Illustrationen: Oleg Assadulin

Weitere Titel in dieser Reihe
ISBN 978-3-589-01559-7 Grund- und Aufbauwortschatz Deutsch als Fremdsprache nach Themen

DaF-Lernkrimis mit Audio-CD
ISBN 978-3-589-01501-6 Jeder ist käuflich
ISBN 978-3-589-01503-0 Tatort: Krankenhaus
ISBN 978-3-589-01502-3 Tödlicher Cocktail
ISBN 978-3-589-01504-7 Tod in der Oper

www.lextra.de
www.cornelsen.de

1. Auflage, 1. Druck 2008

Alle Drucke dieser Auflage sind inhaltlich unverändert und können im Unterricht nebeneinander verwendet werden.

Druck: CS-Druck CornelsenStürtz, Berlin

ISBN 978-3-589-01560-3

Inhalt gedruckt auf säurefreiem Papier aus nachhaltiger Forstwirtschaft.

Vorwort

Das Übungsbuch **Grundwortschatz Deutsch als Fremdsprache nach Themen** hilft Ihnen beim Lernen des deutschen Grundwortschatzes. Es präsentiert und übt die häufigsten 2000 Wörter, die im Lernwörterbuch **Grund- und Aufbauwortschatz Deutsch als Fremdsprache nach Themen** enthalten sind. Der Lextra Grund- und Aufbauwortschatz nach Themen ist eine neue Generation von Grund- und Aufbauwortschätzen, die das lexikalische Minimum, das notwendig ist für erfolgreiches produktives wie rezeptives Sprachhandeln, aufgrund neuester empirischer Studien erfassen. Der Grundwortschatz Deutsch basiert auf einer aktuellen Auszählung des deutschen Wortschatzes (Jones & Tschirner 2006).

Das Übungsbuch **Grundwortschatz Deutsch als Fremdsprache nach Themen** fasst den Grundwortschatz des Deutschen in 72 übersichtlichen, nach Kategorien geordneten Kapiteln zusammen. Jedes Kapitel präsentiert und übt ca. 25 neue Wörter. Auf der linken Seite eines Kapitels werden die neuen Wörter vorgestellt und auf der rechten Seite Übungen dazu angeboten. Neue Wörter werden visuell und in Satzzusammenhängen in drei bis vier inhaltlich zusammengehörigen Abschnitten präsentiert. Viele Zeichnungen klären die Bedeutungen der neuen Wörter. Wörter, die nicht visualisiert werden können, werden in einfachen Sätzen (Dialoge, kurze Erzählungen, Definitionen und Erklärungen) eingeführt. Die Sätze enthalten nur die Wörter des Grundwortschatzes.

Jedes Kapitel enthält ca. vier bis sechs Übungen, von leichten Zuordnungs- und Kategorisierungsaufgaben über anspruchsvollere Lückentexte bis zu produktiven Schreib- und Sprechaufgaben. Es werden abwechslungsreiche Aufgabentypen verwendet, um unterschiedliche Arten von Wortwissen zu festigen. Alle Aufgaben werden über eine inhaltlich orientierte Kurzüberschrift kontextualisiert, um bedeutungsorientiertes, inhaltliches Lernen zu garantieren. Die Aufgabe selbst wird durch eine einfache standardisierte Aufforderung gestellt. Diese Aufforderungen sind auf Deutsch formuliert, um eine konsequente Zielsprachenorientierung zu gewährleisten. Eine vollständige Liste der Aufgabenstellungen mit einer englischen Übersetzung findet sich im Anhang.

Die Aufgaben haben das Ziel, die Bedeutung von Wörtern sowohl selbstständig als auch in Satzzusammenhängen einzuprägen. Die jeweils letzte Aufgabe eines Kapitels bettet die neuen Wörter in Ihre Lebenswelt ein und bittet Sie, auf persönliche Fragen mit diesen Wörtern zu antworten, um sie relevanter und einprägsamer für Sie zu machen. Diese Antworten sollten abwechselnd schriftlich und mündlich formuliert werden. Das mündliche Formulieren hilft als Vorbereitung für echte kommunikative Situationen, indem Sprechroutinen automatisiert werden. Das schriftliche Formulieren fördert die Genauigkeit und eine größere Ausdrucksfähigkeit.

Die besten Lernresultate erzielen Sie auf folgende Weise:

- Lesen Sie den Grundwortschatz des Kapitels in dem entsprechenden Kapitel des **Grund- und Aufbauwortschatzes Deutsch als Fremdsprache nach Themen** und überprüfen Sie ein erstes Lernen daran, dass Sie die Übersetzung und den Beispielsatz dort abdecken und versuchen, sich an die Bedeutung des Wortes zu erinnern.
- Arbeiten Sie sich dann durch den Präsentationsteil des Übungsbuches und versuchen Sie, alle Sätze zu verstehen. Schlagen Sie unbekannte Wörter im Grund- und Aufbauwortschatz nach.
- Machen Sie dann die Übungen im Aufgabenteil. Schlagen Sie auch hier Wörter, an die Sie sich nicht erinnern können, nach.
- Wiederholen Sie Ihre Vokabeln in regelmäßigen Abständen. Wenn Sie zum Beispiel zehn Kapitel durchgearbeitet haben, lesen Sie noch einmal die Präsentationsseiten dieser zehn Kapitel, markieren Sie alle Wörter, an die Sie sich nicht mehr erinnern und schreiben Sie diese Wörter mit Übersetzungen und Beispielsätzen in ein Vokabelheft. Beantworten Sie die Fragen der letzten Aufgabe auf der rech ten Seite des Kapitels.
- Beschäftigen Sie sich zusätzlich mit Ihrer Fremdsprache, indem Sie leichte Texte lesen, leichte Hörtexte hören und Gelegenheiten wahrnehmen, mit Muttersprachlern Ihrer Zielsprache auf einfache Weise zu kommunizieren.

Bedanken möchte ich mich bei Kristina Wermes, Susan Günther, Christiane Hardt, Frank Hilpert, Betina Sedlaczek, Fleur Pfeifer, Claudia Köhler, Tobias Beilicke, Nicole Mackus, Ulrike Woitsch, Jupp Möhring, Katharina Kley, Anne Gadow, Soledad Rodriguez und Katrin Rüthling, die große Teile des Übungsbuches verfasst haben.

Ich wünsche Ihnen Spaß beim Lernen und hoffe, dass Ihnen das Übungsbuch **Grundwortschatz Deutsch als Fremdsprache nach Themen** hilft, Ihre Sprachlernziele zu erreichen.

Erwin Tschirner, Leipzig im Sommer 2008

Inhalt

12 Sprache

13 Freizeit und Unterhaltung

14 Persönliche Beziehungen und Kontakte

15 Politik und Gesellschaft

16 Allgemeine Begriffe

17 Strukturwörter

18 Die 50 häufigsten Verben

Die Adresse

Wer wohnt wo?

- *Ich wohne* in Köln. Und wo *wohnst du*? – *Ich wohne* in Berlin.
- Wie ist die *Adresse* von *Frau* Meier? – *Frau* Meier *wohnt* in Leipzig. *Sie wohnt* in der Goethestraße.
- Welche *Adresse* hat *Herr* Müller? – *Herr* Müller *wohnt* in Frankfurt. *Er wohnt* in der Dahlmannstraße.
- Uta und *ich wohnen* in Hamburg. *Wir wohnen* in der Schillerstraße.
- *Wohnst du* mit Stefan in München oder *wohnt ihr* in Berlin?

Viele Fragen

- Wie ist Ihr *Name*? – Mein *Name* ist Peter Müller.
- Welches *Alter* haben Sie? – Ich bin 30 Jahre alt.
- Und wann sind Sie *geboren*, Herr Müller? – Ich bin 1978 geboren.
- Wann ist Ihr *Geburtstag*? – Mein *Geburtstag* ist am 29. Juli 1978.
- Wie ist Ihre *Adresse*? – Meine genaue *Adresse* ist Amselweg 14 in 65929 Seckbach.
- Gut! Jetzt kenne *ich* Ihren *Namen*, Ihren *Geburtstag* und Ihre *Adresse*. Das sind alle *Angaben*, die ich brauche.

Wer sind die Personen auf den Fotos?

Laura: Wer sind die *Personen* auf dem Foto? Kennst *du* die zwei Erwachsenen?

Stefan: Der *Mann* heißt Herr Müller und das ist seine *Frau*. Sie haben zwei Kinder. Der *Junge* heißt Tim und das *Mädchen* heißt Anna.

Das sind Peter und Teresa. Sie sind jetzt *verheiratet*. Sie haben sich in ihrer *Jugend* kennen gelernt und letztes Jahr *geheiratet*.

Laura: Und wer ist die schöne *Dame*?

Stefan: Das ist meine Tante Marie. Sie wohnt in Paris. Das ist die *Hauptstadt* von Frankreich.

A Diese Personen warten. Ordnen Sie die Wörter den passenden Personen zu.

die Frau ▪ die Erwachsenen ▪ die Kinder ▪ das Mädchen ▪ der Mann ▪ der Junge

B Angaben zur Person. Ordnen Sie die Antworten den passenden Fragen zu.

1	Wie ist Ihr Name?	a	Ich habe am 19. Juli Geburtstag.
2	Welches Alter haben Sie?	b	Ich brauche nur noch Ihre Adresse.
3	Wo seid ihr geboren?	c	Sie ist sechs Jahre alt.
4	Welche Angaben brauchen Sie noch?	d	Sie wohnt in der Steinstraße 14.
5	Welche Adresse hat sie?	e	Ich heiße Markus Schröder.
6	Wann hast du Geburtstag?	f	Wir sind beide in München geboren.
7	Wie alt ist Ihre Tochter?	g	Ich bin 27 Jahre alt.

C Wer ist das? Ergänzen Sie den Dialog mit den folgenden Wörtern.

Personen ▪ Jugend ▪ heiraten

Lisa: Wer sind die ________________ [1] auf dem Foto?

Max: Das sind Jens und Katrin. Sie wollen im Oktober ________________ [2].

Lisa: Und wann haben sie sich kennen gelernt?

Max: Sie haben sich in ihrer ________________ [3] kennen gelernt. Da waren sie 16 Jahre alt.

D Wer bin ich? Die folgenden Sätze sind falsch. Verbessern Sie die Fehler.

Herr ▪ mein Geburtstag ▪ wohne ▪ bin

1 Ich <u>habe</u> 38 Jahre alt.
2 <u>Meine Adresse</u> ist am 17. August.
3 Ich <u>geboren</u> in München.
4 Dieser Mann heißt <u>Frau</u> Schmidt.

E Und bei Ihnen? Beantworten Sie die Fragen. Benutzen Sie dafür die Wörter dieses Kapitels.

Erzählen Sie etwas über Ihre Person. Wie ist Ihr Name? Welches Alter haben Sie? Wo sind Sie geboren? Wann haben Sie Geburtstag? Welche Adresse haben Sie? Machen Sie diese Angaben auch zu einer Person, mit der Sie gestern gesprochen haben. Machen Sie diese Angaben zu einer Person aus Ihrer Familie.

Wer kommt woher?

- Aus welchem *Land* kommst du? – Ich bin in Russland geboren, aber mit 12 Jahren nach Deutschland gekommen. – Und wo fühlst du dich zu Hause? Wo ist deine *Heimat*? – Meine *Heimat* ist Russland, weil meine ganze Familie aus Russland stammt und ich dort aufgewachsen bin. Aber ich lebe schon seit sechs Jahren in Hamburg. Die Stadt ist meine zweite *Heimat* geworden.
- Greg kommt aus den USA. Er ist *Amerikaner*.
- Die Familie von Khalid kommt *ursprünglich* aus Ägypten, lebt aber seit zwei Jahren in Köln. Khalid lernt *Deutsch*, aber mit seinen Eltern spricht er *Arabisch*.
- Annas *türkischer* Freund Murat kommt aus Istanbul.

Wer lebt wo?

- Ich bin in Berlin geboren und aufgewachsen. Ich bin ein richtiger *Berliner*.
- Samuel ist *Jude*. Er lebt mit seinen Eltern in Berlin. Die Stadt hat die größte *jüdische Gemeinde* in Deutschland.
- Carlo lebt mit seiner *italienischen* Freundin schon seit 18 Jahren in Deutschland.
- Sergej ist in Deutschland geboren und lebt in Köln. Aber er hat einen *russischen* Namen, weil seine Eltern aus Russland kommen.

Wer mag was?

- José und Maria sind aus Spanien. Sie leben in Leipzig. Sie mögen das *deutsche* Essen nicht besonders. Deshalb kochen sie meistens *spanisch*.
- Die Berliner Stefanie und Sebastian sind nach Bayern gegangen und leben jetzt in München. Sie lieben beide das *bayrische* Essen.
- Seitdem Greg in Deutschland lebt, mag er das *amerikanische* Bier nicht mehr. Er trinkt nur noch *deutsches* Bier.
- Claudia hat ein Jahr in Paris gelebt. Seitdem trinkt sie nur noch *französischen* Wein.
- Sebastian hat *britische* Freunde. Wenn sie nach Deutschland kommen, bringen sie ihm immer *englischen* Tee mit.
- Sergej mag die *traditionelle russische* Küche. Die *russischen Traditionen* sind noch sehr wichtig für seine Familie.

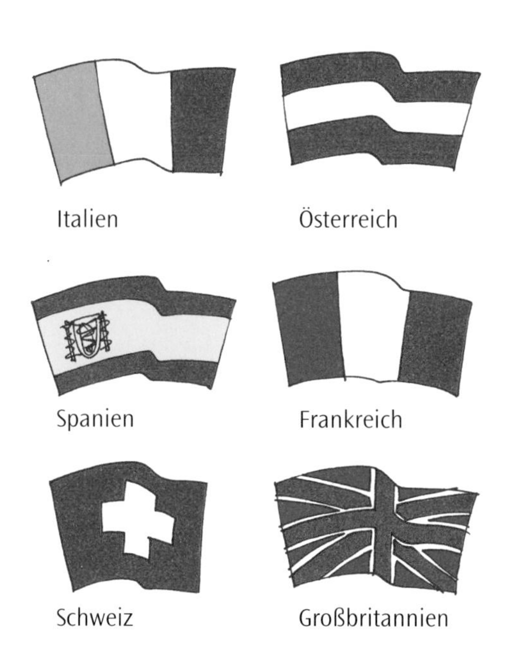

Ins Ausland gehen

Uta ist in Deutschland geboren und aufgewachsen. Als sie 22 Jahre alt war, ist sie zum Arbeiten ins *Ausland* gegangen. Sie war erst drei Jahre in Amerika und dann zwei Jahre in der Schweiz. Nun ist sie wieder in Deutschland und arbeitet in Hamburg in einer *ausländischen* Firma. Dort arbeiten Deutsche, aber auch viele *Ausländer* aus der ganzen Welt.

A Wer kommt woher, wer geht wohin? Ergänzen Sie die Sätze mit den folgenden Wörtern.

ursprünglich ▪ jüdischen ▪ Juden ▪ Ausländerin ▪ Amerikaner ▪ Ausland

1 Kitty kommt ______________ aus den USA. Sie fühlt sich in Deutschland nicht mehr als ______________.

2 Markus möchte ins ______________ gehen, weil er in Deutschland keine Arbeit findet.

3 Mein Freund Jakob Mandelbaum ist Jude. Er hat auch einen ______________ Namen.

4 Berlin hat eine große jüdische Gemeinde. Mehr als 12 000 ______________ leben in der Stadt.

5 Bill Clinton und George W. Bush sind ______________.

B Verkehrte Welt. Die folgenden Sätze sind falsch. Verbessern Sie die Fehler.

Mein Vater kommt aus den USA. Er ist Berliner[1]. In Istanbul sprechen die Menschen Russisch[2]. Mein Freund Michael ist Amerikaner. Ich spreche Türkisch[3] mit ihm. Weil meine Freundin aus Spanien kommt, lerne ich jetzt Arabisch[4].

C Wer begeistert sich wofür? Ergänzen Sie die Sätze mit den folgenden Wörtern.

ausländischen ▪ britischen ▪ traditionelle ▪ arabische ▪ amerikanische ▪ bayrische

1 In München gehe ich sehr gern ins Restaurant. Ich liebe das ______________ Essen!

2 Susi möchte gern nach Amerika gehen, aber sie mag das ______________ Essen überhaupt nicht.

3 Ich freue mich, dass meine ______________ Freunde aus London nach Leipzig kommen!

4 Ich möchte gern nach Ägypten gehen. Deshalb lerne ich die ______________ Sprache.

5 Wenn ich einmal ein Kind bekomme, möchte ich ihm einen ______________ Namen geben.

6 In Frankreich habe ich die ______________ französische Küche kennen gelernt.

D Verschiedene Traditionen. Füllen Sie das Kreuzworträtsel aus.

1 Marie ist in Frankreich geboren. Das Land ist ihre … .
2 Meine Eltern kommen aus Russland. Ich spreche … mit ihnen.
3 José lebt schon lange in Deutschland, aber sein … ist nicht gut.
4 Meine Familie kommt aus Berlin. Wir sind alle … .
5 Aus welchem … kommst du?
6 Mit ihrer Familie spricht Marie … .
7 Meine Familie kommt aus der Türkei, die … sind wichtig für uns.

A
U
S
L
A
N
D

E Aus welchem Land kommen Sie? Beantworten Sie die Fragen. Benutzen Sie dafür die Wörter dieses Kapitels.

Aus welchem Land kommen Sie? Welche Sprache(n) sprechen Sie? In welchem Land machen Sie gerne Urlaub? Warum? Erzählen Sie, was Sie gerne mögen – zum Beispiel französische Filme, spanisches Essen oder die italienische Sprache. Warum?

Die Familie

Das bin ich im Kreis meiner *Familie*: *Mama* und *Papa*, meine *Schwester* und mein *Bruder*. Wir wohnen in Bonn in einem Haus zusammen mit den *Eltern* meines *Vaters*. Drei *Generationen* leben dort zusammen.

Geboren und aufgewachsen

Maria ist in Bonn geboren und dort mit ihrer kleinen *Schwester* Lea und ihrem kleinen *Bruder* Johannes *aufgewachsen*. Ihre *Eltern* arbeiten beide. Deshalb musste sie sich viel um Johannes und Lea *kümmern*. Maria ist letztes Jahr 14 Jahre alt geworden. Sie ist jetzt in einer Phase, in der sie sich nicht mehr gern um ihren kleinen *Bruder* und ihre kleine *Schwester kümmert*. Sie ist lieber mit anderen *Jugendlichen* zusammen. Deshalb kommt die *Schwester* ihrer *Mutter*, *Tante* Anna, jetzt einmal in der Woche und *kümmert* sich um Lea und Johannes.

Eine glückliche Ehe

Stefan und Claudia sind seit drei Jahren verheiratet. Sie haben sich schon in der Schule kennen gelernt, Stefan war 17 und Claudia war 16 Jahre alt. Claudia kommt aus München, sie *stammt* aus einer großen *Familie* mit vielen *Kindern*. Stefan *stammt* aus Köln. Vor fünf Jahren ist Claudia zu Stefan nach Köln gekommen. Vorher hat sie ihren *Partner* immer nur am Wochenende gesehen. Nun kann sie auch den *Alltag* mit ihm teilen. Ihre *Ehe* ist sehr glücklich. In vier Monaten bekommen die beiden ein *Kind*. Ihr *Glück* ist perfekt!

Heiraten

Stefan und Claudia glauben beide an *Gott*. Sie sind *katholisch*. Die *christliche Religion* ist sehr wichtig für sie, sie sind sehr *religiös*. Sie gehen jeden Sonntag in die *Kirche* und wollten auch kirchlich heiraten.

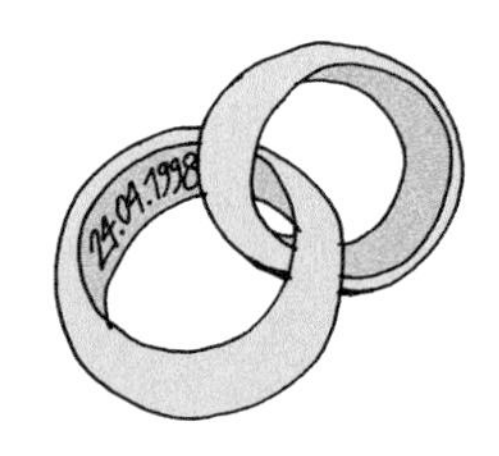

A Familie und Ehe. Ordnen Sie die Wörter den passenden Bildern zu.

die Tochter ▪ die Mutter ▪ der Sohn ▪ die Kirche ▪ die Eltern ▪ der Pfarrer ▪ der Vater

B Familienalltag. Ergänzen Sie die Sätze mit den folgenden Wörtern.

Tante ▪ aufgewachsen ▪ katholisch ▪ Religion ▪ Jugendlichen ▪ Mama ▪ Ehe

1 Einmal im Jahr kommt meine ________________, die Schwester meines Vaters, zu uns.

2 Susi liebt ihren Mann nicht mehr. Ihre ________________ ist nicht mehr glücklich.

3 Johannes ist mit seinen Schwestern und seinem Bruder in Erfurt ________________.

4 Das erste Wort, das meine Tochter gesagt hat, war ________________.

5 Sebastian ist lieber mit anderen ________________ zusammen als mit seiner Familie.

6 Annas Eltern sind sehr religiös. Sie reden sehr viel mit Anna über ________________.

7 Annas Familie ist ________________. Sie geht jeden Sonntag in die Kirche.

C Nicht mehr allein. Ergänzen Sie die Sätze mit den folgenden Wörtern.

Alltag ▪ religiös ▪ Partnerin ▪ christliche

1 Paul ist seit drei Monaten nicht mehr allein. Er hat eine neue ________________.

2 Peter und Maria wohnen zusammen. Sie teilen den ________________ miteinander.

3 Die ________________ Religion ist für Markus wichtiger als für seine Freundin. Sie ist nicht so ________________ wie er.

D Ihre Familie. Beantworten Sie die Fragen. Benutzen Sie dafür die Wörter dieses Kapitels.

Woher stammen Sie? Und wo sind Sie aufgewachsen?
Haben Sie eine große Familie? Haben Sie Schwestern oder Brüder? Haben Sie Kinder?
Möchten Sie einmal heiraten oder sind Sie vielleicht schon verheiratet?
Wie wichtig ist Ihnen Religion?

Dick, dünn, klein, groß

Dieser Junge ist sehr *dick*.

Dieses Mädchen ist sehr *dünn*.

Diese Frau ist sehr *klein*.

Dieser Mann ist sehr *groß*. Er ist *riesig*.

Was ist normal?

In Deutschland ist die *normale* Größe für einen Mann 1,75 m und für eine Frau 1,67 m.

Maria macht viel Sport. Sie hat eine sportliche *Figur*. Ihr Freund findet, dass sie *toll aussieht*.

Ralf hat blonde *Haare*. Mir gefallen seine *Haare*. Ich finde seine *Haare* sehr *schön*.

Markus macht viel Sport. Deshalb ist er so *kräftig*. Er hat eine kräftige *Gestalt*.

Wer ist wie?

- Ich habe keine Probleme mit meinen Kindern. Sie sind immer sehr *lieb*.
- Meine Kinder mögen meine Schwester nicht. Sie haben Angst vor ihr, weil sie so *streng* ist.
- Maria freut sich, dass ihr Freund kommt. Sie ist *froh*.
- Maria weiß immer genau, was sie will. Sie hat einen starken *Willen*.
- Ralf redet nicht viel. Er ist gerne allein. Er ist eine sehr *ernste* und *ruhige* Person.
- Peter hört immer genau zu, wenn man ihm etwas sagt. Er ist sehr *aufmerksam*.
- Johannes macht Radfahren keinen Spaß. Er ist ein *ruhiger Typ*. Er liest lieber.

Was ist typisch?

- Johannes ist so *ruhig*. Was ist los? Warum *verhält* er *sich* so *ruhig*? – Er ist immer so *ruhig*, das ist *typisch* für ihn.
- Paul ist ein sehr *liebes* Kind. Seine Eltern sind sehr *stolz* auf ihn.
- Peter macht immer Ordnung in seinem Zimmer. Ordnung ist wichtig für ihn. Er ist ein sehr *ordentlicher* Mensch.
- Alle Menschen machen Fehler. Das ist *menschlich*.
- Claudia ist immer *freundlich*. Sie ist ein sehr *nettes* Mädchen.
- Annas Freund sagt ihr immer, was er denkt. Er ist sehr *ehrlich* zu ihr. Er lernt gerne und schnell neue Menschen kennen. Er ist sehr *offen*.
- Lea spricht sehr gut Englisch. Ihr Freund sagt, sie spricht *perfekt* Englisch.
- Susi unternimmt sehr viel mit ihrem Freund. Aber sie hat auch Hobbys, die sie nur alleine machen möchte. Ihre *individuelle* Freiheit ist ihr sehr wichtig.

A Diese Personen sind verschieden. Ordnen Sie die Wörter den passenden Erklärungen zu.

1	Maria sagt immer, was sie denkt.	a	riesig
2	Stefan ist sehr groß.	b	schön
3	Lea hat den ganzen Abend nichts gesagt.	c	menschlich
4	Peter macht jeden Tag Ordnung bei sich.	d	ehrlich
5	Jeder Mensch macht Fehler.	e	ruhig
6	Anna sieht toll aus.	f	ordentlich

B Wie können Personen sein? Gegensätze. Finden Sie die fehlenden Wörter.

1 dick – ____________________

2 klein – ____________________

C Menschen. Welches Wort passt nicht dazu? Unterstreichen Sie dieses Wort.

1 dick – dünn – kräftig – nett
2 ehrlich – ruhig – dünn – offen
3 klein – ordentlich – groß – riesig
4 lieb – streng – nett – freundlich

D Leas Familie. Ergänzen Sie die Sätze mit den folgenden Wörtern.

Willen • froh • ehrlich • stolz • aufmerksam • normal • perfekt • Haare • typisch • verhält sich • Figur • streng • offene • toll • ordentlich

Mein Vater möchte immer Ordnung haben. Er ist sehr ______________ [1]. Ich mag ihn sehr, weil er sagt, was er denkt. Er ist immer ______________ [2]. Meine Mutter hört immer gut zu, wenn man ihr etwas sagt. Sie ist sehr ______________ [3]. Meistens ist sie sehr lieb zu uns, aber sie kann auch ______________ [4] sein. Mein Bruder ______________ [5] immer sehr ruhig. Aber er weiß sehr genau, was er will. Das ist wirklich ______________ [6] für ihn. Er hat einen starken ______________ [7]. Meine Eltern sind ______________ [8] auf ihn. Meine kleine Schwester hat viele Freunde und lernt immer wieder neue kennen. Sie ist eine sehr ______________ [9] Person. Das finde ich ______________ [10]. Weil sie so viel Sport macht, hat sie eine sehr gute ______________ [11]. Sie hat auch lange, schöne ______________ [12]. Ihr Freund sagt ihr immer, dass sie ______________ [13] ist. Ich sehe ganz ______________ [14] aus: nicht dünn und nicht dick, nicht groß und nicht klein. Ich bin ______________ [15], so eine tolle Familie zu haben!

E Wie sind Sie? Beantworten Sie die Fragen. Benutzen Sie dafür die Wörter dieses Kapitels.

Wie sehen Sie aus? Beschreiben Sie sich!
Beschreiben Sie eine Person, die Sie gut kennen! Wie ist diese Person?
Beschreiben Sie Ihren Traummann / Ihre Traumfrau!

Meine Freizeit

- Wenn ich frei habe, dann unternehme ich *gerne* viel.
  In meiner *Freizeit* gehe ich ins Theater, ins Kino oder ich treffe mich mit Freunden.
- Bei schönem Wetter gehe ich *gerne* raus. Ich spiele Tennis oder gehe schwimmen.
  Ich mag *Aktivitäten* im Freien bei schönem Wetter.
- Ich gehe oft zu klassischen Konzerten. Ich *interessiere* mich sehr für klassische *Musik*.
- Mein Freund *interessiert* sich gar nicht für *Musik*. Er hat kein *Interesse* an *Musik*.
- Mein Freund *interessiert* sich sehr für Sport. Er *begeistert* sich für Sport.
- Im Meer zu schwimmen macht mir mehr Spaß als im See zu schwimmen. Ich schwimme *lieber* im Meer als im See.
- Wenn ich Zeit habe, dann spiele ich mit meinen beiden Katzen. Ich *beschäftige* mich gerne mit meinen Katzen.
- Manchmal organisiere ich Fahrten für ältere Menschen. Ich *gestalte* Freizeitfahrten.
- Am Wochenende möchte ich oft meine Schwester besuchen. Am Wochenende habe ich oft *Lust*, meine Schwester zu besuchen.

Musik und Bilder

Viele Hobbys

- Immer wenn Lea frei hat, liest sie Bücher. Lesen ist ihr größtes *Hobby*.
- Markus liest sehr viel. Er liebt alte Bücher. Er hat über 500 alte Bücher. Er *sammelt* sie.
- Ralf schwimmt viel. Er schwimmt sehr *gerne*. Schwimmen ist sein *Hobby*.
- Stefanie mag nicht, dass ihr Mann am Wochenende arbeitet.
  Es *gefällt* Stefanie nicht, dass ihr Mann am Wochenende arbeitet.
- Claudia spielt sehr *gerne* Tennis. Das macht ihr viel *Spaß*.
- Hat dir das Buch gefallen? – Ja, ich fand es sehr *interessant*!

Jeder verbringt seine Freizeit anders

- Susi ist sehr froh, dass sie ein *Hobby* hat. Ihr *Hobby* ist Radfahren und es macht sie glücklich. Es *erfüllt* sie sehr.
- Susi macht *gerne* Sport, geht viel ins Kino und trifft sich oft mit Freunden. Sie ist sehr *aktiv*.
- Johannes kann sehr gut mit älteren Menschen umgehen. Er hat die *Fähigkeit*, gut mit älteren Menschen umzugehen.
- Er *singt Lieder* mit ihnen oder geht mit ihnen in den Park.
- Es sind immer dieselben Personen. In der Gruppe sind ungefähr zehn Personen.
- Er gestaltet die *regelmäßigen* Treffen immer unterschiedlich.
- Susi kann nicht so gut mit älteren Menschen umgehen. Sie *nimmt* sich aber *vor*, Johannes einmal zu begleiten. Das nächste Mal geht sie mit in den Park.

A Die Hobbys. Welches Wort passt nicht dazu? Unterstreichen Sie dieses Wort.

1 Lied – Auto – Instrument – Musik
2 Aktivität – Sport – Fußball – Papier
3 Gruppe – Verein – Gemeinschaft – Maschine
4 Interesse – Hobby – Person – Freizeit
5 Hauptstadt – Mensch – individuell – Typ

B Wofür interessieren sich die Leute? Ordnen Sie die Antworten den passenden Fragen zu.

1	Interessierst du dich für klassische Musik? → b	a	Ja! Sie hat schon über 100 Stück!
2	Möchtet ihr Tennis mit uns spielen?	b	Ja, ich liebe klassische Musik.
3	Sammelt Claudia Taschen?	c	Nein, ich zeichne lieber Pflanzen.
4	Was macht Paul in seiner Freizeit?	d	Ja, ich fand ihn interessant!
5	Hast du Lust, heute ins Kino zu gehen?	e	Ja, sehr gerne! Wann möchtet ihr spielen?
6	Zeichnest du gern Menschen?	f	Er geht ins Theater oder ins Kino.
7	Machst Du Sport?	g	Nein, ich bleibe heute lieber zu Hause.
8	Hat dir der Film gefallen?	h	Regelmäßig einmal die Woche!

C Verschiedene Interessen. Schreiben Sie die passenden Wörter vor das Verb. Es gibt mehrere Lösungen.

die Landschaft ▪ sich für Sport ▪ die Freizeit ▪ sich für Musik ▪ sich mit Kindern ▪ ein Lied

1 ________________ interessieren   4 ________________ malen
2 ________________ gestalten   5 ________________ beschäftigen
3 ________________ singen   6 ________________ begeistern

D Sebastian und seine Freizeit. Ergänzen Sie die Sätze mit den folgenden Wörtern.

lieber ▪ nimmt ... vor ▪ Freizeit ▪ gefällt ▪ Fähigkeit ▪ erfüllt

1 Sebastian ist von Beruf Arzt und kann sehr gut mit Menschen umgehen. Er hat die ____________, gut mit Menschen umgehen zu können.
2 Sein Beruf ist sehr wichtig für ihn, er liebt ihn. Sein Beruf ____________ ihn.
3 Er liebt klassische Musik und in seiner ____________ geht er gerne ins Konzert.
4 Er ____________ sich aber auch ____________, mal wieder ins Theater zu gehen.
5 Sport mag er nicht. Sport ____________ ihm nicht. Manchmal spielt er ein bisschen Tennis, aber er sieht Sport ____________ im Fernsehen.

E Ich und meine Freizeit. Beantworten Sie die Fragen. Benutzen Sie dafür die Wörter dieses Kapitels.

Erzählen Sie etwas über Ihre Hobbys! Haben Sie viel Freizeit? Was machen Sie gerne / nicht so gerne in Ihrer Freizeit?

In einem Schloss wohnen / Ein neues Haus beziehen

Familie Schmidt bezieht ihr neues Haus.

Das neue Zuhause

In dem neuen *Haus* von Familie Schmidt geht abends das Licht nicht. Das Licht *funktioniert* nicht. Sie überprüfen, ob andere *elektrische Geräte*, wie das Telefon und das Radio, auch nicht *funktionieren*. Nein, auch diese *Geräte funktionieren* nicht. Sie haben keine *Energie*. Der Grund ist vielleicht die alte *Stromleitung*. Sie haben nur eine kleine Taschenlampe. Diese *leuchtet* nur schwach. Die Familie erkennt kaum die *Sachen* im Raum. Sie sehen die *Gegenstände* im Raum nicht. Sie warten auf den nächsten Tag, um alles ordentlich zu machen. Dann werden sie alles in *Ordnung* bringen. Es dauert seine Zeit, bis alles fertig ist. Einen gesamten *Haushalt* aufzubauen braucht viel Zeit. Wenn alles fertig ist, können sie das neue *Haus beziehen*.

Die Einrichtung

- Familie Schmidt hat nur *elektrische Geräte*, die *Strom* sparen.
  Sie *benutzen* Geräte, die *Strom* sparen.
- Sie teilen sich den *Garten* mit ihren *Nachbarn*. Über die gemeinsame *Nutzung* des *Gartens* müssen sie noch reden.
- Sie *bauen* ihre Tische und Stühle selbst. Sie *verwenden* dafür nur Holz und Glas.
- Sie mögen die Materialien Holz und Glas. Vieles in ihrer *Wohnung* soll aus Holz und Glas sein.
- Sie haben viel über die *Nutzung* von Holz gelesen. Sie wissen viel über die *Verwendung* von Holz in einem *Haus*.
- Man bekommt in einem neuen *Haus* viele neue Ideen. Man denkt über viele neue *Dinge* nach.

A Ordnung muss sein. Welches Wort passt am besten in welchen Satz?
Ergänzen Sie die Sätze mit den folgenden Wörtern.

Haushalt ▪ streichen ▪ rücken ▪ Nachbar ▪ Ordnung ▪ beziehen ▪ Dinge

1 Sie können bald in dem Haus wohnen. Sie können das Haus bald ________________.

2 Er wohnt direkt neben mir. Er ist mein ________________.

3 Die Wände und die Türen sind so alt, dass man sie mit Farbe neu ________________ muss.

4 In dem neuen Haus haben wir für alle Sachen Platz. Wir finden für alle ________________ einen Platz.

5 Es dauert eine Weile, bis alles ordentlich ist. Wir brauchen Zeit, um alles in ________________ zu bringen.

6 Mein Vater ist sehr kräftig. Er kann schwere Dinge von einer Stelle zu einer anderen ________________.

7 Wir haben nur elektrische Geräte, die Strom sparen. Es gibt in unserem ________________ nur Geräte, die wenig Energie brauchen.

B Rund um die Energie. Welches Wort passt nicht dazu? Unterstreichen Sie dieses Wort.

1 Strom – Gegenstand – Energie
2 leuchten – funktionieren – verwenden
3 Nutzung – Gerät – elektrisch

C Ordnung im Haus. Ähnliche Bedeutungen, verschiedene Begriffe. Welches Wort passt zu welcher Erklärung? Ordnen Sie zu.

1 Zum Streichen nimmt man Farbe. ——→ a benutzen
2 Wir wohnen in einem großen Gebäude. b Sachen
3 Wenn eine Mauer zerstört ist, baut man sie wieder neu. c aufbauen
4 Die Nutzung von Sonnenenergie ist gut für die Umwelt. d Haus
5 Im Haus gibt es viele Dinge, die noch zu machen sind. e Verwendung

D Was ist in einem Haus und was findet man in einer Stadt? Ergänzen Sie die Sätze mit den folgenden Wörtern.

einem Platz ▪ einer Bank ▪ die Stromleitung ▪ einem Schloss ▪ das Tor ▪ der Garten

1 Er öffnet ________________.

2 Ich sitze auf ________________.

3 ________________ ist sehr grün.

4 Der König wohnt in ________________.

5 Du stehst auf ________________.

6 ________________ funktioniert nicht.

E Und Sie? Beantworten Sie die Fragen. Benutzen Sie dafür die Wörter dieses Kapitels.

Welche Arbeiten machen Sie gern im Haus?
Welche Sachen haben Sie heute benutzt/verwendet?
Wohnen Sie lieber in einer Wohnung oder in einem Haus? Warum?

Haus und Garten

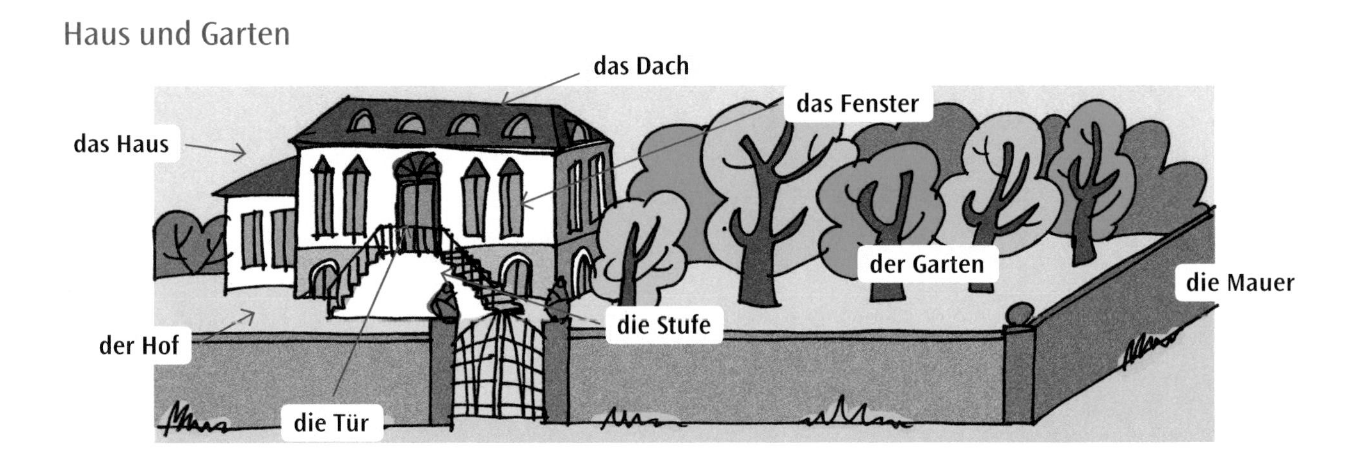

Die Wohnung

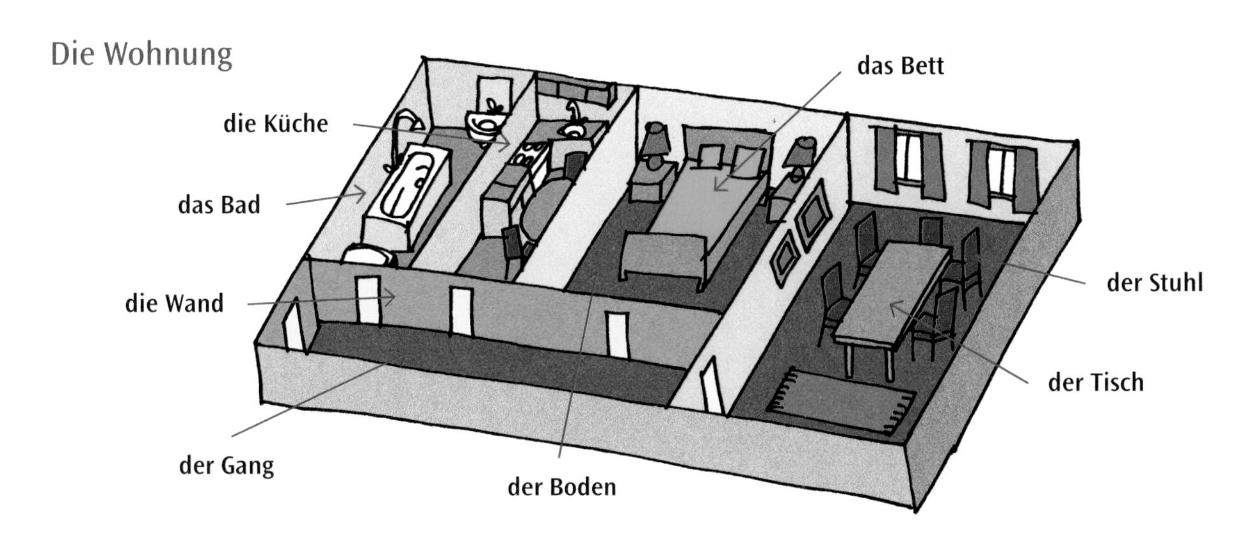

Ein Haus bauen und eine Wohnung einrichten

- Wohnst du in einem *Haus* oder in einer *Wohnung*? Ich wohne in einer kleinen *Wohnung*. Sie hat nur zwei *Zimmer*. Das ist mir zu klein. Deshalb *baue* ich mir jetzt ein *Haus*. Mein *Haus* wird sehr hohe *Decken* haben.
- Wo bald das neue *Haus* steht, standen früher andere *Gebäude*. Das waren sehr alte *Häuser*, eine alte Schule und eine alte Firma. Diese *Gebäude* mussten zuerst entfernt werden.
- Mein *Zuhause* ist der Ort, wo ich wohne. Ich wohne in Leipzig. Leipzig ist mein *Zuhause*.
- Ein *Haus*, das ich *besitze*, gehört mir. Ich habe dafür bezahlt und jetzt *besitze* ich es.
- Ich bin in eine neue *Wohnung* gezogen. Sie ist leer und ich muss noch Möbel kaufen. Ich muss die *Wohnung einrichten*.

Öffnen und schließen, verlassen und eintreten

Wenn es im *Haus* zu warm wird, dann *öffnet* man die *Fenster*.

Wenn es im *Haus* zu kalt wird, *schließt* man die *Fenster*.

Man *tritt* in ein *Haus ein*, man *betritt* das *Haus*.

Man *kommt* ins *Zimmer rein*.

Man *kommt* aus dem *Haus raus*, man *verlässt* das *Haus*.

A Wohnen und einrichten. Welche der folgenden Wörter sind Teil einer Wohnung, welche sind Teil eines Zimmers und bei welchen Wörtern handelt es sich um Möbelstücke? Ordnen Sie die folgenden Wörter in die Tabelle ein.

das Bad ▪ die Wand ▪ das Fenster ▪ das Bett ▪ der Boden ▪ die Küche ▪ der Tisch ▪ das Zimmer ▪ die Tür ▪ die Decke ▪ der Stuhl ▪ der Gang

Teil einer Wohnung	Teil eines Zimmers	Möbelstücke

B Mein Haus. Ergänzen Sie den Text mit den folgenden Wörtern.

Dach ▪ Garten ▪ Haus ▪ betritt ▪ Mauer ▪ Stufen ▪ Tür

Ich wohne in einem schönen ______________[1]. Die Wände sind weiß und das ______________[2] ist rot. Hinter dem Haus ist ein schöner ______________[3] mit alten Bäumen und vielen Blumen. Eine ______________[4] trennt den Garten von der Straße. Man ______________[5] den Garten durch eine ______________[6]. Der Garten liegt höher als die Straße. Drei ______________[7] führen zur Tür hinauf.

C Was kann man öffnen, schließen, bauen und so weiter? Schreiben Sie die passenden Wörter vor das Verb. Es gibt mehrere Lösungen.

das Fenster ▪ das Gebäude ▪ das Haus ▪ die Tür ▪ die Wohnung

1 ______________________________ schließen

2 ______________________________ besitzen

3 ______________________________ verlassen

4 ______________________________ öffnen

5 ______________________________ bauen

6 ______________________________ einrichten

D Verkehrte Welt. Die folgenden Sätze sind falsch. Verbessern Sie die Fehler.

Hof ▪ ein Haus ▪ Wand ▪ Zimmer ▪ Gebäude

1 Das Poster hängt an der Decke.
2 Wir bauen einen Hof.
3 Das Bett steht im Bad.
4 Im Gebäude ist ein Garten.
5 Ich trete in das Zuhause ein.

E Wie wohnen Sie? Beantworten Sie die Fragen. Benutzen Sie dafür die Wörter dieses Kapitels.

Beschreiben Sie das Haus oder die Wohnung, in dem oder in der Sie wohnen. Beschreiben Sie Ihr Zimmer. Was ist in Ihrem Zimmer? Nennen Sie einige Dinge, die Sie besitzen. Was haben Sie heute geöffnet oder geschlossen?

Stadt und Feld

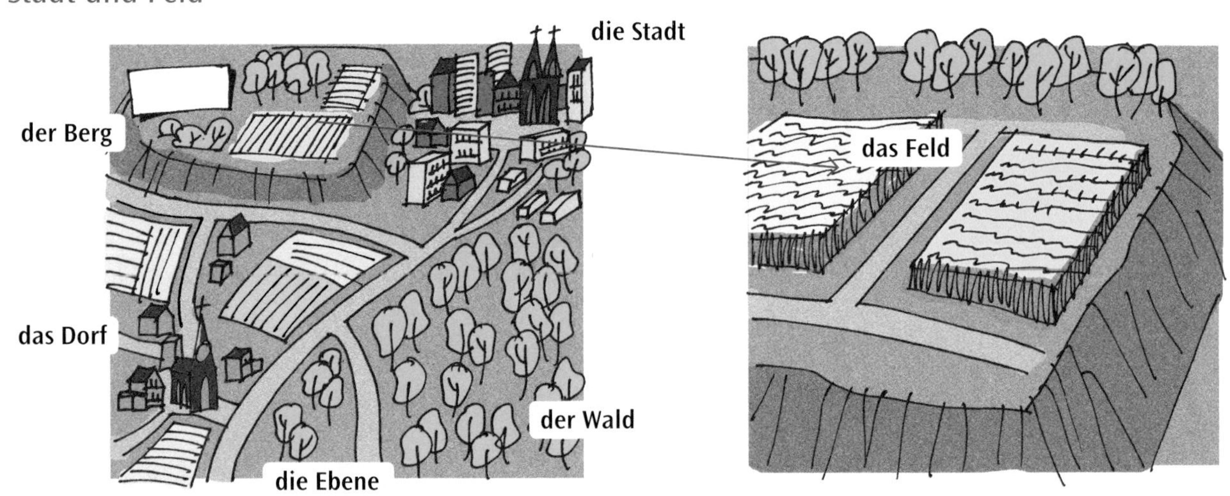

Das Wasser

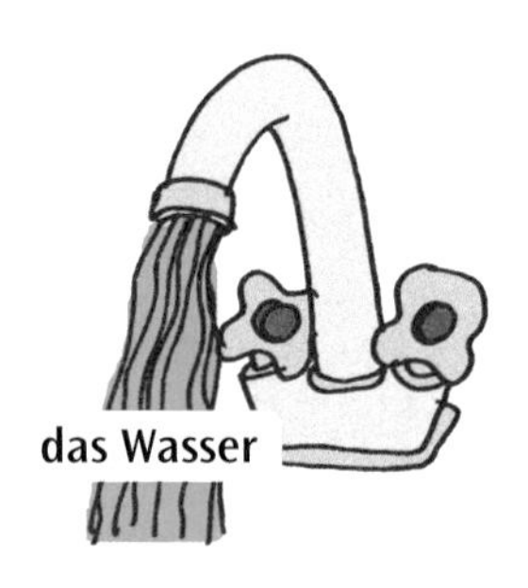

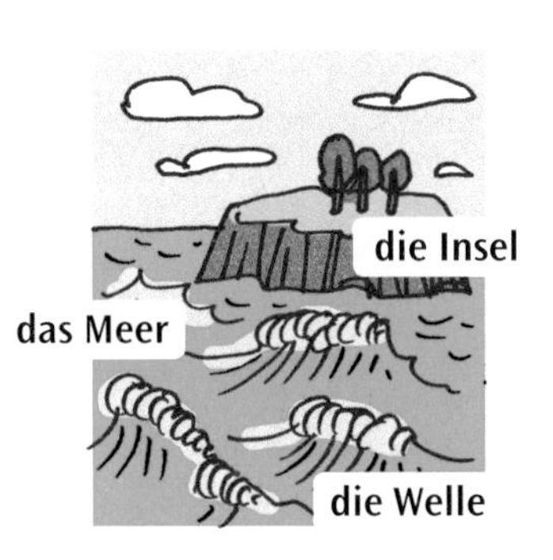

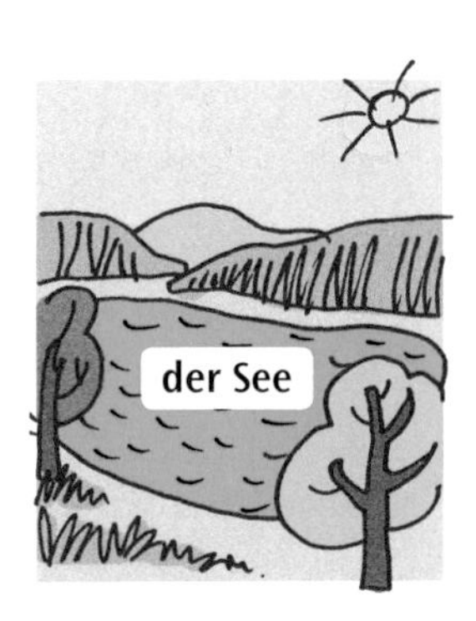

Eine schöne Lage

- Das *Dorf* liegt sehr schön in den *Bergen*. Es hat eine sehr schöne *Lage*.
- Bist du schon einmal in Hamburg und an der Nordsee gewesen? – Nein, in dieser *Gegend* von Deutschland bin ich noch nie gewesen.
- Die vielen *Seen* und *Flüsse* sind typisch für die *Landschaft* in Norddeutschland.
- Ist die *Gegend* um die *Stadt* Dresden schön? – Ja, Dresden hat eine sehr schöne *Umgebung*.
- Ich komme aus Süddeutschland. In dieser *Region* von Deutschland sprechen viele Menschen Bayrisch.
- Dieser *Wald* ist sehr groß. Das *Gebiet*, auf dem der *Wald* steht, ist 50 km^2 groß.
- In dieser *Gegend* hier wachsen Pflanzen sehr gut. Die *Erde* hier ist sehr gut.
- Weißt du, ob es das kleine Haus am *See* noch gibt? – Nein, das gibt es nicht mehr. Es *existiert* schon lange nicht mehr.
- Früher stand hier ein Haus aus Holz. Dann haben sie ein Haus aus *Stein* gebaut. Es steht an der gleichen *Stelle* wie das Holzhaus.

In der Stadt

- Ich wohne in einem *Dorf* bei Frankfurt. In meinem *Ort* wohnen nur 1500 Menschen. In welchem *Ort* wohnst du? – Ich wohne in einer kleinen *Stadt*. Der *Ort* liegt bei Köln.
- Maria möchte nie in einer großen *Stadt* leben, weil es dort keine *Wälder*, keine *Seen* und keine *Berge* gibt. Sie findet, dass es in großen *Städten* zu wenig *Natur* gibt.
- In meiner *Stadt* gibt es viel *Natur*. Es gibt einen großen *Fluss* und viele große *Parks*.
- Köln liegt an einem großen *Fluss*, dem Rhein. Der Rhein *fließt* durch Köln.

A In der Stadt und auf dem Dorf. Welches Wort passt am besten in welchen Satz? Ergänzen Sie die Sätze mit den folgenden Wörtern.

fließt • Lage • Steine • Stelle • Berg • Ort

1 Ich komme aus einem kleinen ______________ in der Umgebung von Hamburg.

2 Hier ______________ ein kleiner Fluss, in dem es schöne ______________ gibt.

3 An welcher ______________ stand früher euer Haus?

4 Unser Haus lag sehr schön auf einem ______________.

5 Das Haus von Peter und Susanne liegt im Wald. Es hat eine ruhige ______________.

B Die Landschaft und die Gegend. Welches Wort passt zu welcher Erklärung? Ordnen Sie zu.

1 Die Region, in der Maria lebt, ist bekannt für ihren guten Wein. → c
2 Die Gegend um die Stadt Weimar ist sehr schön.
3 Ich komme aus einem sehr kleinen Ort.

a das Dorf
b die Umgebung
c das Gebiet

C Die geographische Lage. Welches Wort passt zu welchem Bild? Ergänzen Sie die folgenden Wörter.

die Landschaft • das Wasser • die Insel

1 ______________ 2 ______________ 3 ______________

D Wasser oder Land? Finden Sie acht Wörter im Wörtergitter und ordnen Sie diese in die Tabelle ein.

M	H	Q	Q	G	H	V	V	W
P	Z	X	F	S	Z	G	N	A
F	C	Z	R	F	A	O	E	L
E	C	C	M	L	U	H	R	D
L	B	H	E	U	J	H	D	Y
D	Z	K	E	S	H	S	E	E
S	Q	K	R	S	K	S	I	Q
E	F	E	W	E	L	L	E	P
E	C	L	X	E	B	E	N	E

Wasser	Land
1	5
2	6
3	7
4	8

E Ihr Ort. Beantworten Sie die Fragen. Benutzen Sie dafür die Wörter dieses Kapitels.

Wie heißt der Ort, in dem Sie wohnen? Ist es eine Stadt oder ein Dorf? Fließt ein Fluss durch den Ort? Beschreiben Sie die Gegend, in der Sie leben.

Sonne, Wind und Regen

die *Sonne* der *Regen* der *Wind* die *Temperatur*

Pflanzen und Tiere

- Es gibt auf der Welt viele verschiedene *Arten* von *Pflanzen* und *Tieren*.
- Im Sommer *treiben* die Bauern ihre *Tiere* auf die Weide.

Das Wetter

- Seit heute Morgen haben wir nur *Regen*! Ich möchte, dass endlich wieder die *Sonne scheint*! Ich möchte, dass das *Wetter* endlich wieder besser wird! Seit Tagen hält dieses schlechte *Wetter* an!
- Ich glaube, dass es nach diesem langen und *heftigen Regen* lange dauern wird, bis die Erde wieder *trocken* ist und wir in den Park gehen können.
- Endlich hat der *Regen* aufgehört! Nach dem langen, *heftigen Regen* ist es sicher sehr *frisch* draußen. Ich finde es zu kalt, um rauszugehen.
- Aber *frische* Luft ist doch schön! Und es ist nicht kalt! Es sind 17 *Grad*!
- Wir können auf den Berg gehen. Von dort kann man weit sehen. Man hat eine gute *Sicht* auf die Stadt.
- Es war schön, an der frischen *Luft* zu sein. Aber nun müssen wir schnell nach Hause gehen, es wird schon Nacht. Der *Himmel* ist schon dunkel und man kann die *Sterne* sehen.

Wir müssen die Umwelt schützen!

Jeder Mensch ist gern in der Natur und freut sich über *Tiere* und *Pflanzen*. Trotzdem wissen viele noch nicht, wie wichtig es ist, die *Umwelt* zu *schützen*. Menschen, *Tiere* und *Pflanzen* sind alle die *biologische* Grundlage der Welt. Sie alle bestehen aus *Zellen*. Mensch und Natur müssen miteinander leben. Sonst *wachsen* keine neuen *Pflanzen* mehr und die *Tiere* sterben. Neues Leben kann nur auf einer gesunden Welt *entstehen*.

A Rund ums Wetter. Welches Wort passt zu welcher Erklärung? Ordnen Sie zu.

1	Heute ist mir fast mein Hut vom Kopf geflogen.	a	die Sonne
2	Draußen ist es nass.	b	das Wetter
3	Sie scheint bei gutem Wetter.	c	der Regen
4	das Gegenteil von nass	d	die Temperatur
5	Regen, Sonne, Wind	e	trocken
6	Gestern war es sehr warm. Es waren 35 Grad.	f	der Wind

B Tiere und Pflanzen. Finden Sie zehn Wörter im Wörtergitter und ordnen Sie diese in die Tabelle ein.

E	K	H	O	L	Z	E	Q	K	K
V	A	W	S	T	B	A	U	M	B
O	T	A	I	I	Q	F	E	P	L
G	Z	C	P	E	C	L	X	F	A
E	E	H	G	R	U	J	H	L	T
L	P	S	X	Q	Q	L	C	A	T
O	F	E	S	X	V	H	U	N	D
A	E	N	O	X	L	R	N	Z	N
M	R	J	K	H	B	G	Z	E	B
K	D	J	M	E	M	G	Q	O	E

Tiere	Pflanzen
1	6
2	7
3	8
4	9
5	10

C Schlechte Sicht. Welches Wort passt am besten in welchen Satz? Ergänzen Sie die folgenden Wörter.

Grad ▪ schützen ▪ Luft ▪ wachsen ▪ Himmel ▪ scheint ▪ Zellen ▪ entstanden

1 Schönes Wetter! Die Sonne __________ und der __________ ist blau.

2 Wo früher viele alte Häuser standen, ist jetzt ein Wald __________.

3 Im Winter muss man sich warm anziehen. Die __________ ist immer sehr frisch und die Temperaturen liegen oft unter null __________.

4 Die Erde hier ist sehr gut. Deshalb __________ die Pflanzen so schnell.

5 Die Menschen, Tiere und Pflanzen bestehen alle aus __________.

6 Die Menschen müssen die Umwelt __________.

D Licht oder Schatten. Welches Wort passt nicht dazu? Unterstreichen Sie dieses Wort.

1 Licht – Schatten – Wind
2 frisch – biologisch – kalt
3 Wetter – Temperatur – Umwelt

E Ihre Umwelt. Beantworten Sie die Fragen. Benutzen Sie dafür die Wörter dieses Kapitels.

Welches Wetter mögen Sie am liebsten? Warum? Sind Sie gerne auf dem Dorf? Welche Tiere gibt es dort? Ist Umweltschutz in Ihrem Land wichtig? Ist er für Sie wichtig? Begründen Sie.

Links und rechts, hin und zurück, hinauf und hinaus

Entschuldigung, wie *gelange* ich zum Schloss? – Sie müssen hier nach *rechts* fahren. *Links* geht es zur Kirche.

Guten Tag! Bitte einmal Weimar *hin* und *zurück*! Ich fahre heute um 16.25 Uhr *hin* und morgen um 11.13 Uhr wieder *zurück*.

Entschuldigen Sie, wie lang ist der *Weg* zur Kirche *hinauf*? – Wenn Sie *hinauf*fahren, brauchen Sie nur zehn Minuten.

Mama, ein Vogel ist in mein Zimmer geflogen und kommt nicht mehr *hinaus*! – Dann öffne das Fenster und lass ihn *hinaus*!

Haben wir uns verlaufen?

- Entschuldigung. Ich *suche* den Weg zum Bahnhof. Ich weiß gar nicht, wo ich hier gerade bin. Ich glaube, dass ich mich *verlaufen* habe. – Sie *befinden sich* hier fast am Rand der Stadt. Der *Weg* zum Bahnhof ist von hier sehr weit.
- Stefan, weißt du, in welche *Richtung* wir jetzt gehen müssen? – Nein, ich muss mich auch erst einmal *orientieren*, wo wir hier gerade sind.

Wohin möchten Sie?

- Ralf und Lea fahren am Wochenende in den Thüringer Wald. *Dahin* wollte ich auch schon immer einmal!
- Ist das hier die *Straße*, die *direkt* nach Weimar führt? – Nein, hier fahren Sie erst nach Kromsdorf und von dort nach Weimar. Wenn sie den direkten *Weg* nehmen wollen, müssen Sie dort an der *Ecke* nach *links* fahren.
- Wie lang ist der *Weg* von hier zum Bahnhof? – Der Bahnhof ist nicht weit *entfernt*. Er ist ganz in der *Nähe*. Sie müssen nur auf dieser *Straße weitergehen*, dann kommen Sie direkt zum Bahnhof.
- Wo ich wohne? Meine Wohnung ist nur ein paar *Schritte* von hier *entfernt*. In zwei Minuten sind wir da.
- Wo ist das Museum? – Das ist *gegenüber* vom Bahnhof.

A Verschiedene Richtungen. Welches Wort passt zu welchem Bild? Ergänzen Sie die folgenden Wörter.

links ▪ hin ▪ hinauf ▪ hinaus ▪ rechts ▪ zurück

Sie geht ____________________[1].

Sie kommt ____________________[2].

Das Auto fährt nach ____________[3].

Das Auto fährt nach ____________[4].

Der Mann geht ________________[5].

Das Mädchen geht ____________[6].

B Können Sie mir helfen? Ergänzen Sie den Text mit den folgenden Wörtern.

Straße ▪ Nähe ▪ Richtung ▪ suche ▪ entfernt ▪ gelangen ▪ verlaufen ▪ Weg ▪ Ecke

Entschuldigung, ich glaube, ich habe mich ____________[1]. Kennen sie den ____________[2] von hier zum Schloss? – Ja, das Schloss ist gar nicht weit von hier ____________[3]. Es liegt ganz in der ____________[4]. Sie müssen nur dort vorne um die ____________[5] gehen und dann sehen Sie es schon! – Entschuldigen Sie, ich ____________[6] den Weg zum Marienplatz! – Da laufen Sie gerade in die falsche ____________[7]. – Ist das hier die ____________[8], die nach Erfurt führt? – Nein, auf dieser Straße ____________[9] Sie nach Weimar.

C Auf dem Weg sein. Ordnen Sie die Antworten den passenden Fragen zu.

1. Konntet ihr die Straße ohne Probleme mit eurem Auto passieren?
2. Kommst du am Wochenende mit nach Köln?
3. Woher weißt du, in welche Richtung wir gehen müssen?
4. Ist es noch weit bis zu eurem Haus?
5. Komme ich hier zum Bahnhof?

a. Nein, er befindet sich in der anderen Richtung.
b. Nein, es sind nur noch ein paar Schritte.
c. Nein, wir mussten wenden und eine andere Straße nehmen.
d. Nein, dahin möchte ich nicht mitkommen.
e. Ich orientiere mich einfach an der Sonne.

D Wege. Beantworten Sie die Fragen. Benutzen Sie dafür die Wörter dieses Kapitels.

Stellen Sie sich vor, Sie sind fremd in einem Ort und suchen den Bahnhof. Wie fragen Sie nach dem Weg?
Wie kommt man von Ihnen aus zur nächsten Post?

Die Reise nach Spanien

- Markus hat im Sommer drei Wochen frei. Er hat drei Wochen *Urlaub*. Er möchte eine *Reise* auf die spanische Insel Mallorca machen. Seine Freundin Maria hat auch Urlaub und *reist* mit ihm. Sie wissen schon genau, was sie alles sehen und machen möchten. Sie haben schon einen genauen *Plan* für ihre *Reise* gemacht.
- Auf Mallorca gibt es im Sommer sehr viele deutsche *Touristen*. Der viele *Tourismus* bringt den Menschen auf Mallorca Geld, aber er ist nicht gut für die Natur.
- Die *Saison* ist die Zeit im Jahr, in der die meisten *Touristen* kommen. Auf Mallorca geht die *Saison* von Mai bis September.

Der Urlaub

Maria: Ich habe gehört, dass du morgen mit deinem Freund nach Italien fliegst. Wohin fliegt ihr genau? Was ist euer genaues *Ziel*?

Uta: Wir kommen in Rom an. Dann nehmen wir uns ein Auto und fahren in den Süden. Unser *Ziel* ist Neapel.

Maria: Weißt du schon, was du alles mitnehmen möchtest?

Uta: Nein, ich werde wahrscheinlich erst heute Abend meine Sachen *packen*.

Maria: Und wisst ihr schon, was ihr im Urlaub machen wollt?

Uta: Wir wissen noch nicht genau, was wir *unternehmen* werden. Bis jetzt haben wir noch nichts *geplant*. Wir möchten natürlich viel sehen und viel *erleben*.

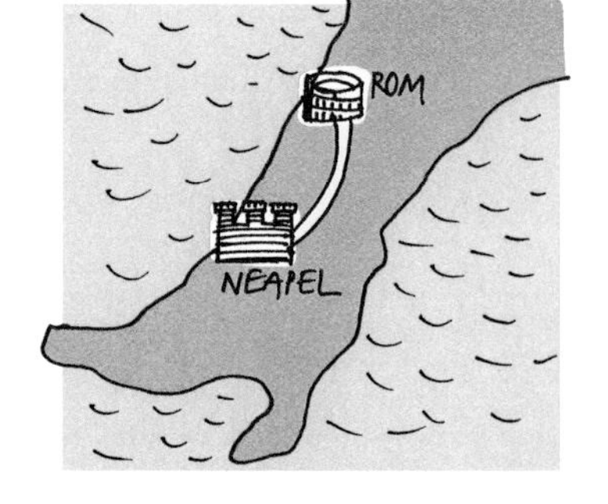

Die Touristengruppe

- Herr und Frau Schmidt mögen es, mit anderen *Menschen* zusammen in den *Urlaub* zu fahren. Diesen Sommer fliegen sie mit Freunden nach Frankreich. Die *Gruppe* möchte die Gegend im Nordosten des Landes kennen lernen. Herr Schmidt fliegt nicht gerne, aber mit dem Zug würde die *Fahrt* zu lange dauern.
- Die *Gruppe* weiß noch nicht genau, was sie in ihrem *Urlaub unternehmen* möchte. Aber in ihrem *Hotel* bekommt sie viele *Informationen* über die Urlaubsgegend.
- Die Freunde fahren zwei Wochen lang durch die Gegend und schauen sich viel an. Sie sind zwei Wochen zusammen *unterwegs*.
- Der kleine Ort, in dem die *Gruppe* wohnt, gefällt Frau Schmidt sehr gut. Deshalb kauft sie ein gemaltes Bild von dem Ort. Es ist eine schöne *Ansicht* vom Meer und dem Ort.

Zurückkommen, zurückkehren und zurückgehen

- Wie lange macht ihr Urlaub in Spanien? – Wir wollen in zwei Wochen *zurückkommen*.
- Anna hat vier Jahre in Amerika gelebt. Vor einem Monat ist sie nach Deutschland *zurückgekehrt*.
- Frau Schmidt und zwei andere Frauen wollten noch in ein paar Läden gehen.
  Herr Schmidt hatte keine Lust mitzukommen. Er ist alleine zum Hotel *zurückgegangen*.

A Der Tourismus. Ergänzen Sie die Sätze mit den folgenden Wörtern.

unternommen ▪ Touristen ▪ Saison ▪ reist ▪ Informationen ▪ Hotels ▪ zurückgehen ▪ Tourismus

1 Ich möchte nicht in der ________________ nach Mallorca fliegen, weil dann zu viele Touristen dort sind. Dann sind alle ________________ voll.

2 Wir haben in unserem Urlaub sehr viel angesehen und viel erlebt. Wir haben jeden Tag etwas ________________.

3 Nach Berlin kommen jedes Jahr sehr viele ________________.

4 Viele Menschen auf Mallorca leben vom ________________.

5 Vielleicht bekommen wir ja im Hotel ein paar ________________ über diese Stadt?

6 Frau Müller fährt im Urlaub gern weg. Sie ________________ sehr gern.

7 Wir laufen schon seit drei Stunden. Ich würde gerne zum Auto ________________.

B Marias Urlaub. Ergänzen Sie den Text mit den folgenden Wörtern.

geplant ▪ zurückkommen ▪ Reise ▪ packen ▪ Hotels ▪ Urlaub ▪ Plan ▪ Ziel

Liebe Susi,

endlich habe ich ________________[1]! Unsere ________________[2] nach Frankreich haben Johannes und ich schon sehr lange ________________[3]. Wir fliegen nach Paris und fahren dann weiter in den Süden. Unser ________________[4] ist Marseille. Wir haben schon einen genauen ________________[5] gemacht, wann wir an welchem Ort sein wollen und in welchen ________________[6] wir schlafen werden. Ich freue mich so! Wir wollen erst am 27. Juli ________________[7]. So, nun werde ich erst einmal meine Sachen ________________[8].

Ich wünsche Dir auch einen schönen Urlaub!

Viele Grüße, Deine Maria

C An einem Ort ankommen. Welches Wort passt zu welcher Erklärung? Ordnen Sie zu.

1 dahin zurückkommen, wo man vorher war
2 einen Ort erreichen
3 auf einer Reise sein
4 die Person
5 mehrere Personen
6 ein Bild oder ein Foto von einer Landschaft oder einem Ort

a die Ansicht
b der Mensch
c die Gruppe
d unterwegs sein
e an einem Ort ankommen
f zurückkehren

D Urlaub. Beantworten Sie die Fragen. Benutzen Sie dafür die Wörter dieses Kapitels.

Wann haben Sie das letzte Mal eine Reise gemacht? Wohin sind Sie gefahren oder geflogen? Waren Sie alleine unterwegs? Berichten Sie.

Fahrzeuge

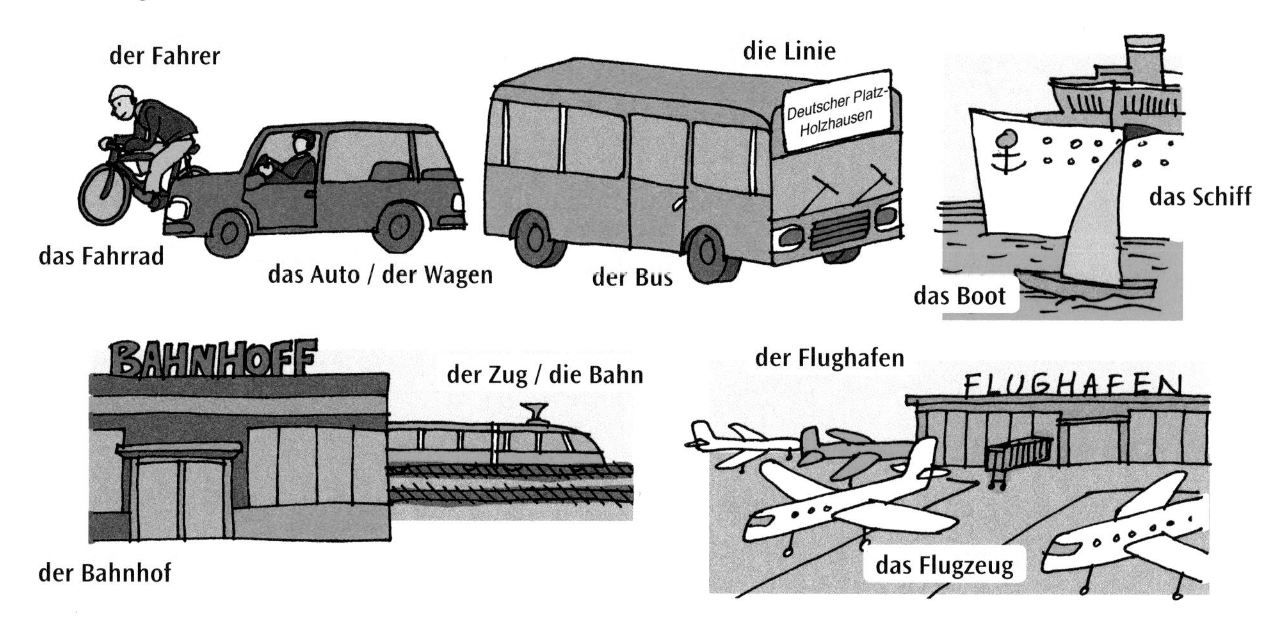

Mit dem Flugzeug fliegen oder mit dem Schiff fahren

- Ich *fliege* morgen mit meinem Freund von Berlin nach New York.
- Das *Flugzeug* sollte um 16.30 Uhr starten. Jetzt regnet es aber sehr stark. Der *Start* ist deshalb erst um 17.30 Uhr.
- Wann müssen wir am *Flughafen* sein? – Das *Flugzeug*, mit dem Markus kommt, *landet* um 12.25 Uhr.
- Meine Freundin möchte gern einmal mit dem *Schiff* nach Amerika fahren. Ich kann mir nicht vorstellen, eine so lange *Strecke* mit dem *Schiff* zu fahren. Ich hätte zu große Angst, dass das *Schiff sinkt*.
- Mit dem *Flugzeug* und dem *Schiff* kann man viele Waren und *Güter* um die ganze Welt schicken. Man schickt sie mit dem *Schiff* in andere Länder.

Mit dem Zug fahren

Zuerst fahren wir nach Leipzig. Wir *kommen* um 19.51 Uhr *an*. Dann fahren wir von Leipzig aus mit einem anderen *Zug* nach Dresden weiter. Wir haben in Leipzig *Anschluss* nach Dresden. Wir *erreichen* Dresden um 21.13 Uhr.

Im Straßenverkehr

- Heute sind sehr viele *Fahrzeuge* auf den Straßen. Auf den Straßen ist viel *Verkehr*.
- Markus fährt immer zu schnell. Er fährt mit zu hoher *Geschwindigkeit*.
- Bitte fahr nicht so schnell! Du *gefährdest* dich und auch die anderen!
- Gestern ist Markus mit seinem *Auto* in einen *Bus* gefahren. An dem *Auto* ist ein *Schaden* von 2000 Euro entstanden. – Kann er den *Wagen* noch fahren? – Ja, aber er muss mehrere *Teile* neu kaufen. Die *Teile* müssen am *Auto ersetzt* werden.

Den Weg durch die Berge passieren

Wir wollten im Januar mit dem *Auto* nach Italien fahren. Aber wir konnten nicht durch die Berge fahren. Wir konnten die Alpen nicht mit dem *Auto passieren*. Überall standen *Zeichen*, die den *Fahrern* sagen sollten, dass sie sich vorsehen und lieber nicht weiterfahren sollen.

A Mit dem Bus zum Hotel, mit der Bahn zur Arbeit. Ergänzen Sie die Sätze mit den folgenden Wörtern.

gefährdest ▪ Anschluss ▪ Strecke ▪ Geschwindigkeit ▪ Schiffe ▪ Linie ▪ Start ▪ Bus ▪ gesunken ▪ Verkehr

1 Welcher ________________ fährt zum Bahnhof? – Die ________________ 14.

2 Am Nachmittag ist in der Stadt häufig starker ________________.

3 Du fährst mit viel zu hoher ________________! Du ________________ uns alle!

4 Wir kommen um 10.00 Uhr in Berlin an. Dann haben wir ________________ nach Dresden.

5 Der ________________ des Flugzeugs sollte schon 9.00 Uhr sein.

6 Ich bin die ________________ von Hamburg nach Leipzig schon oft gefahren.

7 Die Titanic war eines der größten und schnellsten ______________ der Welt. Sie ist 1912 ________________.

B Rund ums Fahrzeug. Welches Wort passt nicht dazu? Unterstreichen Sie dieses Wort.

1 Fahrrad – Fahrt – Auto – Bus
2 Bahnhof – Boot – Zug – Bahn
3 Flughafen – Flugzeug – Fahrer – Start

C Fahrzeuge. Ordnen Sie die Wörter den Fragen zu.

das Auto ▪ das Boot ▪ der Bus ▪ der Flughafen ▪ das Fahrrad ▪ das Flugzeug ▪ die Insel ▪ der Wagen ▪ das Schiff

1 Womit fährt man auf der Straße? ________________________________

2 Womit fährt man auf dem Wasser? ________________________________

3 Womit fliegt man in der Luft? ________________________________

4 Womit kann man landen? ________________________________

5 Wo kann man landen? ________________________________

D Etwas mit dem Schiff schicken. Welches Wort passt zu welcher Erklärung? Ordnen Sie zu.

1	etwas mit dem Schiff schicken	a	Teil
2	Autos, Fahrräder, Züge und Schiffe sind …	b	das Gut
3	etwas, das einen Wert hat	c	Fahrzeuge
4	entsteht oft bei einem Unfall	d	etwas per Schiff schicken
5	nicht das Ganze, nur ein …	e	der Schaden

E Was fahren Sie? Beantworten Sie die Fragen. Benutzen Sie dafür die Wörter dieses Kapitels.

Mit welchen Fahrzeugen fahren oder fliegen Sie am liebsten? Warum? Berichten Sie.
Besitzen Sie ein eigenes Fahrzeug? Wann und wofür benutzen Sie dieses Fahrzeug?

Auf dem Tisch

Essen und trinken

Das Essen

- Heute *essen* wir bei Oma und Opa. Wir mögen das *Essen* von Oma und Opa.
- Stefan ist seit drei Stunden in der Küche. Er *kocht* etwas für seine neue Freundin.
- Markus möchte nichts mehr *essen*. Er hat *genug gegessen*.
- Das *Essen* ist *fertig*! Wir können *essen*!
- Wir müssen noch ein bisschen warten, das *Fleisch* ist noch nicht *gar*.
- Heute kommt unsere ganze Familie zum *Essen*. Meine Mutter glaubt, dass sie nicht genug *Essen gekocht* hat. Sie denkt, dass es vielleicht nicht für alle *reicht*.
- Ich möchte heute Abend nicht so viel *Wein* trinken. Ein Glas *genügt* mir.
- Gibst du mir mal die *Flasche*? – Welche *Flasche* meinst du?
  Die eine *Flasche enthält Wein* und die andere *Flasche* enthält *Wasser*.
- Möchtest du deinen *Kaffee mit* oder *ohne* Milch trinken? – Ich trinke den *Kaffee* mit Milch.
- Es ist wichtig, in der Küche ein *scharfes* Messer zu haben. Man kann leichter schneiden.
- Wir haben heute eine Suppe *gekocht*. Sie war so *scharf*, dass ich einen roten Kopf bekommen habe.

Ein Gericht auswählen, probieren, genießen

- Gestern hat Paul etwas für mich *gekocht*, das ich noch nie *gegessen* habe. Ich kannte das *Gericht* noch nicht.
- Stefan isst sehr gern *Fleisch*. Immer wenn er *essen* geht, *wählt* er ein *Gericht* mit *Fleisch* aus.
- Uta hat dieses *Gericht* noch nie *gegessen*. Aber sie möchte es gern *probieren*.
- Maria trinkt sehr gerne guten *Wein*. Sie *genießt* es, ein Glas guten *Wein* zu trinken.

A Ein Gericht essen. Welches Wort passt am besten in welchen Satz?
Ergänzen Sie die Sätze mit den folgenden Wörtern.

reicht • isst • bestellen • scharf • kocht • enthält • auswählen • trinkt • probieren

1 Stefanie geht nicht gern essen. Am liebsten ______________ sie ihr Essen selbst.

2 Am Abend ______________ Lea gern ein Glas Wein.

3 Ich kenne das Gericht nicht, das du isst. Darf ich vielleicht mal ______________?

4 Maria ______________ sehr gern Fleisch, aber sie kocht es nicht gerne selber.

5 Hast du ein Gericht ausgewählt? Können wir dann ______________?

6 Es kommen sehr viele Gäste am Abend. Hoffentlich ______________ das Essen!

7 Darf ich den Wein zum Essen ______________?

8 Die Suppe ist sehr ______________. Ich muss viel Brot dazu essen.

9 Neben dem Teller stehen zwei Gläser. Das eine Glas ______________ Wasser und das andere Wein.

B Auswählen und essen. Welches Wort passt nicht dazu? Unterstreichen Sie dieses Wort.

1 gar – bestellen – fertig
2 reichen – genügen – kochen
3 auswählen – reichen – bestellen
4 essen – bedienen – trinken
5 das Gericht – das Glas – die Flasche
6 mit – ohne – genug
7 scharf – Messer – Kaffee

C Das Essen ist fertig. Füllen Sie das Kreuzworträtsel aus.

1 Das Fleisch ist fertig gekocht. Es ist …
2 Markus bestellt sich eine … Bier.
3 Maria … nie Wein.
4 Peter und Anna … heute ein neues Gericht.
5 Wir … und essen oft zusammen.
6 Es ist nicht viel da, aber es muss für alle …
7 Er isst nicht viel am Morgen, ein Stück Brot … ihm.

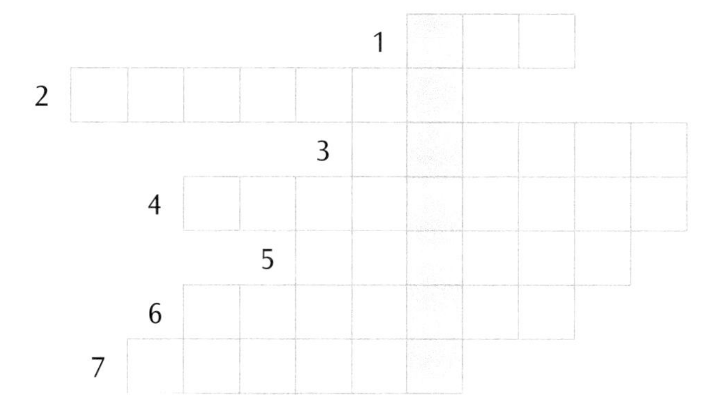

D Kochen Sie? Beantworten Sie die Fragen. Benutzen Sie dafür die Wörter dieses Kapitels.

Kochen Sie gerne und gut? Was trinken Sie gern zum Essen? Wo essen Sie am liebsten?

Kaufen, verkaufen

- Ich muss heute viele Dinge machen. Ich nehme mir ein Stück Papier und schreibe alles auf. Auf der *Liste* steht, was ich *kaufen* und was ich *erledigen* muss.
- Der Kühlschrank ist leer. Wir müssen *einkaufen* gehen.
- Peters Auto ist sehr alt. Er denkt über den *Kauf* eines neuen Autos nach. Aber er muss erst sein altes Auto *verkaufen*. Er sucht jetzt einen *Käufer*.
- Die Firma möchte dieses Gebäude unbedingt *kaufen*. Sie *bietet* dafür vier Millionen Euro.

Ein Kleid kaufen

Heute gehe ich *einkaufen*. Bald heiratet meine Schwester und ich habe nichts zum *Anziehen*. Ich möchte gerne ein schönes *Kleid tragen*. Ich gehe in ein Geschäft und *ziehe* mehrere *Kleider an*, um zu sehen, ob sie mir *passen*. Ich bin klein und dünn, ich habe *Größe* 36.

Kundin: Dieses Kleid *passt* mir nicht, es ist zu groß. Haben Sie es in einer kleineren *Größe*?
Verkäufer: Ja, Moment. *Ziehen* Sie dieses mal *an*.
Kundin: Das *passt* perfekt! Der *feine Stoff* fühlt sich sehr gut an. Aber er ist auch sehr dünn. Meinen Sie, ich bekomme schnell ein *Loch* ins *Kleid*?
Verkäufer: Nein, das ist sehr gutes *Material*. Das *reißt* nicht schnell.
Kundin: Prima, dann nehme ich das. Dann brauche ich nur noch ein *Paar* Schuhe dazu!

Auf dem Markt

Ich *kaufe* gern auf dem *Markt ein*. Ich *empfehle*, nachmittags auf den *Markt* zu gehen, dann wird alles billiger *angeboten*. Auf meiner Einkaufs*liste* steht Obst und Gemüse, aber ich schaue mir auch gerne die *Stoffe* an, die in guter *Qualität angeboten* werden.

Kaufen, kaufen, kaufen

Heute wollte ich eine neue Hose *kaufen*, weil meine alte ein *Loch* hat. Aber dann gab es eine tolle *Aktion*: Wenn man zwei Hosen *kauft*, kann man noch eine *weitere* Hose *mitnehmen*, ohne sie zu *bezahlen*. So wurde ich also *Käufer* von drei Hosen. Dann sah ich noch viele andere schöne Hosen, die *Auswahl* war so groß! Ich *kaufte* zwei *weitere* Hosen: eine aus sehr festem *Material*, das bestimmt nicht *reißt*, und eine *feinere* für die Arbeit. Ich musste sehr viel dafür *zahlen* und der Verkäufer freute sich über einen so guten *Kunden*. Ich *nahm* auch noch einen Prospekt über *weitere* Verkaufs*aktionen mit*. Eigentlich wollte ich auch noch eine *Tasche* aus *echtem* Leder *kaufen*. Aber dafür war kein Geld mehr *übrig*. Egal, ich *trug* eine der Hosen, die ich neu *erworben* hatte, und war glücklich.

A Im Geschäft. Ergänzen Sie die Sätze mit den folgenden Wörtern.

erledigen ▪ übrig ▪ empfehlen ▪ passt

1 Diese Hose ________________ mir nicht, sie ist mir zu klein.

2 Ich habe keine Zeit, ich muss so viel ________________.

3 Beide Kleider sind schön. Welches würdest du mir ________________?

4 Es bleibt kein Geld für den Rest des Monats ________________, wenn ich die Hose kaufe.

B Einkaufen. Welche Wörter passen zusammen? Ordnen Sie zu.

1	bezahlen → d	a	erledigen
2	die Größe	b	das Loch
3	erwerben	c	der Stoff
4	die Liste	d	der Käufer
5	fein	e	passen
6	reißen	f	der Kauf

C Verkehrte Einkaufswelt. Die folgenden Sätze sind falsch. Verbessern Sie die Fehler.

1 Ich kaufe ein Loch Schuhe.
2 Der Kunde will das Kleid anbieten.
3 Der Stoff ist fein, die Größe ist gut.
4 Das Kleid trägt, es hat meine Größe.
5 Dein altes Fahrrad gefällt mir gut. Ich möchte es kaufen und nehme dafür 200 Euro.

D Der Kauf. Füllen Sie das Kreuzworträtsel aus.

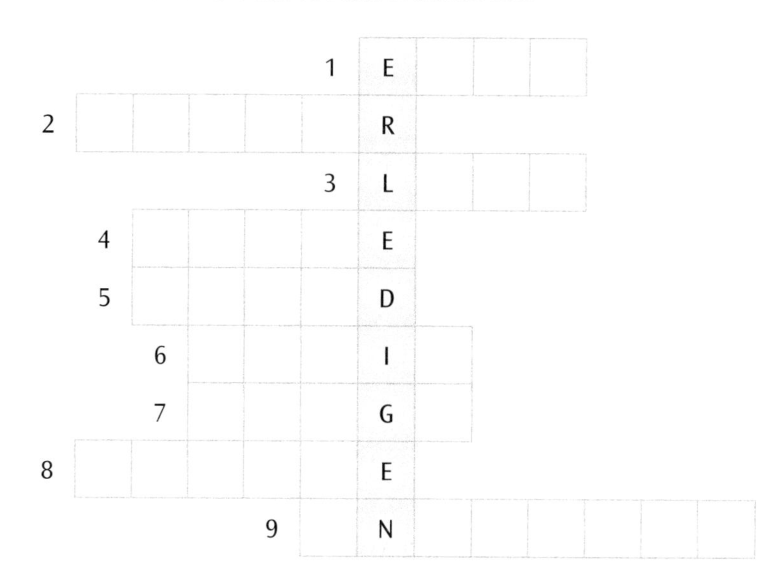

1 Ist das Gold an dieser Tasche …?
2 Der … des Autos hat viel Geld bezahlt.
3 Oh nein. Die Tasche ist gerissen. Sie hat ein …
4 Damit ich nichts vergesse, habe ich mir eine … gemacht.
5 Zu besonderen Anlässen tragen Frauen oft ein …
6 Heute wurde viel gekauft. Wir haben nur noch drei Kleider …
7 Ich … heute zum ersten Mal meine neue Hose.
8 Ich nehme eine große … mit, weil ich viel einkaufen will.
9 Du musst gleich zur Schule, du musst dich schnell …

E Ich kaufe ein. Beantworten Sie die Fragen. Benutzen Sie dafür die Wörter dieses Kapitels.

Schreiben Sie manchmal eine Liste, was Sie alles erledigen müssen? Was steht auf der Liste?
Was kaufen Sie gerne ein? Kaufen Sie manchmal zu viel?

Gelddinge

- Wenn Sie etwas für die Firma kaufen, lassen Sie sich bitte eine *Rechnung* geben.
- Kannst du dir denn ein so teures Auto leisten? – Ja, ich habe keine *finanziellen* Probleme.
- Dieses Auto ist schon alt. Es hat nur noch einen *Wert* von 1000 *Euro*.
- Mein Auto war kaputt. Die *Kosten* für die Reparatur *betragen* 1000 Euro. Heute kam die *Rechnung*, ich gehe zur *Bank* und *überweise* das *Geld*.
- Der *Euro* ist die gemeinsame Währung der Europäischen Union. In der Schweiz bezahlt man mit *Franken*.

Preise vergleichen

- Wie viel *kostet* ein Kilo Äpfel? – Ein Kilo Äpfel *kostet* 2,50 *Franken*.
- Ich finde drei Euro für ein kleines Brot zu *teuer*. Der Preis ist nicht *angemessen*.
- Zehn frische Eier für je zwanzig Cent. Das *ergibt* zwei Euro.
- Am Ende eines Markttages *zählen* wir immer, wie viel *Geld* in der Kasse ist. Dann *vergleichen* wir es damit, wie viel *Geld* wir an den anderen Tagen hatten.
- Die braune Tasche *kostet* wenig, sie ist sehr *billig*. Aber die schwarze Tasche dort ist noch *billiger*.
- Oh, das Kleid *kostet* sehr viel. Das ist mir zu *teuer*. Ich suche ein *günstiges* Kleid.
- Die *Preise* für Lebensmittel sind *gestiegen*. Man muss die *Preise vergleichen*, um *günstig* einzukaufen. Sonst *reicht* das Geld am Ende des Monats nicht mehr *aus*!
- Heute sind im Kaufhaus viele Waren *billiger* als sonst. Der Preis ist *reduziert*.
- Der *Preisvergleich ergibt*, dass der eine Bäcker *teurer* ist als der andere.

Geld sparen

Ich habe jeden Monat feste *Kosten*, ich muss Miete für meine Wohnung bezahlen, und dann kommen *Rechnungen* für Telefon und Internet. Aber seit ich arbeite, bin ich meine *finanziellen* Probleme *los*. Ich *verfüge* jetzt jeden Monat über so viel *Geld*, dass ich etwas davon *sparen* will. Dann habe ich später genug *Geld*, um mir etwas Großes zu kaufen.

Auf der Bank

Sparer: Ich möchte *Geld sparen*. Ich möchte es aber nicht in Aktien *anlegen*. Ich habe Angst, dass sie an *Wert* verlieren. Was raten Sie mir?

Berater: Welchen *Betrag* möchten Sie denn *anlegen*?

Sparer: Ich möchte jeden Monat 500 *Euro anlegen*.

Berater: Dann empfehle ich Ihnen das Angebot „Flexibel *Sparen*". Wir *erheben* keine Gebühren dafür. Und Sie können jederzeit den *Betrag*, den Sie *sparen* möchten, *erhöhen* oder *reduzieren*.

A Das Geld. Ergänzen Sie die Sätze mit den folgenden Wörtern.

los ▪ verfügt ▪ betragen ▪ Wert ▪ anlegen ▪ spare ▪ gestiegen

1 Am Anfang des Monats __________________ er über mehr Geld als am Ende des Monats.

2 Die Kosten für die Reise __________________ ca. 1000 Euro.

3 Ralf möchte sein Geld in Aktien __________________.

4 Seit sie ihre Firma verkauft haben, sind sie alle ihre Probleme __________________.

5 Der __________________ der Aktie ist in kurzer Zeit __________________.

6 Ich lege jeden Monat Geld zur Seite, ich __________________ für einen neuen Computer.

B Verkehrte Finanzwelt. Die folgenden Sätze sind falsch. Verbessern Sie die Fehler.

1 Auf der Schule kann man sein Geld in Aktien anlegen.
2 Der Preis für das Haus ist hoch, aber teuer.
3 In Genf habe ich für einen Kaffee vier Schweizer Euro bezahlt.
4 Das ist so teuer, das kann keinen Wert haben!

C Geld regiert die Welt. Ordnen Sie die Wörter den passenden Erklärungen zu.

1	Beweis dafür, dass man etwas gekauft hat	a	erheben
2	wie viel etwas kostet	b	finanziell
3	den Preis senken	c	ergeben
4	etwas verlangen oder einkassieren	d	reduzieren
5	das Resultat haben	e	der Preis
6	in Bezug auf das Geld	f	die Rechnung

D Rund ums Geld. Finden Sie die folgenden Wörter im Wörtergitter.

anlegen ▪ Bank ▪ billig ▪ Euro ▪ finanziell ▪ Franken ▪ Geld ▪ Kosten ▪ los ▪ Preis ▪ teuer ▪ Wert ▪ zählen

F	I	N	A	N	Z	I	E	L	L
R	B	A	N	K	Ä	L	O	S	W
A	I	P	L	O	H	E	U	R	O
N	L	R	E	S	L	E	G	E	W
K	L	E	G	T	E	U	E	R	E
E	I	I	E	E	N	R	L	S	R
N	G	S	N	N	Ö	F	D	P	T

E Mein Geld. Beantworten Sie die Fragen. Benutzen Sie dafür die Wörter dieses Kapitels.

Wann gehen Sie zur Bank?
Ist es wichtig, Geld zu sparen? Was meinen Sie?

Geschäfte machen

- Alle Geschäftsmänner und Geschäftsfrauen machen *Geschäfte*: Sie haben Kunden, sie bieten etwas an, sie *handeln* mit etwas oder verkaufen etwas.
- Der Euro ist gut fürs Import*geschäft*.
- Wie laufen die *Geschäfte*? – Schlecht, die Leute sparen zu viel und kaufen zu wenig.
- Ein *Geschäft* ist zugleich der Raum, in dem man *Produkte* anbietet und verkauft.

Ein Geschäft eröffnen

- Lange hatten wir keine Arbeit. Jetzt *gründen* wir unser eigenes *Geschäft*! Wir wollen mit Bio*produkten handeln*. Wir kaufen die *Ware* direkt bei *Anbietern* aus der Region und verkaufen sie dann in unserem Bio*laden* weiter. Es gibt einige andere Bio*geschäfte*, die *Konkurrenz* für uns sind. Aber die *Nachfrage* nach Bio*produkten* ist so groß, dass wir bestimmt genug Käufer haben und genug *einnehmen*. In einer Woche *eröffnen* wir. Wir haben den *Laden* und ein *Lager* für die *Waren*, damit immer genug da ist. Wir wollen unser *Angebot* bald *erweitern* und auch Kleidung aus Biomaterialien verkaufen. In dieser *Branche* steigen die *Umsätze* und die *Konkurrenz* ist noch nicht so groß.
- Hoffentlich ist unser *Gewinn* nicht so hoch, dass wir zu viel *Steuern* zahlen müssen!
- Du träumst. Ich bin froh, wenn die *Einnahmen* hoch genug sind, sodass wir keinen *Verlust* machen!

Die Nachfrage steigt und sinkt

- In China kaufen sich immer mehr Leute ein Auto. Die *Nachfrage* nach Autos wird von Jahr zu Jahr größer.
- Letztes Jahr war ein erfolgreiches Jahr für die Firma. Sie hat mit dem neuen Konzept hohen *Gewinn* gemacht.
- Dieses Jahr gab es keine hohe *Nachfrage* nach dem Produkt. Das Unternehmen hat keinen *Gewinn*, sondern *Verlust* gemacht.
- Früher verkaufte die Firma ihre Schuhe nur in Schuh*geschäften*. Seitdem sie auch übers Internet verkauft, ist ihr *Umsatz* gestiegen.
- Wenn eine Firma viele Produkte verkauft, steigen ihre *Einnahmen*.
- Die *Nachfrage* nach Computern ist groß, aber die *Konkurrenz* in der Computer*branche* ebenfalls.

A Geschäfte machen. Ergänzen Sie die Sätze mit den folgenden Wörtern.

eröffnen ▪ Nachfrage ▪ Branche ▪ Umsatz ▪ Anbieter

1 Nächstes Jahr will er ein eigenes Restaurant ________________.

2 Der größte ________________ für Mobiltelefone hat dieses Jahr Verlust gemacht.

3 Viele Leute wollen Bioprodukte kaufen. Die ________________ ist stark gestiegen.

4 Der ________________ der Firma ist hoch, seit im Laden neue Verkäufer arbeiten.

5 Das Autohaus macht Verluste. Die Konkurrenz in der ________________ ist groß.

B Warenkunde. Welche drei Begriffe passen zusammen? Verbinden Sie die passenden Teile.

1	Waren	a	Gewinn	A	Steuern
2	Branche	b	Anbieter	B	erweitern
3	gründen	c	Produkt	C	Konkurrenz
4	Einnahmen	d	eröffnen	D	Angebot

C Verkehrte Geschäftswelt. Die folgenden Sätze sind falsch. Verbessern Sie die Fehler.

Gewinn ▪ gehandelt ▪ erweitert ▪ Nachfrage ▪ eröffnet ▪ Verlust

1 Gestern hat ein neuer Laden erweitert.
2 Er hat die letzten Jahre mit Kunst verkauft.
3 Ich habe mein Angebot reduziert und verkaufe jetzt auch Technik.
4 Die Kasse ist voller Geld. Wir haben heute viel Verlust gemacht.
5 Ich habe bisher kein Geld eingenommen, sondern nur Gewinn gemacht.
6 Die Angebote nach MP3-Playern hat zugenommen, viele Leute wollen damit joggen gehen.

D Geschäfte machen. Füllen Sie das Kreuzworträtsel aus.

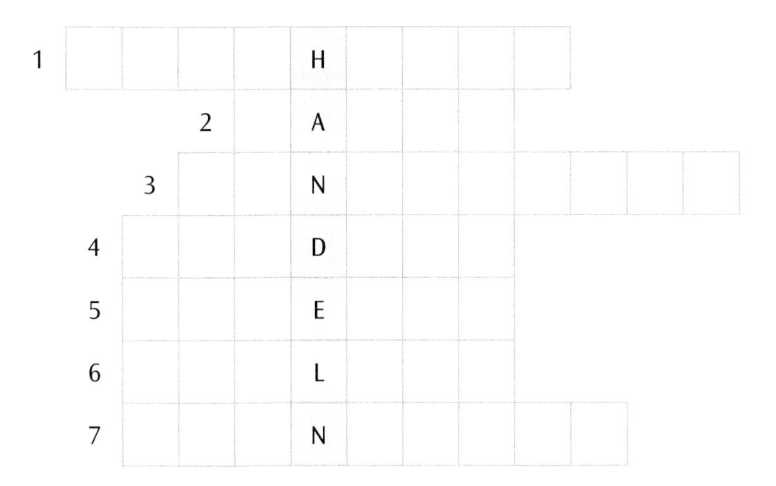

1 Die … laufen gut, unser Gewinn ist hoch.
2 Im … liegen Waren, die geholt werden, wenn sie im Geschäft fehlen.
3 Man sagt: … belebt das Geschäft.
4 Diese Creme ist das bekannteste … unserer Firma.
5 Wir haben auch Äpfel im …
6 Wir haben keinen Gewinn, sondern nur … gemacht.
7 Heute hatten wir viele Kunden. Die … sind hoch.

E Im Geschäft. Beantworten Sie die Fragen. Benutzen Sie dafür die Wörter dieses Kapitels.

Kennen Sie jemanden, der einen Laden hat oder Geschäfte macht? Was für ein Geschäft hätten Sie gern? Erzählen Sie!

Die Verwaltung

Jeder Staat hat eine eigene *Verwaltung* mit eigenen *Institutionen*. Das sind *Ämter* und *Behörden*. *Amt* ist ein anderes Wort für *Behörde*.

Einen Antrag stellen

- Frau Schmidt ist neu in der Stadt. Sie geht zu einem *Amt*. Sie *meldet* dem *Amt* ihre neue Adresse. Nun weiß das *Amt*, wo sie wohnt. Es hat ihre neue Adresse *erfasst*.
- Weil Frau Schmidt noch keine neue Arbeit hat, möchte sie Geld vom Staat bekommen. Sie stellt einen *Antrag* bei einem *Amt*.
- Die *Behörde* hat den *Antrag* bekommen. Er *liegt* der *Behörde vor*.
- Hat das *Amt* alle Angaben von Frau Schmidt, die es braucht? – Ja, dem *Amt liegen* alle Angaben *vor*. Das *Amt bestätigt* Frau Schmidt, dass ihr *Antrag vollständig* ist.
- Wenn die *Behörde* alle Angaben hat, entscheidet sie in einem *Verfahren*, ob Frau Schmidt Geld bekommen soll.
- Frau Schmidt bekommt kein Geld. Das *Amt* hat ihren *Antrag abgelehnt*.

Ein Antrag auf finanzielle Förderung

- Die Studentin Lea möchte Geld vom Staat bekommen. Deshalb ist es *notwendig* einen *Antrag* zu stellen.
- Lea muss der *Behörde* zeigen, dass sie Studentin ist. Sie muss es *nachweisen*. Das *Amt überprüft*, ob Leas Angaben richtig sind.
- Wenn alle Angaben richtig sind, entscheidet das *Amt* über Leas *Forderung*.
- Lea bekommt Geld. Aber es ist weniger, als sie gedacht hat. Die finanzielle Förderung ist auf 400 € im Monat *begrenzt*.

Auf dem Amt

- Wir schließen um 18 Uhr. Jetzt ist es 18.05 Uhr. Keiner darf mehr hereinkommen. Auch Sie nicht! Da gibt es keine *Ausnahme*.
- Diesen *Antrag* können Sie hier nicht stellen. Wir sind dafür nicht *zuständig*.
- Es gibt eine neue Regelung für Familien, die mehr als zwei Kinder haben. Sie haben aber nur ein Kind. Die neue Regelung *betrifft* Sie daher nicht!
- Sie haben einen *Antrag* auf eine finanzielle Förderung von 800 € gestellt. Sie erhalten eine Förderung, aber wir *beschränken* sie auf 500 €.
- Ich kann Ihnen jetzt nicht erklären, weshalb Ihr *Antrag abgelehnt* wurde! Ich *verweise* Sie auf die Regelungen, die es dazu gibt.
- Alle Menschen, die eine Arbeit haben, zahlen jeden Monat einen *Beitrag* an den Staat. Dafür bekommen sie vom Staat Geld, wenn sie einmal keine Arbeit mehr haben.
- Herr Schneider ist krank. In der Zeit, in der er nicht da ist, *vertrete* ich ihn.
- Herr Müller weiß nicht, was das *Amt* mit seinem *Antrag* macht. Er kennt die internen *Vorgänge* im *Amt* nicht.

A Zu einer Behörde gehen. Ergänzen Sie die Sätze mit den folgenden Wörtern.

zuständig • bestätigt • verweise • Behörden • beschränkt • Ausnahme • betrifft

1 Ich ______________ Sie auf die Möglichkeit, den Antrag noch einmal zu stellen.

2 Ämter und ______________ sind Teil der Verwaltung eines Staates.

3 Diese Regelung ______________ nur Menschen, die schon älter als 60 Jahre alt sind.

4 Ich bin dafür nicht ______________, aber für Sie mache ich eine ______________.

5 Die Behörde hat mir noch nicht ______________, dass mein Antrag vollständig vorliegt.

6 Die finanzielle Förderung ist auf 350 € im Monat ______________.

B Das Amt. Welches Wort passt zu welchem Satz? Ordnen Sie zu.

1 Ja, Herr Weber, Ihr Antrag liegt mir …
2 Weil er nicht vollständig ist, lehnen wir Ihren Antrag … → a
3 Sie weist dem Amt …, dass sie Studentin ist.

a ab
b nach
c vor

C Verkehrte Welt. Ersetzen Sie die unterstrichenen Wörter durch folgende Wörter.

melden • vollständig • begrenzt • Antrag • überprüft

1 Der Beitrag ist auf 20 € pro Monat gemeldet.
2 Damit das Amt den Antrag nicht ablehnt, muss er begrenzt sein.
3 Susi geht zum Amt, um einen Beitrag zu stellen.
4 Er muss seine neue Adresse noch dem Amt vertreten.
5 Das Amt hat meine Angaben noch nicht nachgewiesen.

D Rund um Amt und Behörde. Ergänzen Sie die Sätze mit Wörtern aus dem Wörtergitter.

W	D	R	A	S	E	A	Q	F	I	P
B	V	E	R	T	R	I	T	T	E	R
L	O	M	T	R	F	U	O	E	M	T
Ä	R	D	A	M	T	M	B	N	P	A
N	G	S	P	H	S	K	E	T	Ö	I
J	A	Ö	L	K	S	U	I	L	E	V
I	N	S	T	I	T	U	T	I	O	N
U	G	F	O	R	D	E	R	U	N	G
K	E	N	W	S	A	N	A	G	S	T
G	R	U	N	D	L	A	G	E	E	I
O	V	E	R	W	A	L	T	U	N	G

1 Ich bin krank. Susi … mich heute im Laden.
2 Dieser … wurde noch nicht bearbeitet.
3 Das Amt entscheidet über Leas …
4 Ich arbeite in dieser … seit fünf Jahren.
5 Dieses … ist für die Bildungspolitik zuständig.
6 Sie müssen im Monat einen … von 10 € bezahlen.
7 Er arbeitet in unserer Firma in der …
8 Das deutsche Gesetz ist die … unserer Arbeit.

E Und bei Ihnen? Beantworten Sie die Fragen. Benutzen Sie dafür die Wörter dieses Kapitels.

Haben Sie schon einmal einen Antrag bei einem Amt gestellt? Wurde er abgelehnt oder haben Sie bekommen, was Sie wollten? Sind Sie zufrieden mit der Arbeit der Ämter? Begründen Sie Ihre Meinung.

Unterstützung im Alltag

Die Mutter von Herrn Schneider ist 83 Jahre alt.
Sie kann nicht mehr alleine einkaufen gehen, kochen oder Ordnung in ihrer Wohnung machen.
Herr Schneider kommt manchmal am Wochenende, um ihr zu *helfen*. Aber diese *Hilfe* reicht nicht.
Frau Schneider *benötigt* jemanden, der jeden Tag zu ihr kommt und ihr *hilft*. Herr Schneider würde seiner Mutter gerne diese *Unterstützung* geben, aber er kann es nicht, weil er in einer anderen Stadt wohnt.

Ein sozialer Beruf

Frau Meier hat einen *sozialen* Beruf: Sie kümmert sich um ältere Menschen, die einer *Unterstützung* im Alltag *bedürfen*.
Sie arbeitet sehr viel, sie hat lange *Dienste*: Manchmal arbeitet sie von 8 Uhr bis 20 Uhr. Aber sie bekommt dafür sehr wenig Geld. Sie möchte mehr Geld für ihre Arbeit erhalten.

Eine große Hilfe

- Der Staat tut viel, damit alte Leute *Hilfe* bekommen. Es gibt viele *Maßnahmen*, um alten Menschen zu *helfen*.
- Seit einem Monat kommt Frau Meier jeden Tag zu der Mutter von Herrn Schneider. Von Frau Meier *erhält* Frau Schneider *Unterstützung* im Alltag.
- Frau Meier ist eine große *Hilfe* für die alte Dame. Sie erledigt viel für sie. Sie *erleichtert* Frau Schneider das Leben.
- Frau Meier bestellt auch Essen für die alte Frau. Dabei muss sie viel *beachten*: Frau Schneider darf nicht zu viel Fleisch essen. Und sie muss sehr viel trinken.
- Wenn Frau Scheider ihrem Sohn einen *Brief schicken* will, bringt ihn Frau Meier für sie zur *Post*.
- Für Frau Schneider ist jeder Tag gleich. Manchmal weiß sie nicht, ob es Montag oder Dienstag ist. Aber sie weiß immer, wann Sonntag ist, denn dann *kriegt* sie Besuch von ihrem Sohn. Er sagt immer einen Tag vorher, dass er kommt. Er *kündigt* es ihr einen Tag vorher *an*.
- Er sagt auch Frau Meier, dass er kommen wird. Er *teilt* es ihr *mit*, weil Frau Meier nicht zu seiner Mutter kommen muss, wenn sie Besuch von ihrem Sohn hat.

Freiwillig helfen

Ralf hat ein neues Hobby – er *hilft* bei der *freiwilligen* Feuerwehr. Heute Nacht muss er *helfen*, wenn es irgendwo ein *Feuer* gibt. Wenn jemand die Feuerwehr *ruft*, muss er sofort *bereit* sein. Es gibt wirklich ein *Feuer* – es *brennt* in einem Haus in der Marienstraße. Man weiß noch nicht, wer das *Feuer verursacht* hat.

A Wie heißt es richtig? Ergänzen Sie die Wortgruppen mit den folgenden Wörtern.

bedürfen ▪ rufen ▪ ankündigen ▪ helfen ▪ verursachen

1 das Feuer ____________________

2 der Hilfe ____________________

3 einer alten Frau ____________________

4 die Mutter ____________________

5 seinen Besuch ____________________

B Hilfe brauchen. Ersetzen Sie die unterstrichenen Wörter durch ähnliche Wörter.

benötigen ▪ Unterstützung ▪ bereit ▪ mitgeteilt ▪ erhalten

1 Viele ältere Menschen <u>brauchen</u> Hilfe.
2 Vorgestern habe ich einen Brief von meiner Tochter <u>gekriegt</u>.
3 Die Frau vom Amt hat mir <u>gesagt</u>, dass mein Antrag nicht abgelehnt wurde.
4 Susi, bist du <u>fertig</u>? Es geht los.
5 Von Frau Meier erhält sie die <u>Hilfe</u>, die sie braucht.

C Die Unterstützung. Ergänzen Sie die Sätze mit den folgenden Wörtern.

sozialen ▪ Hilfe ▪ beachten ▪ erleichtern ▪ helfen

1 Du musst ______________, dass ältere Menschen langsamer sind!

2 Susi hat einen ______________ Beruf.

3 Die junge Mutter mit den vier Kindern braucht meine ______________.

4 Eine Hilfe im Haushalt kann alten Menschen das Leben sehr ______________.

5 Musst du noch viel erledigen? Kann ich dir vielleicht ______________?

D Das Feuer brennt. Welches Wort passt zu welcher Erklärung? Ordnen Sie zu.

1	entsteht, wenn es brennt	a	etwas kriegen
2	Dienst haben	b	arbeiten müssen
3	etwas bekommen	c	jemandem helfen
4	etwas tun, was man nicht tun muss	d	das Feuer
5	jemanden unterstützen	e	etwas freiwillig tun

E Und bei Ihnen? Beantworten Sie die Fragen. Benutzen Sie dafür die Wörter dieses Kapitels.

Haben Sie schon einmal freiwillig sozial gearbeitet? Beschreiben Sie, was Sie gemacht haben. Wobei helfen Sie gerne? Kennen Sie jemanden, der sozialer Unterstützung bedarf? Berichten Sie.

Nachrichten schicken und erhalten

- Wisst ihr schon, wann Johannes am Wochenende kommt? – Nein, wir haben noch keine *Nachricht* von ihm bekommen.
- Wollte Johannes *anrufen*? – Ja, er hat gesagt, dass er uns *anruft*.

Was man mit dem Computer alles machen kann

- Frau Rotmann arbeitet sehr viel am *Computer*. Sie ist den ganzen Tag im *Internet*. Sie erledigt vieles *online*.
- Letzte Woche hat sie *online* neue *Software* für ihren *Computer* gesucht.
- Herr Schwarz arbeitet auf dem Amt. Wenn ihm jemand eine neue Adresse mitteilt, erfasst er die *Daten* mit dem *Computer*, damit sie *elektronisch* vorliegen.
- Ein *Computer* kann sehr schnell rechnen. Deshalb kann er komplexe Vorgänge elektronisch *steuern*.
- Der Mensch muss weniger selber tun. Mithilfe des *Computers* funktioniert vieles *automatisch*.
- Manchmal funktioniert mein *PC* nicht. Er hat eine *Störung*. Er kann sich nicht mit dem *Internet verbinden*. Die *Verbindung* zum *Internet* funktioniert nicht.

Die Technik

- Wenn man Fische fangen möchte, braucht man ein großes *Netz*.
- Aber auch das *Internet* nennt man manchmal das *Netz*.
- Ich weiß nicht, wie dieses Gerät funktioniert. Ich verstehe die *Technik* des Geräts nicht. Jemand muss mir die richtige *Anwendung* des Geräts erklären.
- Dieses Gerät funktioniert nicht. Es hat eine *technische* Störung.
- Auf meinem *Computer* sind sehr viele *Daten*. Um Ordnung in diese *Daten* zu bringen, habe ich ein gutes *System* entwickelt.
- Dieses *System ermöglicht* es mir, meine *Daten* schnell zu finden.
- Wenn man ein neues *Telefon* bekommt, dauert es manchmal ein paar Tage, bis der *Anschluss* funktioniert.

A Post und Internet. Welches Wort passt zu welchem Bild? Ergänzen Sie die folgenden Wörter.

das Netz ▪ der PC ▪ die Software

1 ______________ 2 ______________ 3 ______________

B Fragen und Antworten. Ordnen Sie die Antworten den passenden Fragen zu.

1	Könnte ich bitte kurz euer Telefon benutzen?	a	Ja, per Nachricht.
2	Kannst du mir erklären, wie dieses Gerät funktioniert?	b	Ja, er hat eine technische Störung.
3	Hast du etwas von Maria gehört?	c	Nein, ich verstehe das auch nicht.
4	Hast du ein Problem mit deinem Computer?	d	Natürlich! Wen rufst du denn an?

C Computer und Technik. Ergänzen Sie die Sätze mit den folgenden Wörtern.

System ▪ online ▪ automatisch ▪ Anwendung ▪ Computer ▪ steuert ▪ Daten

1 Haben sie die die Angaben vollständig erfasst? – Ja, ich habe alle ____________ erfasst.

2 Pflanzen, Tiere und die Menschen gehören zu einem biologischen ____________ .

3 Was ist das für ein Gerät? Ich verstehe seine ____________ nicht! – Dieses Gerät funktioniert ____________ .

4 Das Schiff fuhr erst nach Norden. Jetzt ____________ es nach Osten.

5 Bist du gerade im Internet? – Ja, ich bin den ganzen Tag ____________ .

6 Wenn dein PC nicht funktioniert, kannst du auch mit meinem ____________ arbeiten!

D Verheiratete Straßen. Die folgenden Sätze sind falsch. Verbessern Sie die Fehler.

1 Ärzte erfassen die Daten der Patienten <u>elektrisch</u>.
2 Ich kann zu Hause nicht arbeiten. Ich habe dort keine <u>Umgebung</u> zum Internet.
3 Die zwei Dörfer sind durch eine Bahnlinie <u>verheiratet</u>.

E Computer und Internet. Beantworten Sie die Fragen. Benutzen Sie dafür die Wörter dieses Kapitels.

Arbeiten Sie viel mit dem Computer? Benutzen Sie oft das Internet?
Kennen Sie das: Sie kaufen sich ein Gerät und verstehen nicht, wie es funktioniert?

Die Polizei rufen

Letzte Woche haben Jugendliche einen Jungen so sehr geschlagen, dass er ins Krankenhaus musste. Eine Frau hat es gesehen und die *Polizei* gerufen. Als die *Polizei* ankam, waren die Jugendlichen nicht mehr da. Sie waren schon *weg*. Die *Polizei* hat die Jugendlichen überall in der Gegend gesucht. Aber die *Suche* war nicht erfolgreich. Viele Mutter haben nun Angst um ihre Kinder. Sie sagen ihnen, dass sie nicht alleine von der Schule nach Hause gehen sollen. Sie *warnen* sie davor, alleine auf die Straße zu gehen.

Wer sind die Täter?

Wer hat den Jungen geschlagen? Wer hat sich an dem Jungen *vergangen*? Die *Polizei* weiß nicht, wer die *Täter* sind. Aber sie glaubt, dass es die Brüder Markus und Johannes M. sein könnten. Sie hat den *Verdacht*, dass sie die *Täter* sind. Die *Polizei* war bei den Eltern der beiden. Aber Markus und Johannes sind seit mehreren Tagen nicht mehr zu Hause gewesen. Die Eltern glauben, dass sie bei Freunden sind. Sie *vermuten*, dass sie sich dort *verstecken*.

Gewalt gegen jemanden anwenden

Markus und Johannes M. haben schon einmal *Gewalt* gegen jemanden angewendet. Sie wollten, dass ein älterer Mann ihnen sein Geld gibt. Sie hatten eine *Waffe* bei sich. Er musste ihnen sein Geld geben – sie haben ihn mit Gewalt dazu *gezwungen*. Dann sind sie weggelaufen. Der Mann hat sie *verfolgt*, aber sie waren schneller. Hinter einer Ecke waren sie plötzlich *verschwunden*. Der ältere Herr ist zur *Polizei* gegangen und hat die beiden Jugendlichen *angezeigt*. Vor Gericht wurde ein Verfahren gegen sie eröffnet. Aber niemand hat die *Tat* gesehen. Der Mann konnte nicht *beweisen*, dass Markus und Johannes M. die *Täter* waren. Deshalb musste das Gericht das Verfahren gegen sie beenden. Die Freunde von Markus und Johannes M. wissen, dass die Brüder die *Täter* sind. Aber sie haben der *Polizei* nichts gesagt. Sie haben die beiden nicht *verraten*.

Ein Anschlag von Terroristen

Letzte Woche hat es im Bahnhof gebrannt. Die *Polizei* vermutet, dass die *Täter Terroristen* sind. Sie vermutet, dass *Terroristen* einen *Anschlag* geplant haben. Bei dem *Anschlag* wurde niemand verletzt oder *getötet*. Es gab keine *Opfer*. Die *Polizei* hat sofort den ganzen Bahnhof überprüft und nach den *Spuren* der *Täter* gesucht. Aber die *Täter* konnten sich vor der *Polizei verbergen*. Seit dem *Anschlag* haben mehrere Menschen bei der *Polizei* angerufen. Sie glauben, dass sie die *Täter* gesehen haben. Sie geben der *Polizei Hinweise*, wie die *Täter* ausgesehen haben. Aber diese *Hinweise* haben der *Polizei* nicht geholfen, die *Täter* zu finden. Bisher konnte die *Polizei* die *Täter* nicht *ermitteln*. Gestern hat die *Polizei* einen *sicheren Hinweis* bekommen. Sie weiß jetzt, dass die *Täter Terroristen* sind und wo sie sich *verstecken*.

Mehr Sicherheit im Internet

Es gibt Software, mit der man seinen Computer vor Viren im Internet schützen kann. *Mithilfe* dieser Software kann man den Computer gegen Störungen *sichern*. Die Software überprüft, wohin die eigenen Daten gehen und welche neuen Daten der PC erfasst. Sie *kontrolliert* den Datenverkehr des Computers. Diese *Kontrolle* ist wichtig. Sie ist ein *Schutz* vor Computerstörungen. Sie bietet mehr *Sicherheit* für den eigenen Computer.

A Polizei und Täter – Wer macht was? Ordnen Sie die folgenden Wörter in die Tabelle ein.

ermitteln ▪ verfolgen ▪ verstecken ▪ verbergen ▪ töten ▪ warnen ▪ verschwinden ▪ beweisen

die Polizei	die Täter

B Verstecken, verraten, verbergen. Welches Wort passt nicht dazu? Unterstreichen Sie dieses Wort.

1 verstecken – verraten – verbergen
2 das Opfer – der Täter – der Terrorist
3 der Hinweis – die Gewalt – die Spur
4 die Tat – der Anschlag – die Polizei

C Wer war der Täter? Ergänzen Sie die Sätze mit den folgenden Wörtern.

beweisen ▪ Waffe ▪ weg ▪ angezeigt ▪ vermuten ▪ Gewalt ▪ zwingen ▪ Polizei ▪ sicher

1 Ein Mann hat einen Unfall verursacht und eine junge Frau verletzt. Sie hat den Mann bei der Polizei ______________. Wir ______________, dass er der Täter ist, aber wir können es noch nicht sicher ______________. Ein Mann hat die Tat gesehen und sofort die ______________ gerufen.

2 Die Tür ließ sich schlecht öffnen. Ich musste sie mit ______________ öffnen.

3 Meine Uhr ist ______________. Wo kann sie nur sein?

4 Die ______________, die der Täter benutzt hat, wurde noch nicht gefunden.

5 Wenn Lea nicht mit mir darüber reden möchte, werde ich sie auch nicht dazu ______________.

6 Es ist ______________, dass er nicht der Täter gewesen sein kann.

D Die Tat und der Täter. Welches Wort passt zu welcher Erklärung? Ordnen Sie zu.

1 Gewalt gegen jemanden anwenden
2 sich vor jemandem verstecken
3 einen Verdacht gegen jemanden haben
4 die Person, der etwas Schlimmes geschehen ist
5 jemanden suchen und finden
6 sagen, wo jemand ist, der sich versteckt

a jemanden ermitteln
b jemanden verraten
c das Opfer
d vermuten, dass jemand der Täter ist
e sich vor jemandem verbergen
f sich an jemandem vergehen

E Die Polizei rufen. Beantworten Sie die Fragen. Benutzen Sie dafür die Wörter dieses Kapitels.

Haben Sie schon einmal einen Verdacht gegen jemanden gehabt und geglaubt, dass er etwas Schlimmes getan hat? Berichten Sie. Haben Sie schon einmal die Polizei gerufen? Was ist passiert? Beschreiben Sie. Fühlen Sie sich in Ihrer Stadt sicher?

Der Körper

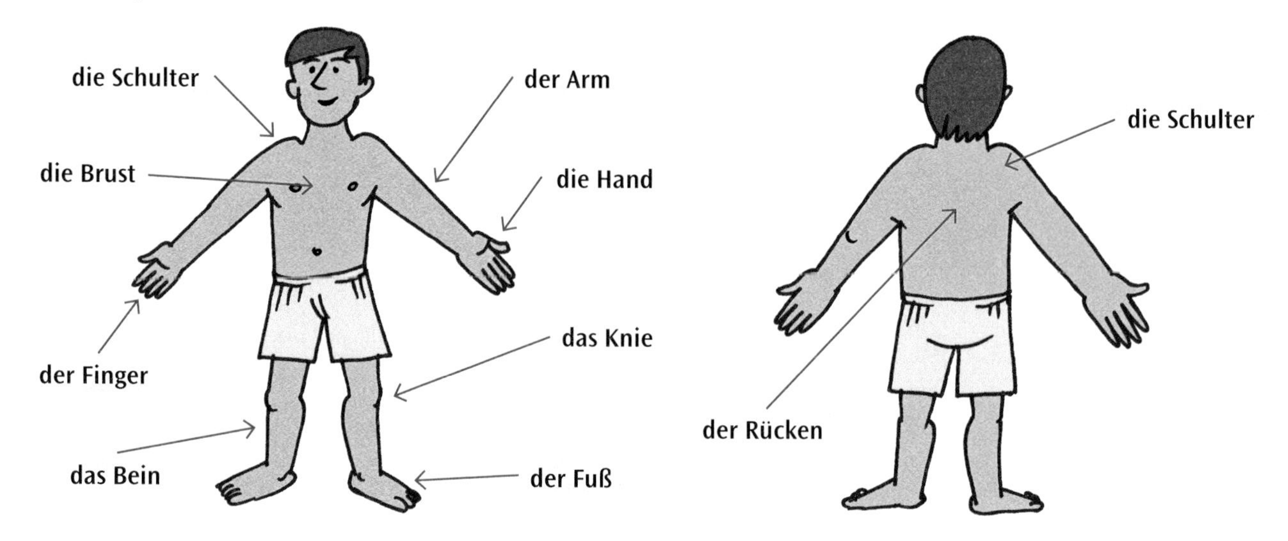

Der Kopf

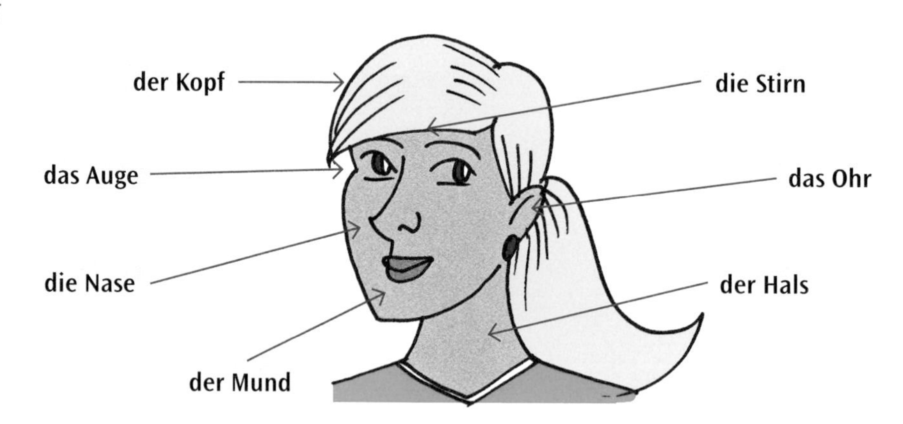

Der Mensch

- Stefan hat gerade Sport gemacht. Sein *Herz* schlägt schneller. Wenn man *schläft*, schlägt das *Herz* langsamer.
- Das *Gehirn* steuert den gesamten menschlichen *Körper*.
- Die *Haut* ist das größte menschliche Organ. Wenn man zu viel in der Sonne ist, wird die *Haut* rot.
- Jeder Mensch hat eine andere *Stimme*. Männer haben meist eine tiefere *Stimme* als Frauen.

Das Gewicht

Viele Menschen sind zu schwer.
Sie müssen *abnehmen*.

Aber manche Menschen sind auch zu dünn.
Sie müssen *zunehmen*.

A Der Körper. Ergänzen Sie die Tabelle mit den folgenden Wörtern.

das Gehirn ▪ das Herz ▪ der Rücken ▪ die Stirn ▪ das Ohr ▪ das Knie ▪ der Mund ▪ das Bein

der Kopf	vom Hals bis zu den Füßen

B Der Mensch. Beschriften Sie das Bild mit den folgenden Wörtern.

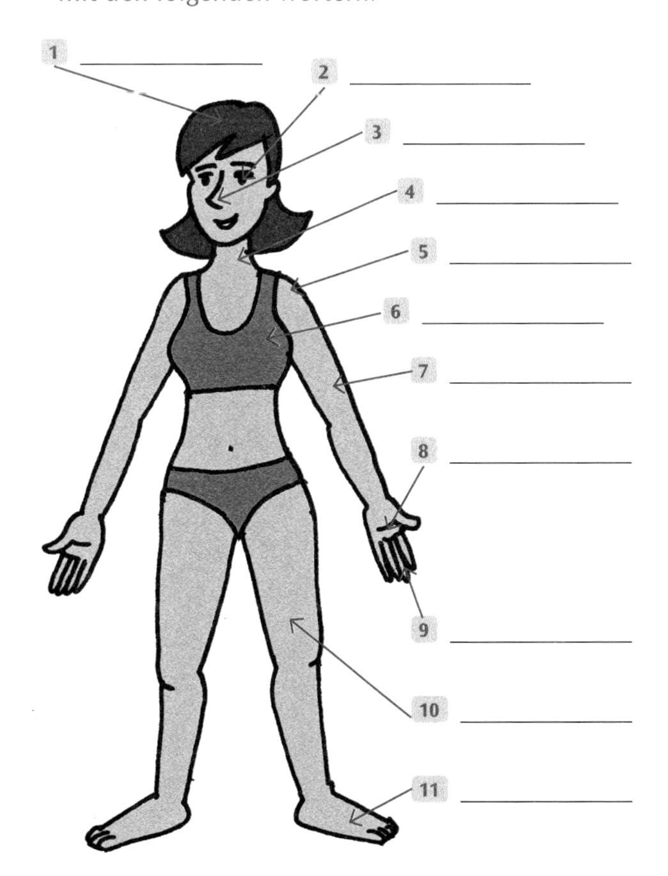

C Die Mutter weiß, was gut und schlecht für die Gesundheit ist. Welches Wort passt am besten in welchen Satz? Ergänzen Sie die Sätze mit den folgenden Wörtern.

abnehmen ▪ Augen ▪ Stimme ▪ Rücken ▪ Körper ▪ Ohren ▪ Haut ▪ schlafen

1 Du sollst nicht immer so laut Musik hören! Das ist schlecht für deine ____________!

2 Du siehst sehr müde aus. Du musst länger ____________.

3 Du sitzt zu viel am Computer! Das ist schlecht für deine ____________! Und es ist nicht gut für den ____________! Du solltest öfter schwimmen gehen!

4 Lieg nicht so lange in der Sonne! Das ist nicht gut für die ____________!

5 Mein Bruder ist viel zu dick. Ich denke, er muss ein bisschen ____________.

6 Wieso schreist du immer so laut? Das ist nicht gut für deine ____________!

7 Gesundes Essen, ein bisschen Sport und viel Schlaf sind sehr gut für den ____________.

D Und wie ist das bei Ihnen? Beantworten Sie die Fragen. Benutzen Sie dafür die Wörter dieses Kapitels.

Haben Sie sich schon einmal etwas gebrochen? Wenn ja, was?
Bei welchen Tätigkeiten kann man sich wo verletzen?

Gesundheit und Krankheit

Herr Schneider wurde 1912 geboren und ist 1996 *gestorben*. Seine Familie war sehr traurig über seinen *Tod*. Aber sie wusste, dass er ein langes und glückliches *Leben* hatte. Herr Schneider hatte eine gute *Gesundheit* und ist in seinem *Leben* selten *krank* gewesen. Er war ein sehr *gesunder* Mensch. Aber als er 83 Jahre alt war, war ihm oft nicht wohl. Er hat eine schlimme *Krankheit* bekommen. Er ist immer dünner geworden.

Wörter, die zusammengehören

- Ich bin gesund und das Leben macht mir Spaß. Ich fühle mich *wohl*.
- Mir ist schlecht. Ich habe überhaupt kein *Bedürfnis* danach, etwas zu essen.
- Ich muss sehr auf meine *Gesundheit* achten. Ich *leide* an einer seltenen *Krankheit*.
- Ralf war sehr *krank* und kann noch nicht wieder arbeiten. Es besteht das *Risiko*, dass sich sein *Zustand* wieder verschlechtert.

Krankheit

- Ralf ist sehr *krank*. Er ist in keinem guten *Zustand*.
- Herr Meier hat eine schlimme *Erkrankung*. Seine Familie hofft, dass er die Erkrankung *überlebt* und nicht *stirbt*.
- Susi ist mit dem Rad *gestürzt*. Sie hat starke *Schmerzen* am Knie und muss zum Arzt.
- Ralf mag keinen Sport. Der *Mangel* an *körperlicher* Bewegung führt dazu, dass er immer dicker wird.
- Mein Großvater lebt nicht mehr. Er ist schon seit zehn Jahren *tot*.

Mama, ich möchte Fußball spielen

Sohn: Mama, ich bin schon beinahe wieder *gesund*. Ich möchte Fußball spielen.
Mutter: Du bist noch nicht ganz *gesund*. Du brauchst *Ruhe* und bleibst zu Hause.
Sohn: Aber Mama, mir geht es gut!
Mutter: Nein! Der Doktor sagt, du sollst dich diese Woche noch nicht so sehr *belasten* und Bewegung vermeiden.

Ein Unfall

Letzte Woche ist Thomas mit dem Fahrrad gefahren und hatte einen Unfall. Er ist gestürzt und hat sich *verletzt*. Er hatte eine *Verletzung* am Kopf und hat viel *Blut* verloren. Außerdem hat er sich ein Bein *gebrochen* und musste schnell ins Krankenhaus, damit ein Arzt ihn *behandeln* konnte.

A Gegensätze. Füllen Sie das Kreuzworträtsel aus.

1 S
2 T
3 E
4 R
5 B
6 E
7 N

1 Gegenteil von krank
2 Gegenteil von Leben
3 Gegenteil von geistig
4 Gegenteil von Lärm
5 einen starken Wunsch nach etwas verspüren
6 Gegenteil von Gesundheit
7 Gegenteil von Krankheit

B Was sollte man tun? Ergänzen Sie die Sätze mit den folgenden Wörtern.

beruhigen ▪ pflegen ▪ belasten

Wenn man nervös ist, dann sollte man sich ______________[1]. Wenn man krank ist, dann sollte man sich nicht mehr als nötig ______________[2]. Wenn man krank ist, dann muss man sich ______________[3] lassen.

C Gemeinsamkeiten. Ersetzen Sie die unterstrichenen Wörter durch folgende Wörter.

beinahe ▪ das Bedürfnis ▪ tot ▪ verhindern ▪ das Risiko

1 Wenn Sie viel Alkohol trinken, dann ist <u>die Wahrscheinlichkeit</u> groß, dass Sie bald sterben.
2 Gut, ab jetzt achte ich auf meine Gesundheit. Immer wenn ich <u>den Wunsch</u> habe, Wein zu trinken, trinke ich jetzt eine Tasse Tee.
3 Du bist zu dick. Es wird nicht zu <u>umgehen</u> sein, dass du einige Kilo abnimmst.
4 Ich bin <u>fast</u> gesund. Nächste Woche kann ich wieder arbeiten gehen.
5 Meine Großmutter lebt nicht mehr. Sie ist <u>gestorben</u>.

D Beim Doktor. Ergänzen Sie den Text mit den folgenden Wörtern.

Gesundheit ▪ Zustand ▪ körperliche ▪ leide ▪ Leben ▪ krank ▪ Schmerzen ▪ wohl ▪ Mangels

Patient: Herr Doktor, ich glaube ich bin ______________[1]. Ich ______________[2] unter ständigen ______________[3] im Rücken. Können Sie mir helfen?

Doktor: Ihnen fehlt etwas ______________[4] Bewegung. Wegen des ______________[5] an Bewegung ist Ihr Körper in einem schlechten ______________[6]. Machen Sie etwas mehr Sport!

Patient: Muss das sein? Ich fühle mich auch ohne Sport sehr ______________[7].

Doktor: Sie werden sehen, Sie werden sich noch wohler fühlen als bisher. Man muss seine ______________[8] ein wenig pflegen. Dann macht das ______________[9] noch mehr Spaß.

E Und wie ist das bei Ihnen? Beantworten Sie die Fragen. Benutzen Sie dafür die Wörter dieses Kapitels.

Warum waren Sie das letzte Mal beim Arzt? Beschreiben Sie Ihren Besuch. Wie wichtig ist Ihnen eine gute Gesundheit? Was kann man tun, um gesund zu bleiben? Was sollte man vermeiden? Erläutern Sie.

Im Krankenhaus

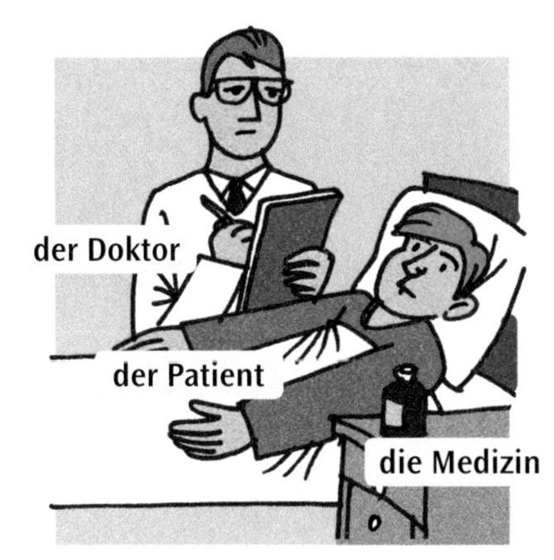

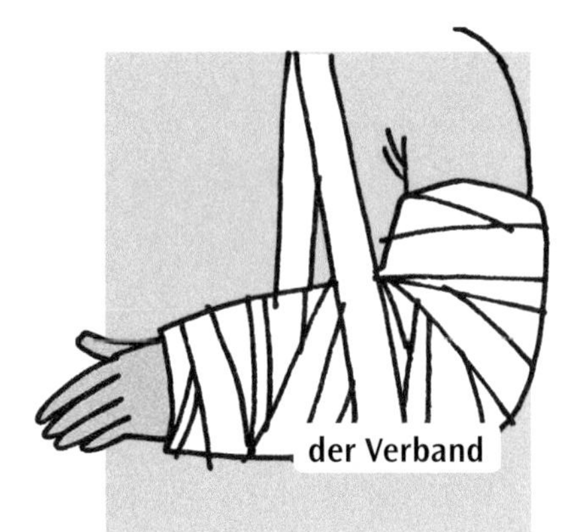

Die Arbeit des Doktors

Der *Doktor* arbeitet im *Krankenhaus*. Seine Arbeit ist es, kranken Menschen zu helfen. Zuerst *untersucht* der *Doktor* den *Patienten*. Mit der *Untersuchung* kann der *Doktor* feststellen, was dem *Patienten fehlt*. Dann entscheidet er, welches das richtige *Mittel* für die *Behandlung* ist. Der *Doktor* entscheidet, welche *Therapie* der *Patient* bekommen soll und welche *Medizin* am besten *wirkt*, damit der *Patient* schnell wieder gesund wird.

Krankheiten und Verletzungen

- Ich habe mir den Arm gebrochen, aber jetzt ist er fast wieder in Ordnung. Morgen *entfernt* der *Doktor* meinen *Verband*. Dann ist es nicht mehr *nötig*, dass meine Mutter mich *pflegt*.
- Durch eine gesunde Lebensweise lassen sich viele Erkrankungen *verhindern*.
- Susi hat großes Glück gehabt. Sie hat den schweren *Unfall* auf der Autobahn überlebt.

Ralf wird Arzt

Ralf möchte *Doktor* werden. Er findet es gut, wenn er durch seine Arbeit das Leben von Menschen *retten* kann. In seinem Studium hat Ralf schon viel *medizinisches* Wissen gesammelt. Er kennt viele Erkrankungen und weiß, wie man sie mit einer *Therapie* behandeln kann. Zu einer *Therapie* gehört die richtige *Medizin*. Der *Patient* muss die *Medizin* einnehmen, wenn er wieder gesund werden will. Nur die richtige *Medizin* hat eine positive *Wirkung* und hilft dem *Patienten*, wieder gesund zu werden. Wenn Ralf das Studium beendet hat, möchte er zuerst in einem *Krankenhaus* arbeiten. Später möchte er seine eigene *Praxis* haben.

A Im Krankenhaus. Füllen Sie das Kreuzworträtsel aus.

				1	P							
2					A							
	3				T							
	4				I							
			5		E							
6					N							
				7	T							

1 Arbeitsplatz eines Doktors
2 Wenn man eine Wunde hat, bekommt man einen … .
3 anderes Wort für Arzt
4 Ein Kranker nimmt … , damit er wieder gesund wird.
5 das Leben oder die Gesundheit eines Menschen sichern
6 Ein guter Arzt weiß, was die beste … für den Patienten ist.
7 Wenn man eine schwere Erkrankung hat, dann muss man eine … machen.

B Verkehrte Welt. Die folgenden Sätze sind falsch. Verbessern Sie die Fehler.

Der Patient[1] untersucht den Doktor[2], um seine Krankheit festzustellen. Der Arzt entscheidet, welche Krankheit[3] am besten wirkt, um diese Medizin[4] zu behandeln. Der Verband[5] des Patienten weist eine Verletzung auf, er braucht einen Kopf[6]. Der Patient hat den Unfall überlebt: Es ist jetzt wichtig, dass er eine sorgfältige Verletzung[7] bekommt.

C Nach dem Unfall. Ergänzen Sie den Text mit den folgenden Wörtern.

Verband ▪ gerettet ▪ Behandlung ▪ Mittel ▪ Krankenhaus ▪ medizinische ▪ Wirkung ▪ überlebt ▪ entfernt ▪ Therapie

Paul hatte einen Unfall. Er hatte so schwere Verletzungen am Kopf, dass er beinahe nicht ______________[1] hätte. Aber die Ärzte haben sein Leben ______________[2]. Er muss noch im ______________[3] bleiben, weil hier die ______________[4] Versorgung besser ist. Sein ______________[5] wird in einer Woche ______________[6] und er kann wieder nach Hause gehen. Dann muss er aber trotzdem noch eine ______________[7] machen und regelmäßig Medizin nehmen. Die Ärzte haben ihm ein ganz neues ______________[8] gegeben: Die ______________[9] ist so gut, dass seine ______________[10] in zwei Monaten beendet sein kann.

D Und wie ist das bei Ihnen? Beantworten Sie die Fragen. Benutzen Sie dafür die Wörter dieses Kapitels.

Waren Sie schon einmal Patient? Mussten Sie schon einmal ins Krankenhaus? Beschreiben Sie den Krankenhausbesuch. Würden Sie gerne als Doktor arbeiten oder ist das kein guter Beruf für Sie? Warum?

Wie geht es ihm?

Er ist *glücklich*. Er *lacht*. | Er ist *traurig*. Er *weint*. | Er hat *Angst*. Er *fürchtet* sich.

Der Verkehrsunfall

Es gab einen Verkehrsunfall auf der Leipziger Straße. Lea hat sich *erschrocken*, als sie davon hörte. Ihr Mann fährt auf dieser Straße immer zur Arbeit. Sie hat *Angst* um ihn und ruft ihn voller *Sorge* an. Sie *hofft*, dass ihm nichts passiert ist. Sie sind seit vier Jahren verheiratet. Sie *liebt* ihn sehr. Sie hat *Angst*, dass ihm etwas passiert ist.
Der *Gedanke* macht ihr *Angst*. Als sie seine Stimme vor ihrer Wohnung hört, *freut* sie sich. Sie ist froh, seine Stimme zu hören. Sie denkt an ihn und *lächelt*. Sie *freut* sich.

Das riesige Tier

Als Anna plötzlich dieses riesige Tier im Wald sieht, *schreit* sie laut vor *Angst*. Sie *hofft*, dass sie nur einen bösen *Traum* hat. Sie hat kurz die *Hoffnung*, dass sie *träumt*. Aber sie merkt schnell, dass sie nicht *träumt*. Es wird ihr schnell *bewusst*, dass sie nicht *träumt*.
Das Tier steht *wirklich* vor ihr. Es ist Realität.
Anna kann sich nicht bewegen. Zum Glück handelt Ralf schneller als sie. Er *reagiert* schneller als Anna.
Er zieht sie ins Auto und sie fahren weg. Ralfs schnelle *Reaktion* hat ihr das Leben gerettet. Das bemerkt sie erst später. Das kommt ihr erst später zu *Bewusstsein*.
Sie ist froh. Sie hatte wirklich Glück.

Ein Glück: Urlaub!

Maria ist nicht *glücklich*. Sie hat das *Gefühl*, ihr Mann interessiert sich nicht mehr für sie. Wenn sie etwas erzählt, denkt er immer an andere Sachen. Er *hört* ihr nie *zu*. Wahrscheinlich denkt er nur an seine Arbeit. Er ist *geistig* Tag und Nacht bei seiner Arbeit. Maria kann sich nicht *erinnern*, wann sie das letzte Mal im Kino waren.
Maria ist schon lange deswegen *traurig*. Sie *fühlt* sich nicht mehr wohl mit ihrem Mann. Sie hat kein *angenehmes* Gefühl mit ihm zusammen. Es ist nicht *angenehm*, diese Seite an ihrem Mann zu *entdecken*. Sie ist *glücklich* und sie *freut* sich sehr, als er ihr von den Urlaubsplänen erzählt. Sie empfindet große *Freude*. Sie wünscht sich, dass ihre Ehe wieder funktioniert. Sie möchte nicht mehr *traurig* sein. Jetzt *hofft* sie, dass sie sich keine *Sorgen* mehr machen muss. Sie *hofft*, dass das *Leid* ein Ende hat.

A Emoticons (= Emotion + Icon) für deine SMS. Welches Wort passt am besten zu welchem Gesicht? Zu jedem Emoticon gehören vier Wörter.

glücklich ▪ Leid ▪ Angst ▪ Freude ▪ erschrecken ▪ lachen ▪ traurig ▪ freuen ▪ fürchten ▪ Sorge ▪ weinen ▪ schreien

:-)		;-(		:-o	

B Wie fühlen Sie sich? Welches Wort passt nicht dazu? Unterstreichen Sie dieses Wort.

1 lächeln – fürchten – angenehm – lachen
2 Gedanke – geistig – denken – traurig
3 weinen – Angst – wirklich – fürchten
4 entdecken – Sorge – traurig – Leid

C Gefühle. Ergänzen Sie die Sätze mit den folgenden Wörtern.

Freude ▪ das Gefühl ▪ Bewusstsein ▪ Reaktion ▪ hofft ▪ geträumt

1 Ich fühle mich nicht wohl. Ich habe ________________, ich werde krank.

2 Er ________________ immer noch, dass sein Buch ein Erfolg wird. Er gibt die Hoffnung nicht auf.

3 Er reagiert nicht. Ich sehe keine ________________ in seinem Gesicht.

4 Ralf hat mir seinen Traum erzählt. Er hat von einem neuen Fahrrad ________________.

5 Maria freut sich auf den Urlaub. Sie empfindet ________________, wenn sie an den Urlaub denkt.

6 Peter wird bewusst, dass er einen großen Fehler gemacht hat. Ihm kommt sein großer Fehler zu ____________.

D Wörtergitter. Finden Sie acht Wörter dieses Kapitels im Wörtergitter [ä = ae, ö = oe, ü = ue].

Q	L	A	C	H	E	N	Z	W	E
R	T	Z	U	I	O	P	U	P	K
E	A	S	D	F	G	H	H	J	K
A	X	C	V	W	B	N	O	M	J
G	T	R	A	E	U	M	E	N	H
I	E	D	C	I	R	F	R	V	O
E	T	G	B	N	Z	U	E	J	F
R	J	L	I	E	B	E	N	M	F
E	L	K	J	N	H	G	F	D	E
N	S	A	F	U	E	H	L	E	N

E Gedanken und Gefühle. Beantworten Sie die Fragen. Benutzen Sie dafür die Wörter dieses Kapitels.

Beschreiben Sie die Situation, bei der Sie das letzte Mal gelacht haben. Mit welchen Gefühlen sehen Sie in die Zukunft? Was war der letzte Film, den Sie gesehen haben? Beschreiben Sie Ihre Gedanken dazu.

Leicht und schwer, leise und laut

In der Ausstellung

Eine Frau möchte eine Ausstellung besuchen. Sie *schaut* im Internet, wo eine Ausstellung ist, und geht hin. In der Ausstellung steht sie vor einem Bild. Sie *betrachtet* es lange und genau. Ein Mann steht hinter der Frau. Er sieht sie an. Er *beobachtet* sie lange Zeit. Die Frau merkt, dass sie jemand *beobachtet*. Sie *spürt*, dass sie jemand ansieht. Sie dreht sich um und sieht den Mann. Sie *starrt* ihn lange Zeit an. Er schaut auf den Boden. Er senkt den *Blick*. Nach kurzer Zeit hebt er seinen Kopf wieder und *blickt* ihr in die Augen.

Meine Oma

- Das Bild mit meiner Oma kann nicht von der Wand fallen. Es hängt *fest* an der Wand.
- Das Bild ist sehr groß. Man sieht es sofort an der Wand. Es ist gut *sichtbar*.
- Meine Mutter erzählt immer, dass Oma am Ende schlecht *hörte*. Man musste sehr laut reden, damit sie einen verstand.
- Auf dem Bild sitzt sie im Wohnzimmer auf einem *weichen* Sofa. Das Sofa war sehr *angenehm* für sie.
- Sie saß nicht gern auf einem Stuhl. Es war nicht *angenehm* für sie, auf einem *harten* Stuhl zu sitzen.
- Sie liebte es, aus dem Fenster zu *gucken*. Sie beobachtete gerne die Nachbarn.
- Manchmal redete sie mit den Nachbarn. Meistens aber saß sie nur *still* da und *schaute* auf die Straße.
- Als sie schon sehr alt war, wurden ihre Augen schlecht. Sie sah kaum noch etwas. Sie *nahm* kaum mehr etwas *wahr*.

Ein warmer Tag

Heute sind es über 35 °C. Es ist sehr *heiß* heute. Wir müssen im Schatten bleiben. Ich weiß nicht, wann es das letzte Mal so *heiß* war. Leider brauche ich neue Sommerkleider. Ich bin dicker geworden und die alten Kleider sind mir nun zu *eng*. Es ist sehr *heiß* und es gibt keinen Wind. Es hat keinen *Sinn*, die Fenster zu öffnen. Es bleibt zu *warm* im Haus.

A Die Eigenschaften. Bilden Sie Fragen zu den Sätzen.

1	Hat das Kleid eine helle Farbe?	Ja, das Kleid hat eine helle Farbe.
2	____________________?	Nein, ich habe keine kalten Füße.
3	____________________?	Ja, der Stuhl ist leicht.
4	____________________?	Nein, die Musik ist nicht zu leise.
5	____________________?	Ja, der Tisch ist zu schwer.
6	____________________?	Nein, mir ist nicht warm.
7	____________________?	Ja, ich werde die Musik lauter machen.
8	____________________?	Ja, es war schon dunkel draußen.

B Wir warten auf den Zug. Ergänzen Sie den Dialog mit den folgenden Wörtern.

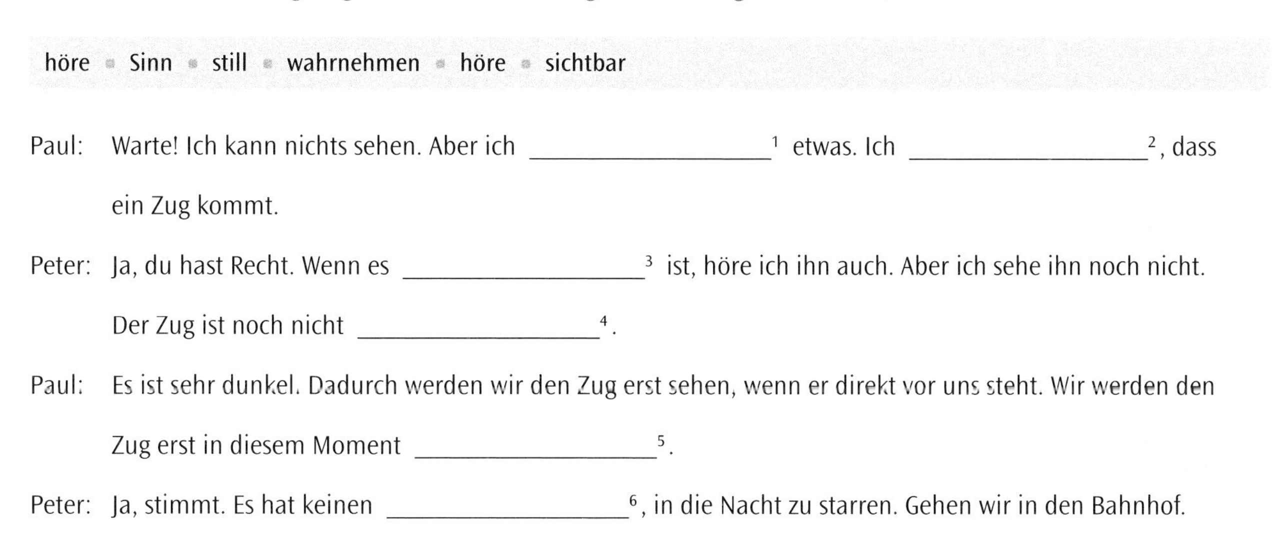

höre • Sinn • still • wahrnehmen • höre • sichtbar

Paul: Warte! Ich kann nichts sehen. Aber ich ____________[1] etwas. Ich ____________[2], dass ein Zug kommt.

Peter: Ja, du hast Recht. Wenn es ____________[3] ist, höre ich ihn auch. Aber ich sehe ihn noch nicht. Der Zug ist noch nicht ____________[4].

Paul: Es ist sehr dunkel. Dadurch werden wir den Zug erst sehen, wenn er direkt vor uns steht. Wir werden den Zug erst in diesem Moment ____________[5].

Peter: Ja, stimmt. Es hat keinen ____________[6], in die Nacht zu starren. Gehen wir in den Bahnhof.

C Rätsel. Füllen Sie das Kreuzworträtsel aus.

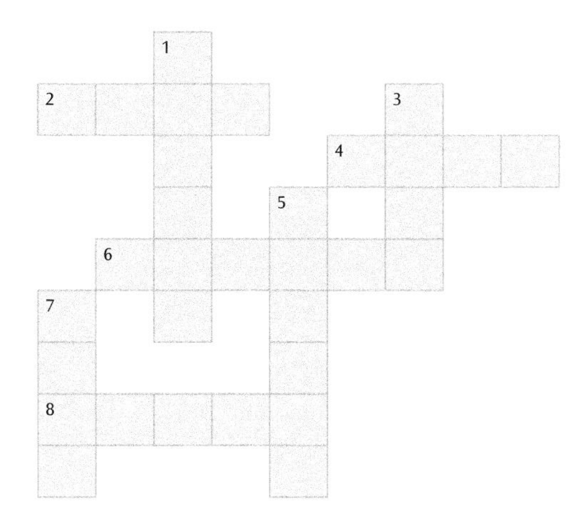

Senkrecht:
1 Das Arbeitszimmer ist sehr …
3 Brr – ist das …
5 Die Aufgabe ist sehr …
7 Die Wohnung ist …

Waagerecht:
2 Lesen Sie die Zahlen …
4 Der Kaffee ist …
6 Diese Aufgabe ist nicht schwer, sie ist …
8 Die Musik ist zu …

E Und bei Ihnen? Beantworten Sie die Fragen. Benutzen Sie dafür die Wörter dieses Kapitels.

Gibt es in Ihrer Sprache ähnliche Synonyme für „sehen“? Verwenden Sie sie genauso wie in der deutschen Sprache? Waren Sie schon einmal auf einem Konzert? Beschreiben Sie, was Sie empfunden haben.

Im Zimmer

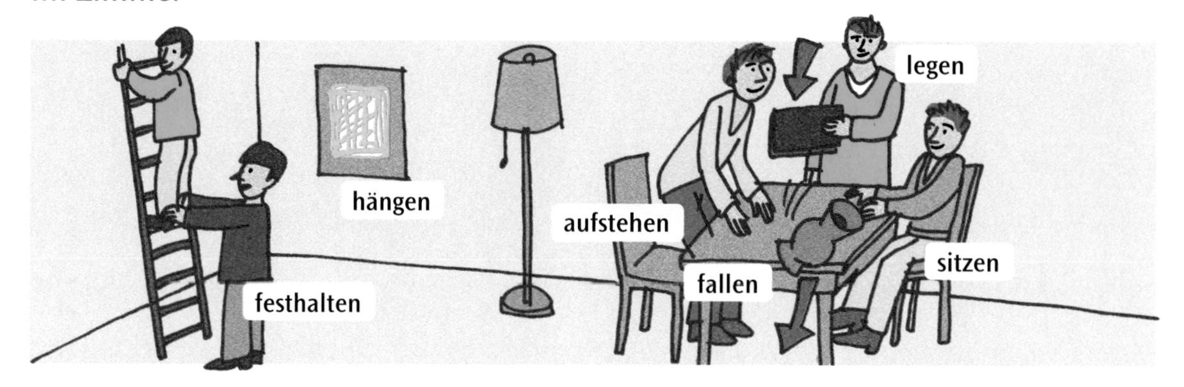

Auf dem Platz

„Ja“ sagen und „Nein“ sagen und anderes

- In Deutschland *bewegen* wir den Kopf von oben nach unten und wieder nach oben, wenn wir „Ja“ meinen. Wir *nicken* mit dem Kopf.
- Und wir *bewegen* den Kopf von rechts nach links, wenn wir „Nein“ meinen. Wir *schütteln* den Kopf.
- Ein Mann steht vor Gericht. Man sagt, er hat seine Frau aus dem Fenster *gestoßen*.
- Wenn man heiratet, muss man nicht seinen Namen ändern. Man kann seinen Nachnamen *behalten*, wenn man heiratet.
- In Deutschland sind viele Kinder zu dick. Sie müssen sich mehr *bewegen*, um dünner zu werden.
- Ich habe vergessen, Brot zu kaufen. Kannst du mir welches aus dem Laden an der Ecke *holen*?
- Die Erde *dreht* sich einmal im Jahr um die Sonne.
- Wenn man eine Flasche leer machen will, muss man sie *umdrehen*.
- Das Herz *schlägt* 60- bis 80-mal pro Minute.

Was man mit den Händen machen kann

etwas in die Tasche *stecken*

etwas aus der Tasche *ziehen*

jemanden an der Hand *fassen*

etwas *greifen*

drücken

A Was kann man machen? Ordnen Sie die folgenden Verben den passenden Wörtern zu.

ziehen • nicken • werfen • schütteln • schieben • treten

der Wagen	der Kopf	der Ball

B Kann man alles machen? Zwei Sachen passen nicht. Finden Sie sie.

1 Wohin kann man fallen? in einen Fluss, ins Wasser, in den Baum, in ein Loch, auf den Boden, in die Temperatur
2 Was kann man heben? einen Stein, den Tourismus, eine Katze, das Holz, einen Flughafen, eine Tasche
3 Was kann man behalten? einen Brief, das Schicksal, ein Haus, ein Bild, die Hoffnung, die Sonne
4 Wogegen kann man schlagen? gegen eine Tür, gegen die Information, gegen die Wand, gegen eine Mauer, gegen die Veränderung, gegen einen Baum
5 Was kann man festhalten? ein Buch, den Strom, den Hund, den Schatten, den Menschen, das Fahrrad
6 Was kann man greifen? ein Buch, einen Ball, eine Hand, die Suche, ein Paar Schuhe, die Verwaltung

C Ein Film. Ergänzen Sie den Text mit den folgenden Wörtern.

bewegen • stößt • drückt • springen

Heute Abend sehen wir einen Film mit einem Polizisten. Er sucht ein Kind, das verschwunden ist. Man sieht den Polizisten aus einem Zug ______________[1], der durch die Berge fährt. Dabei bricht er sich den Arm, den er mehrere Wochen nicht mehr ______________[2] kann. In einer anderen Szene droht ihm ein Mann. Er ______________[3] dem Polizisten dabei eine Waffe auf die Brust. In der letzten Szene sieht man, wie der Polizist mit aller Kraft gegen eine Tür ______________[4]. Hinter der Tür ist das Kind. Es ist gesund.

D Tätigkeiten. Ergänzen Sie die Wortgruppen mit den folgenden Wörtern.

holen • legen • binden • hängen • aufstehen • umdrehen • stecken • springen • drehen • sitzen

den Hund an einen Baum ______________[1], in die Tasche ______________[2], an die Wand ______________[3], auf einer Bank ______________[4], über die Mauer ______________[5], etwas auf den Boden ______________[6], etwas aus der Küche ______________[7], für ältere Menschen im Bus ______________[8], sich nach einer Person ______________[9], eine Runde um den See ______________[10]

E Und bei Ihnen? Beantworten Sie die Fragen. Benutzen Sie dafür die Wörter dieses Kapitels.

Versuchen Sie, sich an fünf Ihnen bekannte oder unbekannte Personen zu erinnern, die Sie in letzter Zeit gesehen haben. Beschreiben Sie, was diese Menschen gemacht haben.
Stellen Sie sich eine große Familienfeier vor. Was machen die einzelnen Personen?

Die Schule

In Deutschland müssen Kinder zur *Schule* gehen. Eltern haben die *Pflicht*, ihre Kinder neun Jahre in die *Schule* zu schicken. Die schulische *Bildung* beginnt mit sechs oder sieben Jahren in der Grund*schule*. Mit zehn oder elf Jahren, wenn man in der fünften *Klasse* ist, gibt es drei *Schulen* zur Auswahl: die Haupt*schule*, die Real*schule* und das *Gymnasium*. An einer der drei *Schulen setzt* man die Schul*bildung fort*. Auf dem *Gymnasium* ist man acht Jahre lang, danach kann man zur Universität gehen.

In der ersten Klasse

- Wenn die Kinder in die *Schule* kommen, lernen sie zuerst *lesen*. Sie können dann alleine Bücher *lesen*.
- Sie lernen auch *schreiben*. Sie freuen sich, wenn sie ihren eigenen Namen *schreiben* können.
- Im Mathematik*unterricht* lernen die Kinder *rechnen*. Sie *rechnen*: 4 + 4 = 8.
- Der *Lehrer* zeigt Lea, wie man ihren Namen *schreibt*. Dann *übt* sie ihren Namen. Sie *schreibt* ihn zehn Mal.
- Manche *Schüler* machen nicht, was der *Lehrer* sagt. Sie hören nicht zu und sprechen laut im *Unterricht*. Sie *stören* die anderen *Schüler*.
- Lea ist in der ersten *Klasse* und kann noch nicht gut schreiben. Der *Lehrer* kann ihre *Schrift* schlecht lesen. Ihre Schwester Leni *schreibt* sehr schöne Buchstaben, sie hat eine schöne *Schrift*.

Auf dem Gymnasium

Lukas geht aufs *Gymnasium*. Die *Anforderungen* im *Gymnasium* sind hoch, die *Schüler* müssen viel lernen. Lukas ist jetzt in der sechsten *Klasse*. Heute hatte er fünf verschiedene *Fächer*.

8.00 – 8.45	8.50 – 9.35	9.35 – 9.55	9.55 – 10.40	10.45 – 11.30	11.50 – 12.35
Geographie	Englisch	*Pause*	*Geschichte*	*Chemie*	*Mathematik*

A Schulalltag. Ergänzen Sie die Sätze mit den folgenden Wörtern.

fortsetzen • stört • Schule • Gymnasium • Lehrer • lesen • schreibt • Unterricht

1 Kinder gehen in die ______________, um zu lernen.

2 Heute haben wir fünf Stunden ______________.

3 Im Deutschunterricht lernt man zuerst, wie man seinen Namen richtig ______________.

4 Claudia kann zu Hause nicht lernen, weil ihre kleine Schwester sie immer ______________.

5 Die Klasse 4B hat ein schönes Buch über unsere Schule begonnen. Wir wollen das Projekt ______________.

6 Bevor man auf die Universität gehen kann, muss man das ______________ besuchen.

7 In der Schule lernen die Kinder erst ______________, dann schreiben.

8 Der ______________ zeigt den Kindern, wie man schreibt.

B In der Schule. Welches Wort passt zu welcher Erklärung? Ordnen Sie zu.

1	etwas, was obligatorisch ist → d	a	die Klasse
2	ein Kind, das in die Schule geht	b	die Schrift
3	die Art, wie jemand schreibt	c	die Pause
4	die Gruppe, die in der Schule zusammen lernt	d	die Pflicht
5	die freie Zeit zwischen zwei Unterrichtsstunden	e	der Schüler

C Im Unterricht. Drei Wörter passen zusammen. Welches Wort passt nicht dazu? Unterstreichen Sie dieses Wort.

1 Physik – Geographie – Gymnasium – Mathematik
2 Unterricht – Anforderung – Pflicht – Lehrer
3 Pause – lesen – rechnen – schreiben
4 Schülerin – Fach – Lehrerin – Schüler

D Die Bildung. Die folgenden Sätze sind falsch. Verbessern Sie die Fehler.

übt • Geschichte • Bildung • Anforderungen

1 In Englisch muss man viele Jahreszahlen lernen.
2 Alexandra geht jeden Tag zur Schule, liest drei Zeitungen und zwei Bücher. Sie tut viel für ihre Anforderung.
3 Wenn man viel stört, wird man immer besser.
4 Claus macht schon seit vier Stunden Hausaufgaben. Die Fächer seines Lehrers sind sehr hoch.

E Meine Schule. Beantworten Sie die Fragen. Benutzen Sie dafür die Wörter dieses Kapitels.

Wie sieht ein Schultag in Ihrem Land aus? Wie lange ist man in der Schule?
Welche Fächer hat man? Berichten Sie.
Gibt es bei Ihnen auch verschiedene Schultypen? Erzählen Sie davon.
Sind Sie gern in die Schule gegangen? Hatten Sie einen Lieblingslehrer?

Wie war dein Schultag?

- Zuerst hatten wir *Geographie*. Unser *Lehrer* Herr Bickes gab uns eine *Abbildung* zum Klima. Auf der Zeichnung sieht man die Europakarte mit Informationen zum Klima im Sommer und im Winter. So hat man den *Vergleich*, wie warm es im Januar und wie warm es im Juli ist. Jetzt *weiß* ich viel über das Wetter in Europa. Herr Bickes gab uns dann eine *Tabelle*. Links stehen Städte und rechts sollten wir die Temperaturen *ergänzen*. Als Haus*aufgabe* sollen wir eine *Definition* von Klima schreiben und bei Herrn Bickes *abgeben*. Was ist Klima? Wie *definiert* man das?

- Herr Wagner *unterrichtet* uns in Englisch. Er möchte, dass wir viel lernen. Seine *Anforderungen* sind hoch: Wir sollen jeden Tag fünf neue englische Wörter lernen. So viele Wörter kann ich mir nicht *merken*. Ich vergesse sie immer wieder! Der *Unterricht* bei Herrn Wagner macht trotzdem Spaß. Er *fördert* die schlechteren *Schüler* und nimmt sich viel Zeit für sie. Er *betreut* auch einige *Schüler* am Nachmittag und hilft ihnen bei den Haus*aufgaben*.
- Danach hatten wir *Pause* und haben Fußball gespielt.
- Im Geschichts*unterricht* haben wir einen Text zur *historischen* Entwicklung der Stadt gelesen. Danach stellte die Lehrerin *Fragen*. Wie sah die Stadt bei den Römern aus? Köln ist zum *Beispiel* eine alte römische Stadt; welche *Beispiele* für sehr alte Städte kennt ihr noch? Alles wusste ich nicht, aber einige *Antworten* konnte ich geben. Sie gab uns eine interessante *Aufgabe* für zu Hause: Wir sollen etwas über die *Geschichte* unserer eigenen Stadt schreiben. Ich weiß noch nicht, wie ich diese Aufgabe *angehe*. Am besten frage ich als Erstes meine Großeltern, was sie *wissen*.
- In Chemie haben wir heute das Zeichen für Wasser gelernt: die *chemische Formel* H_2O. Wasser besteht aus den *Elementen* Wasserstoff und Sauerstoff. Chemie ist ein *schwieriges* Fach, man muss sich viele *Formeln* und *Elemente merken*. Zum Glück *führen* wir auch Experimente *durch*.
- Experimenten *kommt* auch im Physikunterricht eine große Bedeutung *zu*. Was wir lernen, können wir so *anwenden* und wissen dann, wofür man die Schul*bildung* im Leben brauchen kann.

- Am Ende hatten wir Mathe. Ich musste vor der ganzen Klasse die *Summe* aus 1537 und 8417 *berechnen*. Aber ich war müde und konnte mich nicht *konzentrieren*. Ich brauchte drei *Versuche* und musste alles drei Mal *rechnen*. Aber beim dritten Versuch *stimmte* die Summe.
- Das war mein Schultag. Jetzt habe ich frei und werde mein neues Buch *lesen*. Denn *Lesen bildet*. Oder anders gesagt: Bücher machen klug. So macht mir *Bildung* am meisten Spaß.

A Schüler und Lehrer. Ergänzen Sie die Sätze mit den folgenden Wörtern.

unterrichtet ▪ konzentrieren ▪ wissen ▪ merken ▪ definieren

1 Johannes lernt nicht gerne im Park, weil er sich dort nicht ______________ kann.
2 Im Chemieunterricht muss man sich viele chemische Formeln ______________ .
3 Frau Engel ist Lehrerin. Sie ______________ die Fächer Chemie und Biologie.
4 Wer kann ______________, was Demokratie ist?
5 Beate möchte ______________, wie ein Auto funktioniert. Sie fragt ihre Lehrerin.

B Was macht man in der Schule? Ersetzen Sie die unterstrichenen Wörter durch ähnliche Wörter.

ergänzen ▪ erklärt ▪ schwierig ▪ betreut ▪ durchführen ▪ historischen

1 Johannes findet, dass Mathematik nicht einfach ist.
2 Stefanie zeigt ihrer Freundin, wie man 528 + 315 rechnet.
3 Um euch das zu zeigen, werde ich ein Experiment machen.
4 Im Text fehlen ein paar Wörter. Wer kann die Wörter aufschreiben?
5 Auf alten Postkarten von Berlin sieht man das Berliner Schloss.
6 Sie kümmert sich um die jüngeren Schüler.

C Definitionen. Welche Wörter passen zusammen? Ordnen Sie zu.

1	H_2O	a	der Versuch
2	Elemente sind reine Stoffe	b	sich bilden
3	etwas probieren	c	stimmen
4	richtig sein → c	d	die chemische Formel
5	lernen	e	die Definition

D Kreuzworträtsel. Viele Aufgaben. Füllen Sie das Kreuzworträtsel aus.

	1	A							
2		U							
	3	F							
4		G							
	5	A							
	6	B							
7		E							

1 Anna findet nicht die richtige … auf die Frage des Lehrers.
2 Maria berechnet die … aus 35 und 52.
3 Sie … ihre Tochter und bezahlt ihr einen Musiklehrer.
4 Uta muss die Aufgabe am Freitag …
5 Paul kann die Aufgabe nicht lösen, weil er nicht weiß, wie er sie … soll.
6 Die nächste Aufgabe war viel leichter, weil wir ein … hatten, wie wir die Aufgabe lösen sollen.
7 Im … zu gestern waren die Hausaufgaben heute leicht.

E Und wie ist es in Ihrem Land? Beantworten Sie die Fragen. Benutzen Sie dafür die Wörter dieses Kapitels.

Was lernen Sie in den verschiedenen Schulfächern? Was machen die Schüler, was machen die Lehrer?

An der Universität Leipzig

An der Leipziger *Universität* studieren mehr als 31 000 *Studenten*. Aber es gibt zu wenig *Professoren*. Ein *Professor* unterrichtet die *Studenten* und arbeitet außerdem *wissenschaftlich*. Er entwickelt eine *Theorie* und führt dazu eine *wissenschaftliche Studie* durch, in der er seine *Theorie* untersucht. Wenn er *empirisch* forscht, beobachtet er genau und macht eventuell Interviews. Auch die *Studenten* erlernen in ihrem *Studium wissenschaftliche Methoden*.
Eine *Universität* besteht aus vielen *Instituten*. Ein *Institut* beschäftigt sich mit der *Forschung* in einem bestimmten Fach. Die Leipziger *Universität* bietet viele verschiedene *Studiengänge* an. Die Hälfte der *Studenten* in Leipzig *studiert* Sozial- und Geistes*wissenschaften*, z. B. am *Institut* für Germanistik oder am *Institut* für Kultur*wissenschaften*.

Das Studienjahr

- Ein Studienjahr ist in zwei *Semester* geteilt. Ein *Semester* an der *Universität* dauert sechs Monate.
- Ein *Student* muss jedes *Semester* mehrere *Kurse* besuchen. Viele *Kurse* sind Pflicht, manche *Kurse* können die *Studenten* selbst auswählen.
- Jedes *Studium* beginnt mit einer *Einführung* in den *Studiengang*. Später wählt man *Schwerpunkte*. Man überlegt sich, zu welchem Thema man besonders viele *Kurse belegen* will.

***Universität* Leipzig**

Institut für Kultur*wissenschaften*

1. Semester

Kurse	Dozenten
Einführung in die Kultur*wissenschaften*	Prof. Hartmann
Lektüre*kurs*: Kultur*theorien*	Prof. Schmidt
Methodenkurs: Empirische Forschung	Prof. Müller
...	...

Und was studierst du?

Peter: Und was *studierst* du?
Laura: Ich studiere eine *Kombination* aus zwei Fächern: Germanistik und Soziologie.
Peter: Und wann *schließt* du dein Studium *ab*?
Laura: Hoffentlich bald! Ich bin jetzt im achten *Semester*.
Peter: Ist dein *Studium* schwierig?
Laura: Ich finde es einfach. Aber es ist sehr *theoretisch*. Mir fehlt der *Bezug* zur Praxis. Darum will ich in der Abschlussarbeit *empirisch* forschen.
Peter: Heißt das, du machst eine *Analyse*?
Laura: Ja, aber davor muss ich noch einen *Kurs* zu *wissenschaftlicher Forschung belegen*. Ich muss die verschiedenen *wissenschaftlichen Methoden* gut kennen, damit ich dann den richtigen *Ansatz* wähle.
Peter: Was meinst du mit richtigem *Ansatz*?
Laura: Ich muss genau wissen, was ich analysieren will, was die *Schwerpunkte* meiner *Forschung* sind, also was mir am wichtigsten ist. Dann kann ich entscheiden, welche *Methode* dafür der beste *Ansatz* ist, ob ich zum Beispiel Leuten Fragen stellen muss.

A Das Studium. Welches Wort passt zu welcher Erklärung? Ordnen Sie zu.

1 die Person, die studiert → c
2 eine wissenschaftliche Untersuchung
3 ein halbes Jahr an der Universität
4 das Fach, das man studiert
5 jeder Studiengang beginnt damit
6 man kann oder muss ihn belegen
7 die Person, die an der Universität unterrichtet

a die Einführung
b der Kurs
c der Student
d der Professor
e das Semester
f die Studie
g der Studiengang

B Verkehrte Universitätswelt. Die folgenden Sätze sind falsch. Verbessern Sie die Fehler.

1 Zu einer Ausbildung gehören viele Institute.
2 In einem Studium liegt der Schwerpunkt auf der praktischen Ausbildung der Studenten.
3 Für seine Forschungen erhält der Student jedes Jahr viel Geld.
4 Der Professor hat eine neue Praxis entwickelt.

C Wer weiß was? Ordnen Sie die Antworten den passenden Fragen zu.

1 Studiert Anna Geschichte?
2 Wann schließt Anna ihr Studium ab?
3 Hat Paul die Studie schon durchgeführt? → f
4 Wie findet ihr Professor Schmidt?
5 Weißt du, welchen Kurs Peter belegt?
6 Weißt du, warum er den Kurs nicht forsetzt?

a Ja, er belegt den Einführungskurs.
b Er hatte keinen Bezug zu seinen Studienschwerpunkten.
c Sehr gut! Er betreut seine Studenten sehr gut!
d In drei Semestern.
e Ja, in Kombination mit Geographie.
f Nein, er weiß noch nicht, welchen Ansatz er wählen soll.

D Universität und Hochschule. Finden Sie die folgenden Wörter im Wörtergitter.

Wissenschaft ▪ theoretisch ▪ Studium ▪ Universität ▪ Bildung ▪ Empirie ▪ Ansatz ▪ Kurs

U	N	I	V	E	R	S	I	T	Ä	T	Q
K	S	H	X	M	W	A	O	K	N	R	U
M	E	V	C	P	P	E	B	U	L	W	A
S	T	U	D	I	U	M	S	R	F	I	N
T	H	E	O	R	E	T	I	S	C	H	S
O	L	N	B	I	L	D	U	N	G	N	A
W	I	S	S	E	N	S	C	H	A	F	T
M	R	X	J	H	H	D	N	F	P	J	Z
M	E	S	T	A	F	I	U	M	R	T	P

E Studieren Sie oder Ihre Freunde? Beantworten Sie die Fragen.
Benutzen Sie dafür die Wörter dieses Kapitels.

Wie funktioniert eine Universität in Ihrem Land? Wie sieht ein Studienjahr aus?
Haben Sie schon einmal wissenschaftlich gearbeitet? Was für eine Studie würden Sie gerne machen?

Schule – und dann?

Wer mindestens neun Jahre zur Schule gegangen ist, kann eine *Ausbildung* machen. Ein anderes Wort für die *Ausbildung* ist die *Lehre*. In der *Ausbildung* oder der *Lehre* erlernt man einen *Beruf*. Wer die *Lehre* mit *Erfolg* abschließt, kann dann in seinem *Beruf* arbeiten.

Ich werde Koch!

Johannes findet ein Studium an der *Hochschule* zu theoretisch. Er will lieber gleich die *Praxis* kennen lernen und einen *Beruf* erlernen. Dafür muss er zwei oder drei Jahre lang eine *Ausbildung* machen. Anders als ein Studium *vermittelt* eine *Lehre* vor allem *praktisches* Wissen.
„Mein Vater ist Koch von *Beruf* und ich lerne das Gleiche wie er. Ich mache die *Lehre* in einem kleinen Restaurant, aber später möchte ich in ein großes Hotel *wechseln*. Hotels wird es immer geben, da sind meine *Chancen* gut, Arbeit zu finden.“

Im Frisiersalon

Carl macht seit zwei Jahren eine *Ausbildung* beim Frisör. Herr Maier *bildet* Carl *aus* und *vermittelt* ihm alles Wichtige für diesen *Beruf*. Der *Beruf* als Frisör *setzt* keine *spezifischen* Kenntnisse *voraus*, aber es ist wichtig, dass man sich für Mode interessiert. Die *Tätigkeit erfordert* auch, dass man gern mit Menschen arbeitet. Carl redet gern mit Leuten und schneidet gern Haare, er *eignet* sich gut als Frisör. Carl schließt bald seine *Ausbildung* ab und hat jetzt schon viel *Erfahrung* mit Frisuren.

Und die Perspektiven?

Herr Maier hat in seinem Leben viel *geleistet*. Er hat mit 15 Jahren die *Ausbildung* angefangen und später mit viel *Erfolg* den eigenen Frisiersalon eröffnet. Jetzt will er weniger arbeiten. Carl soll also auch nach der *Ausbildung* für ihn arbeiten. Das sind doch gute Zukunfts*perspektiven*! *Vorausgesetzt* natürlich, dass Carl weiter gute Arbeit *leistet*!

A Theorie oder Praxis? Ergänzen Sie den Dialog mit den folgenden Wörtern.

Erfahrungen ▪ Perspektiven ▪ Ausbildung ▪ praktisch ▪ Hochschule ▪ eignest

Peter: Ich habe keine Lust mehr auf die Schule. Ich möchte sie nach der zehnten Klasse beenden und eine __________[1] machen.

Mutter: Aber du bist so gut in der Schule, du __________[2] dich doch gut für ein Studium!

Peter: Ein Studium an einer __________[3] interessiert mich aber nicht. Ich möchte lieber gleich __________[4] arbeiten.

Mutter: Aber mit einem Studium sind deine beruflichen __________[5] doch viel besser!

Peter: Nein, viel wichtiger sind die __________[6] aus der Praxis.

B Verkehrte Arbeitswelt. Die folgenden Sätze sind falsch. Verbessern Sie die Fehler.

1 Er will den Beruf leisten und nicht mehr als Koch arbeiten.
2 Er musste schon früh sehr viel ausbilden und hart arbeiten.
3 Er möchte gern sein Wissen weitergeben und andere erfordern.
4 Viele Tätigkeiten wechseln spezifische Kenntnisse.
5 Er weiß viel, aber er kann das seinen Schülern nicht leisten.

C Nach der Schule. Welches Wort passt zu welcher Erklärung? Ordnen Sie zu.

1 ein anderes Wort für Ausbildung
2 jemanden auf einen Beruf vorbereiten
3 ein anderes Wort für „die Arbeit“
4 das Gegenteil von Theorie
5 alle Voraussetzungen mitbringen für

a die Tätigkeit
b sich eignen für
c die Lehre
d die Praxis
e jemanden ausbilden

D In der Praxis. Ergänzen Sie die Sätze mit den passenden Wörtern aus den Silben.

Be ▪ Er ▪ Er ▪ fah ▪ fisch ▪ folg ▪ keit ▪ ruf ▪ rung ▪ Tä ▪ tig ▪ spe ▪ zi

1 Diese __________ ist zu schwer für dich.

2 Ich finde, Frisör ist der schönste __________ der Welt.

3 So __________ habe ich das in der Lehre nicht gelernt.

4 Sie hat in der Ausbildung viel __________ gesammelt.

5 Ich wünsche dir viel __________!

E Berufsleben. Beantworten Sie die Fragen. Benutzen Sie dafür die Wörter dieses Kapitels.

Was macht man in Ihrem Land, um einen Beruf zu lernen? Wie kann man praktische Erfahrungen sammeln? Gibt es eine Ausbildung? Wie lange dauert sie? Erzählen Sie.

Test an der Schule

- In der Schule überprüft der Lehrer die *Leistungen* der Schüler. Haben sie genug gelernt? Können sie die Aufgaben *lösen*? Er weiß dann konkret, wo die Schüler Schwierigkeiten haben.
- Bis nächste Woche muss ich viel lernen. Dann schreiben wir einen *Test*. Letztes Mal habe ich sehr viele *Fehler* gemacht. Die Hälfte war *falsch*! Jetzt werde ich zu Hause viel arbeiten und mich gut auf den Test *vorbereiten*. Ich will mich unbedingt *verbessern*.

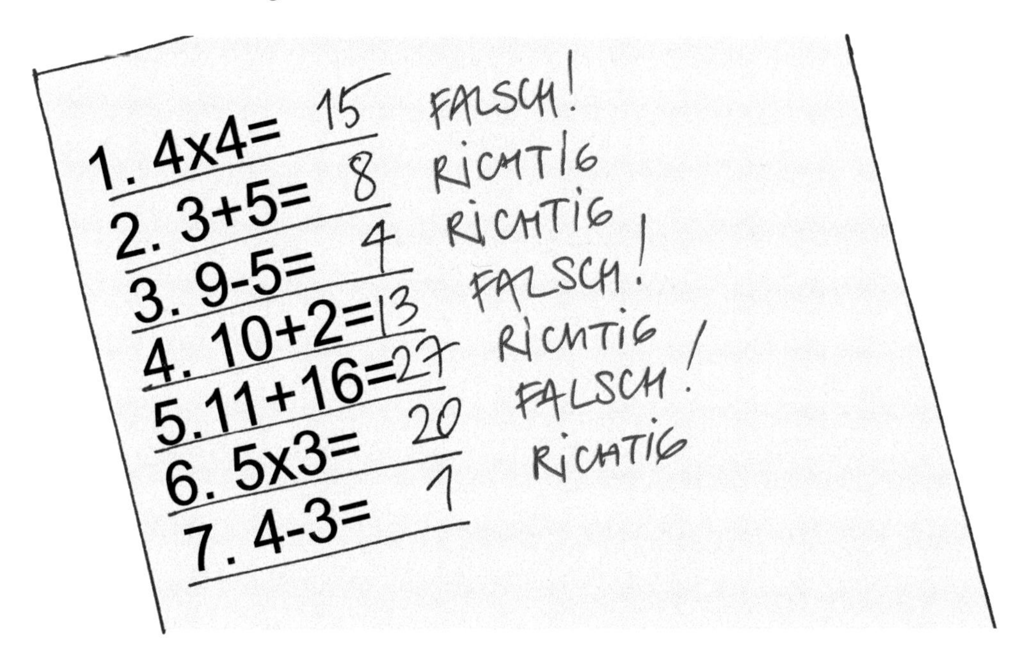

- Im Mathematikunterricht müssen die Schüler Mathematikaufgaben lösen. Das Ergebnis kann *richtig* oder *falsch* sein. Jede Aufgabe hat nur eine richtige *Lösung*.
- Der Englisch*test* wird nach verschiedenen *Kriterien beurteilt*: Wie viele Wörter kennt der Schüler, wie *komplex* sind seine Texte, wie viele *Fehler* macht er?

Schulabschluss

Die wichtigsten *Prüfungen* am Gymnasium sind die Abitur*prüfungen*. Das Abitur ist *Voraussetzung* dafür, dass man an der Universität *zugelassen* wird. Die Schüler müssen ein paar *Kriterien* erfüllen, um die Abitur*prüfungen* machen zu können. *Erforderlich* ist, dass die *Leistungen* vorher gut genug waren. Auch für den *Abschluss* an der Hauptschule oder Realschule sind manchmal *Prüfungen erforderlich*.

Aufnahmeprüfung

Manche Universitäten *prüfen* die künftigen Studenten selbst. Denn ein gutes Abitur ist nicht immer ein *Kriterium* dafür, dass man sich gut für das Studienfach eignet. Manchmal gibt es nicht nur eine *schriftliche Prüfung*, sondern auch ein Gespräch. Dann merkt man am besten, ob sich jemand gut *vorbereitet* hat und sich für das Fach interessiert.

Prüfungen im Studium

- An der Universität *prüft* der Professor die *Leistung* seiner Studenten am Ende des Semesters mit einer mündlichen oder *schriftlichen Prüfung*.
- In der Prüfung müssen manchmal sehr *komplexe* Probleme bearbeitet werden, die den Anforderungen in der Praxis *entsprechen*.
- Jan *strebt* eine Karriere als Jurist *an*. Bei den letzten *Prüfungen* hat er gute Ergebnisse *erzielt*.

A Die Prüfung. Ergänzen Sie die Sätze mit den folgenden Wörtern.

anstrebt ▪ lösen ▪ vorzubereiten ▪ entsprechen ▪ Fehler ▪ beurteilt ▪ lassen ... zu

1 Professor Schmidt ________________ die Leistung seiner Studenten.

2 Maria hatte in der Prüfung nicht genug Zeit, alle Aufgaben zu ________________.

3 Die Professoren ________________ alle Studenten zur Abschlussprüfung ________________.

4 Ralfs Leistungen ________________ leider nicht den Anforderungen.

5 Ralf lernt sehr viel für die Prüfung, weil er eine sehr gute Leistung ________________.

6 Voraussetzung für eine gute Prüfung ist oft, sich gut ________________.

7 Im letzten Test habe ich viele Sachen falsch gemacht. Ich hatte viele ________________.

B Die Lösung. Welches Wort passt zu welcher Erklärung? Ordnen Sie zu.

1 das falsche Ergebnis → c
2 nicht richtig
3 das richtige Ergebnis
4 die Prüfung

a falsch
b der Test
c der Fehler
d die Lösung

C Aus der Reihe. Welches Wort passt nicht dazu? Unterstreichen Sie dieses Wort.

1 der Fehler – richtig – falsch
2 beurteilen – prüfen – anstreben
3 schriftlich – die Schwierigkeit – komplex
4 Abschluss – Leistung – Fehler

D Eine Prüfung schreiben. Füllen Sie das Kreuzworträtsel aus.

1 Susi wird morgen ... geprüft.
2 Dieser Text ist sehr ...
3 Ich will einen guten Test schreiben, ich will mich ...
4 Ein guter Test ist doch noch kein ... für Intelligenz, oder?

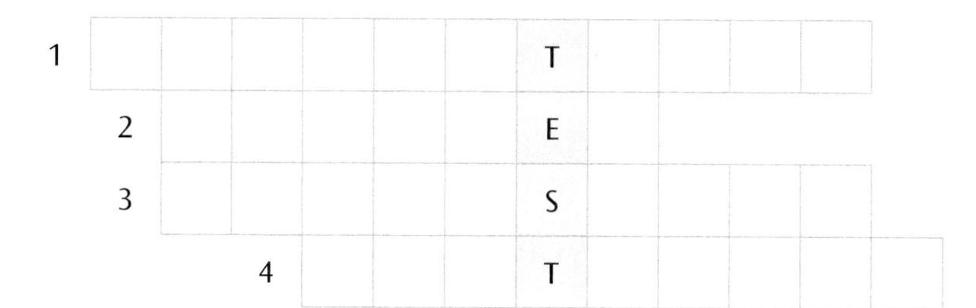

E Und in Ihrem Land? Beantworten Sie die Fragen. Benutzen Sie dafür die Wörter dieses Kapitels.

Wann hatten Sie Ihre letzte Prüfung? Was für eine Prüfung war das?
Was meinen Sie: Wie beurteilt man am besten Leistungen?
Haben Sie schon einmal jemanden geprüft?

Rund um die Arbeit

- Maria hat gleich nach dem Studium eine *Arbeit* gefunden. Nun geht sie jeden Tag um 8 Uhr zur *Arbeit*.
- In dieser Firma arbeiten 500 Menschen. Sie sind *Arbeitnehmer*. Die Firma ist ihr *Arbeitgeber*. Für ihre *Arbeit* erhalten die *Arbeitnehmer* Geld vom *Arbeitgeber*.
- Mein *Job* macht mir Spaß. Ich habe viel mit Menschen zu tun. Ich habe nette *Kollegen* und einen netten *Chef*, wir sind ein gutes Team.
- Unsere Firma hat 50 *Mitarbeiter*. Als *Direktor* der Firma bin ich ihr *Arbeitgeber*. Viele *Mitarbeiter* sind schon lange in ihrem Beruf tätig.
- Herr Jensen ist unser Marketing*leiter*. Unser technischer *Leiter* heißt Herr Bittner.
- Wenn man einen eigenen Betrieb eröffnen will, muss man in vielen handwerklichen Berufen, zum Beispiel Bäcker oder Tischler, eine besondere Prüfung machen, die *Meister*prüfung. Dann ist man *Meister*.
- Früher war ich als *Soldat* in der Armee, jetzt arbeite ich als Fußball*trainer* für Kinder.

Was willst du mal werden?

- Ich wäre gerne ein berühmter *Wissenschaftler*.
- Ich auch! Ich wäre gerne ein *Experte* für Solarenergie oder ein *Forscher*, der in die Antarktis fährt.
- Ich will *Schuldirektor* werden. Dann bin ich der *Chef* der Schule.
- Ich will lieber der *Chef* einer großen Firma sein. Dann bin ich ein wichtiger *Manager* mit vielen *Beschäftigten*, die für mich arbeiten.

Berufe

Polizistin | Schriftsteller | Ärztin | Bauer | Künstlerin

- Herr Koschlig arbeitet als Lehrer und seine Frau als *Polizistin*.
  Beide arbeiten für den Staat und sind *Beamte*.
- Herr Schmittgen ist *Schriftsteller*. Er schreibt Bücher über Afrika.
- Frau Pfeiffer ist *Ärztin*, sie arbeitet im Krankenhaus.
- Herr Neuss ist *Bauer* und arbeitet in der Landwirtschaft. Er hat Kühe und Schweine.
- Frau Degenhard ist *Künstlerin* und macht Skulpturen aus Bronze.
- Und ich selbst? Ich habe Jura studiert und arbeite jetzt als *Richter* am Gericht.

A Arbeit und Beruf. Ergänzen Sie die Sätze mit den folgenden Wörtern.

Kollegen ▪ Trainer ▪ Direktor ▪ Job ▪ Chefin ▪ Mitarbeitern ▪ Manager ▪ Beamter

1 Uta spielt Tennis. Ihr ______________ ist sehr streng. Sie muss genau tun, was er sagt.

2 Mein Vater leitet als ______________ eine kleine Schule.

3 Meine Mutter ist ______________ einer kleinen Firma mit fünf ______________.

4 Ich möchte gerne Lehrer werden. Dann arbeite ich für den Staat und bin ______________.

5 Meine Arbeit gefällt mir nicht, ich suche einen neuen ______________.

6 Er ist Ökonom und arbeitet jetzt in einer großen Firma als ______________.

7 Ich arbeite zusammen mit drei ______________ in einem Team.

B Verkehrte Berufswelt. Die folgenden Sätze sind falsch. Verbessern Sie die Fehler.

1 Der <u>Polizist</u> schreibt Romane.
2 Der <u>Richter</u> arbeitet mit Tieren.
3 Der <u>Künstler</u> sorgt für Sicherheit.
4 Der <u>Arzt</u> macht zum Beispiel Musik, malt oder tanzt.
5 Der <u>Bauer</u> führt Studien und Untersuchungen durch.
6 Der <u>Wissenschaftler</u> arbeitet am Gericht.

C Die Arbeitswelt. Welches Wort passt nicht dazu? Unterstreichen Sie dieses Wort.

1 der Arbeitnehmer – der Leiter – der Direktor – der Chef
2 der Experte – der Meister – der Polizist – der Trainer
3 der Kollege – der Beschäftigte – der Arbeitnehmer – der Job
4 der Schriftsteller – der Arzt – der Mitarbeiter – der Wissenschaftler

D Berufssuche. Finden Sie die folgenden Wörter im Wörtergitter.

Arzt ▪ Bauer ▪ Forscher ▪ Künstler ▪ Polizist ▪ Richter ▪ Schriftsteller ▪ Soldat ▪ Trainer ▪ Wissenschaftler

W	I	S	S	E	N	S	C	H	A	F	T	L	E	R
E	B	A	T	R	A	I	N	E	R	W	A	Y	M	I
N	D	T	C	B	P	O	L	I	Z	I	S	T	L	C
D	E	Z	K	A	K	Ü	N	S	T	L	E	R	J	H
R	T	I	Ö	U	N	R	I	P	S	O	L	D	A	T
V	S	L	G	E	B	F	O	R	S	C	H	E	R	E
O	S	C	H	R	I	F	T	S	T	E	L	L	E	R

E Mein Beruf. Beantworten Sie die Fragen. Benutzen Sie dafür die Wörter dieses Kapitels.

Was sind Sie von Beruf oder was möchten Sie werden? Erzählen Sie von Ihren beruflichen Aufgaben oder darüber, was Sie gerne machen möchten.

Die Arbeitswelt

- Wie viel *verdienst* du im Monat? – Ich *verdiene* 2000 Euro im Monat.
- Peters Mutter hat keine Angst, ihre Arbeit zu verlieren. Sie hat einen sicheren *Arbeitsplatz*. Sie *leitet* die Marketing*abteilung*.
- Susis Vater baut Häuser, er arbeitet auf dem *Bau*. Die körperliche *Belastung* der Arbeiter ist sehr hoch, mit 50 Jahren müssen die meisten eine andere Tätigkeit *ausüben*.
- Ich arbeite in einem *Büro*. Ich mache das meiste am Computer, aber *Papier* ist auch noch wichtig. Zum Beispiel gibt es Listen, in denen wir unsere Pausen *eintragen* müssen.

Zu viel Arbeit

Ich arbeite in einem großen *Unternehmen*. Es gibt verschiedene *Abteilungen* mit mehreren Mitarbeitern. Zur *Abteilung* Finanzen gehören drei *Bereiche*, einer davon ist die Budget*planung*. Seit ich für diesen *Bereich verantwortlich* bin, habe ich viel zu viel Arbeit. Ich *schaffe* es nie, das *Büro* vor zehn Uhr abends zu verlassen. Ich gebe mir große *Mühe*, alles gut zu machen, aber es gibt niemanden, der das *anerkennt*. Die Zusammenarbeit mit den Kollegen ist schlecht und die *Belastung* ist sehr hoch, denn mein *Bereich* hat eine ganz wichtige *Funktion* für die *Firma*. Ich würde lieber wieder weniger Geld *verdienen* und mehr Zeit haben. Eigentlich will ich meinen Beruf gar nicht mehr *ausüben*.

Die Gewerkschaft

Ralfs Vater arbeitet in einem großen *Werk*, in dem Autos *hergestellt* werden. Das *Unternehmen* hat sehr viele *Aufträge*, die schnell fertig sein müssen. Es werden aber keine neuen Mitarbeiter *eingestellt*, denn es ist in *Planung*, künftig im Ausland zu *produzieren*.
Die *Gewerkschaft*, die für die Interessen der Beschäftigten kämpft, protestiert dagegen. Es stehen genug *Maschinen* zur *Verfügung*, um viel mehr Autos zu produzieren. Es müssen nur neue *Arbeitsplätze geschaffen* werden.

Arbeitslos sein

- Stefanie ist seit einem halben Jahr *arbeitslos*. Sie hatte vorher eine leitende *Stellung* in einem *Betrieb*, der Möbel *herstellt*. Sie war dort im *Büro tätig* und *organisierte Projekte*. Sie *übernimmt* gerne *Verantwortung*, aber sie will einen *beruflichen Wechsel*. Sie will sich *selbstständig* machen und ein eigenes *Geschäft betreiben*. Dann gibt es auch keinen Chef mehr, der immer *Vorschriften* macht. Die *Bedingung* dafür wäre, dass sie genug *Aufträge* von anderen *Firmen* bekommt.
- Bernd hat vor zwei Jahren seinen *Arbeitsplatz* verloren, seitdem ist er *arbeitslos*. In seinem *Bereich* gibt es wenig Stellen. Er würde aber auch einen ganz anderen Job *annehmen*, zum Beispiel eine Tätigkeit auf dem *Bau* ausüben. Hauptsache, er *verdient* wieder Geld.

A Berufsleben. Ergänzen Sie die Sätze mit den folgenden Wörtern.

Belastung • Planung • produziert • angenommen • schaffen • Abteilung

1 Susi hat vor kurzem innerhalb des Unternehmens die ________________ gewechselt.

2 In dem Werk, in dem Johanns Eltern arbeiten, werden Computer ________________.

3 Anna ist für die ________________ der nächsten zwei Jahre verantwortlich.

4 Ich konnte nicht weiterarbeiten. Die körperliche ________________ war zu groß.

5 Der Staat möchte im nächsten Jahr 500 000 neue Arbeitsplätze ________________.

6 Pauls Vater hat eine neue Stellung ________________, er ist jetzt Abteilungsleiter.

B Arbeitsleben. Die folgenden Sätze sind falsch. Verbessern Sie die Fehler.

stellt … ein • ausüben • stellt … her • organisieren • verdiene

1 Die Firma stellt nächsten Monat zehn neue Mitarbeiter her.
2 Unser Betrieb erkennt elektrische Geräte an.
3 Ich betreibe jetzt mehr Geld als mein Mann.
4 Ralf ist sich noch nicht sicher, welchen Beruf er nach dem Studium leiten möchte.
5 Wir produzieren regelmäßig Treffen aller Arbeitnehmer.

C In der Produktion. Zwei Wörter passen zusammen. Welches Wort passt nicht dazu? Unterstreichen Sie dieses Wort.

1 das Unternehmen – der Wechsel – das Werk
2 die Verfügung – die Abteilung – der Bereich
3 das Werk – die Maschine – die Stellung
4 herstellen – anerkennen – produzieren

D Im Betrieb. Füllen Sie das Kreuzworträtsel aus.

			1	B								
	2			E								
3				T								
		4		R								
5				I								
6				E								
			7	B								

1 die Forderung, die erfüllt werden soll
2 die Position, die jemand in einem Unternehmen hat
3 die Aufgabe, die jemand erledigen soll
4 eine Aktion in einem Unternehmen
5 darauf schreibt man
6 Organisation für die Interessen der Arbeitnehmer
7 wo viel telefoniert und geschrieben wird

E Das Unternehmen. Beantworten Sie die Fragen. Benutzen Sie dafür die Wörter dieses Kapitels.

Wie ist es bei Ihnen und Ihren Freunden? Arbeiten Sie in einer Firma oder sind Sie selbstständig?
Ist es in Ihrem Land leicht, Arbeit zu finden? Welche Probleme gibt es?

Vom Punkt zum Wort zum Text

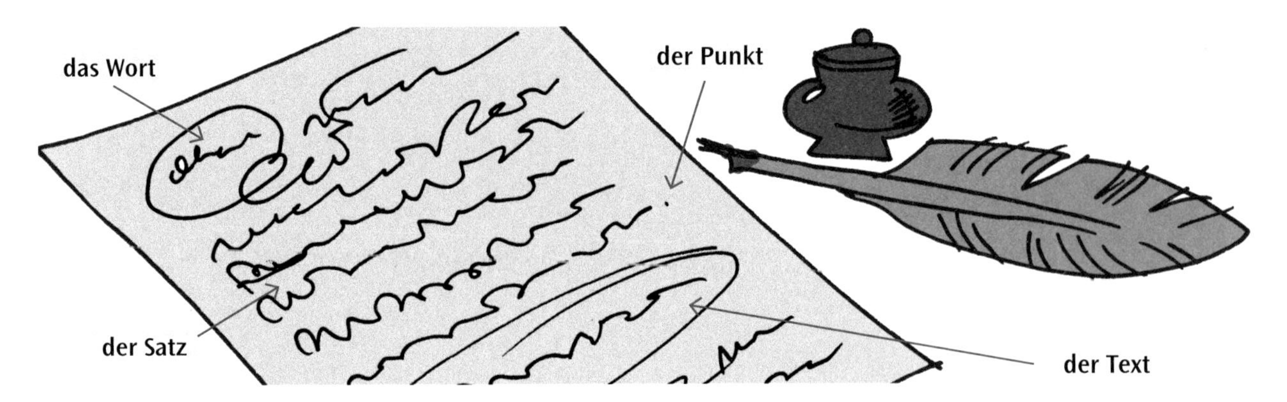

Eine Fremdsprache lernen

- Ich spreche nur Deutsch und keine andere *Sprache*.
- Peter hat in der Schule Englisch und Französisch gelernt. Er spricht zwei *Fremdsprachen*.
- Paul spricht sehr gut Französisch. Er *beherrscht* die französische *Sprache* sehr gut.
- Entschuldigung, ich habe Sie nicht verstanden. Können Sie bitte etwas *deutlicher* sprechen?
- Können Sie den *Satz* bitte noch einmal sagen? – Kein Problem, ich *wiederhole* den *Satz* für Sie.
- Susis Mutter hat gestern lange mit Susis Lehrerin gesprochen. Sie haben ein langes *Gespräch* geführt.
- Ich lerne seit zwei Jahren Spanisch. Mein *Niveau* ist jetzt viel besser als am Anfang.
- Wie *lautet* dieses Wort auf Französisch?
- Sie müssen darauf achten, die *Wörter* richtig zu betonen. Im Deutschen *betont* man meist den Anfang des *Wortes*: spre̲chen.
- Im *Text* fehlen einige *Wörter*. *Setzen* Sie die richtigen *Wörter ein*.

Reden und Schweigen

- Paul *redet* den ganzen Tag. Er *redet* den ganzen Tag über seine Arbeit.
- Sie *redet* seit zwei Wochen nicht mit mir. Wenn ich mit ihr sprechen will, sagt sie nichts. Sie *schweigt*.
- Ich weiß nicht, was dieses *Wort* heißt. Ich kenne die *Bedeutung* dieses *Wortes* nicht. – Ich weiß auch nicht, was es *bedeutet*, aber wir können unseren Lehrer fragen.
- Was sehen Sie auf diesem Bild? Können Sie mir *beschreiben*, was Sie sehen?
- Ich habe das Haus nicht gefunden. Die *Beschreibung* des Weges war nicht gut.
- Wie *bezeichnet* man eine *Sprache*, die man nicht von Geburt an gelernt hat? – Diese *Sprache* bezeichnet man als *„Fremdsprache"*.
- Was steht in diesem *Text*? *Fassen* Sie den Inhalt des *Textes* bitte in wenigen *Sätzen zusammen*.
- Ich weiß nicht, was dieser *Satz* auf Englisch bedeutet. Kannst du ihn mir bitte ins Englische *übersetzen*?
- Wenn man etwas mit anderen *Worten* sagt, dann *formuliert* man es anders.

Rund um die Sprache

- Er beherrscht die *Fremdsprache* schon sehr gut. Sein *sprachliches* Wissen ist sehr groß.
- Wenn man in unserer Firma arbeiten möchte, muss man fremdsprachliche *Kenntnisse* haben.
- Warum finden Sie diesen *Text* schlecht? Ich würde gern eine *Erklärung* dafür haben.
- Letzte Woche wusste ich noch, was dieses *Wort* bedeutet. Jetzt habe ich die *Bedeutung* schon wieder *vergessen*.
- Wissenschaftliche *Texte* sind schwer zu verstehen. Man muss viele wissenschaftliche *Begriffe* kennen.
- Der Lehrer *bestimmt* immer, welche *Wörter* gelernt werden. Er entscheidet alles.

A Wort, Satz, Text. Ordnen Sie die folgenden Verben den passenden Wörtern zu.

wiederholen • beherrschen • zusammenfassen • einsetzen

1 einen Satz / ein Wort ____________________ 2 eine Fremdsprache ____________________

3 einen Text ____________________ 4 ein Wort ____________________

B Können Sie das bitte wiederholen? Ergänzen Sie den Dialog mit den folgenden Wörtern.

vergessen • lauten • Gespräch • bedeuten • deutlicher • Sprachen • beschreiben

Claudia ist das erste Mal in Deutschland. Sie führt mit Maria ein ____________[1].

Maria: Wie viele ____________[2] sprichst du?

Claudia: Zwei. Ich spreche Deutsch und Russisch. Aber Russisch spreche ich nicht gut. Ich habe viele Wörter ____________[3].

Maria: Ja, das geht mir auch so. Ich habe in der Schule Französisch gelernt. Aber ich weiß bei vielen Wörtern nicht mehr, was sie ____________[4].

Claudia: Oft verstehen mich die Leute nicht, wenn ich Deutsch spreche. Sie sagen, dass ich ____________[5] sprechen muss.

Maria: Ja. Mir fällt oft nicht ein, wie bestimmte deutsche Begriffe auf Französisch ____________[6].

Claudia: Ich bitte andere Leute oft, dass sie mir ein Wort ____________[7], wenn ich es nicht verstehe. Das hilft mir, die Bedeutung zu verstehen.

C Gute Fremdsprachenkenntnisse. Füllen Sie das Kreuzworträtsel aus.

Nr.	Lösungsbuchstabe
1	K
2	E
3	N
4	N
5	T
6	N
7	I
8	S

1 Ich verstehe nicht, weshalb der Satz falsch sein soll. Ich habe die … der Lehrerin nicht richtig verstanden.
2 ein wissenschaftlicher …
3 Ich beherrsche Fremdsprachen sehr gut. Ich habe in vielen ein hohes …
4 Substantiv zu „bedeuten"
5 Ich spreche diese Sprache nicht gut. Ich kann nur einzelne …
6 Er … sich selbst als guten Schüler.
7 Inhaltlich finde ich den Text sehr gut, aber … ist er schlecht.
8 Einen Text von einer Sprache in die andere …

D Fremde Sprachen. Beantworten Sie die Fragen. Benutzen Sie dafür die Wörter dieses Kapitels.

Vergessen Sie schnell Wörter in der Fremdsprache? Wenn ja, was tun Sie dagegen; wenn nein, was kann man dagegen tun? Erläutern Sie.

Diskussion

- Das Thema interessiert alle. In der *Diskussion* werden verschiedene Personen ihre Meinung sagen. Sie werden das Thema *diskutieren*.
- Wenn andere Personen nicht meiner Meinung sind, versuche ich, sie von meiner Meinung zu *überzeugen*.
- Wenn ich jemandem sage, dass ich das, was er tut oder sagt, nicht gut finde, dann *kritisiere* ich ihn.
- Man muss *akzeptieren*, dass andere Menschen eine andere Meinung haben.

Bitte und danke

Paul: Entschuldigen Sie, können Sie mir *bitte* helfen? Wo finde ich einen Supermarkt?
Lisa: Es tut mir leid. Die Frage kann ich Ihnen nicht *beantworten*. Sie müssen eine andere Person ansprechen.
Paul: *Danke*.

Laura: Ich mache morgen eine Feier. Ich *bitte* dich, dass du Wein kaufst.
Stefan: Kein Problem.
Laura: Ich habe noch eine *Bitte* an dich. Kannst du Peter sagen, dass er Brot kaufen soll?
Stefan: Ja. Ich werde es ihm *ausrichten*. Susi kann *übrigens* nicht kommen. Sie muss arbeiten.
Laura: Schade.

Kommunikation

- Er hat zu jedem Thema etwas zu sagen. Er *äußert* immer seine Meinung.
- Ich *unterhalte* mich mit meinen Freunden oft über die Arbeit.
- Ich kann dir nur folgenden *Rat* geben: Wenn du nicht glücklich bist, dann ändere etwas.
- Die Frage ist zu schwer. Darauf kann ich Ihnen leider nicht *antworten*.
- Warum waren Sie gestern nicht beim Treffen? Ich *verlange* eine Erklärung.
- Ich verstehe nicht, was das Problem ist. – Ich *erläutere* Ihnen das Problem *gern* noch einmal.

Rund ums Sprechen

- Heute verwendet niemand mehr dieses Wort. Dieser *Ausdruck* ist alt.
- Ich weiß nicht, was du damit sagen willst. Du musst dich klarer *ausdrücken*.
- Ich habe vergessen, etwas zu sagen. Ich wollte noch *erwähnen*, dass ich morgen nicht kommen kann.
- Ich *versichere* dir, dass ich den Einkauf heute noch erledige.
- Ich verstehe oft nicht, was Susi auf Englisch sagt. Sie *spricht* viele Wörter falsch *aus*.
- Es ist sicher, dass ich dir helfe. Ich *verspreche* es dir.
- Vorher hat sie nie gesagt, dass sie ein Problem hat. Sie hat es nur ganz nebenbei *bemerkt*.
- Die Polizei weiß nicht, wo die Frau ist. Sie *schließt* aber aus, dass sie tot ist.

A Um Rat bitten. Ergänzen Sie die Sätze mit den folgenden Wörtern.

ansprechen ▪ überzeugen ▪ bitte ▪ versichere ▪ akzeptiert ▪ Rat ▪ danke

Tom: Peter hat Susi geschlagen. Er will sich aber nicht bei ihr entschuldigen. Ich weiß nicht weiter. Was soll ich machen? Kannst du mir einen ______________[1] geben?

Tina: Du musst mit ihm reden und ihn davon ______________[2], dass er so nicht mit anderen Menschen umgehen kann.

Tom: Und was mache ich, wenn er das nicht ______________[3]?

Tina: Ich ______________[4] dir, dass er es verstehen wird.

Tom: Gut. Ich werde mit ihm reden und das Problem ______________[5]. Ich ______________[6] dir für deine Hilfe.

Tina: ______________[7]. Kein Problem.

B Sich unterhalten. Welches Wort passt zu welchem Satz? Ordnen Sie zu.

1 Ich habe heute mit Ralf gesprochen. → b
2 Sag ihm bitte, dass ich nicht kommen kann.
3 Ich möchte, dass Sie meine Frage beantworten!
4 Kannst du mir das erklären?

a verlangen
b sich unterhalten
c etwas erläutern
d etwas ausrichten

C Rund um die Kommunikation. Füllen Sie das Kreuzworträtsel aus.

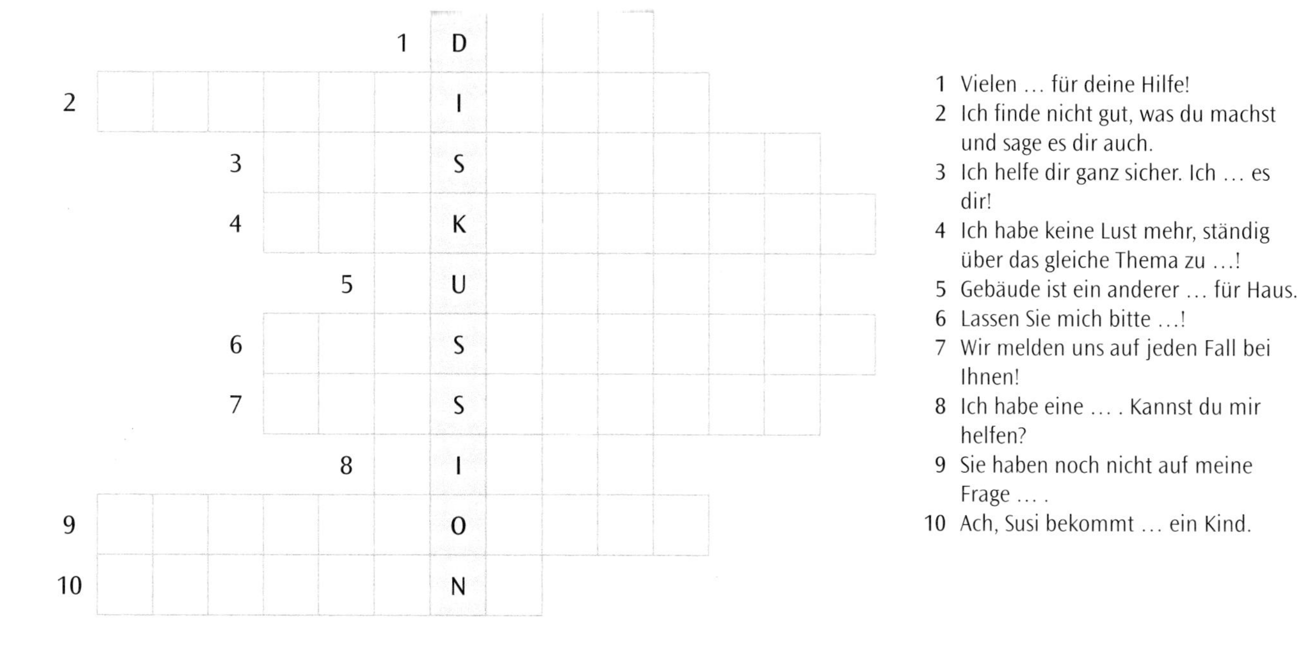

D Miteinander sprechen. Beantworten Sie die Fragen. Benutzen Sie dafür die Wörter dieses Kapitels.

Über welches Thema haben Sie zuletzt diskutiert? Beschreiben Sie, wie diese Diskussion ablief.
Fragen Sie oft Ihre Freunde oder Familie um Rat oder geben Sie oft Rat? Beschreiben Sie die letzte Situation, in der Sie einen Rat bekommen oder gegeben haben. Was muss man in Ihrem Land beachten, wenn man sich mit jemandem unterhält? Beschreiben Sie.

Einerseits und andererseits

- *Einerseits* sagt er immer, dass er Fremdsprachen wichtig findet, *andererseits* hat er selber nur eine einzige Fremdsprache gelernt.
- Ich will von diesem Problem nichts wissen. Es ist mir *egal*.
- Peter mag Tiere. *Insbesondere* Hunde gefallen ihm.
- Alle schauen bis spät in die Nacht Fernsehen, *außer* Maria. Sie ist schon um acht ins Bett gegangen.
- Ich bin krank und *insofern* meinte der Arzt, dass ich im Bett bleiben soll.
- Wir werden in den Urlaub fahren, *jedoch* nur für drei Tage. Mehr Zeit haben wir nicht.
- Er ist krank, *deshalb* kann er nicht arbeiten.
- *Deswegen* ist ein anderes Wort für *deshalb*. Ich muss morgen früh aufstehen, *deswegen* gehe ich schon jetzt ins Bett.

Ja freilich

Petra und ihr Mann wollen ein Haus kaufen. Aber Petra ist sich nicht sicher und bittet einen Freund um Rat.

Petra: Was denkst du? Sollen wir das Haus kaufen?
Stefan: *Also*, wenn du mich fragst, ja. Bisher habt ihr *doch* viel zu wenig Platz. *Außerdem* hat das Haus einen Garten.
Petra: Ich weiß. Aber ich bin mir *dennoch* nicht sicher. Es ist sehr teuer, ein Haus zu kaufen.
Stefan: Das stimmt. Ein Haus kostet viel Geld, *allerdings* gehst du doch bald wieder arbeiten.
Petra: Ja *freilich*, das stimmt. Ich gehe ab nächster Woche wieder arbeiten und werde auch Geld verdienen. Aber das reicht *eben* nicht.
Stefan: Dann fragt doch die Bank nach einem Kredit. Ich kann mir *durchaus* vorstellen, dass ihr einen Kredit bekommt.
Petra: *Ansonsten* fragen wir eben meine Eltern, sie haben viel Geld. Das wäre auch möglich.

Sich durchsetzen

- Er hat den Job bekommen. Er hat sich gegen alle anderen *durchgesetzt*.
- Sie hat das Haus nur *durch* die Hilfe ihrer Eltern kaufen können.
- Sie ist seit letzter Woche die neue Chefin des Unternehmens und bekommt *entsprechend* mehr Geld.
- Es ist sehr kalt draußen, aber *immerhin* regnet es nicht.
- *Hinsichtlich* dieses Problems kann ich Ihnen versichern, dass wir eine Lösung finden werden.

Aufgrund des Regens

- Es wird *allgemein* davor gewarnt, zu schnell zu fahren.
- Ab nächster Woche soll es wieder wärmer werden, *allerdings* soll es weiterhin regnen.

A Was wollen wir essen? Ergänzen Sie die Sätze mit den folgenden Wörtern.

doch ▪ egal ▪ andererseits ▪ eben ▪ insbesondere ▪ außer ▪ allerdings ▪ also ▪ einerseits

Anna: Ich muss etwas essen. Wir können kochen, _______________[1] muss ich dann erst noch einkaufen. Wir können auch ins Restaurant gehen.

Maria: Ob wir kochen oder ins Restaurant gehen, ist mir _______________[2]. Wie du willst.

Anna: _______________[3], wenn es dir nicht wichtig ist, dann kochen wir _______________[4] etwas. Was wollen wir essen? Fisch?

Maria: Aber du weißt _______________[5], dass ich Fisch nicht mag!

Anna: Mit dir hat man es wirklich nicht leicht! _______________[6] möchtest du etwas essen und _______________[7] lehnst du meinen Vorschlag ab, ohne einen besseren Vorschlag zu haben.

Maria: Wir können doch Fleisch essen. _______________[8] Rindfleisch mag ich sehr.

Anna: Das geht nicht. Ich esse alles, _______________[9] Rindfleisch.

B Außer und außerdem. Verbinden Sie die passenden Teile.

1 Seine Bücher sind sehr gut,
2 Du musst ehrlich zu mir sein,
3 Draußen ist es kalt und
4 Sie haben gespart,
5 Ihre Arbeit macht ihr keinen Spaß,
6 Ich kann heute Abend kommen,
7 Die Kosten steigen,
8 Mein Körper gefällt mir nicht,

a außerdem regnet es.
b insbesondere meine Beine sind viel zu dick.
c insofern erhöht sich der Preis des Produktes.
d ansonsten kann ich dir keinen Rat geben.
e deswegen können sie sich das Haus leisten.
f deshalb lese ich sie gerne.
g aber immerhin wird sie gut bezahlt.
h jedoch erst sehr spät.

C Der Streit. Ergänzen Sie die Sätze mit den folgenden Wörtern.

durch ▪ dennoch ▪ aufgrund ▪ durchaus ▪ deswegen ▪ allgemein ▪ entsprechend ▪ durchsetzen

Susi und Ralf haben sich gestritten. Dabei lieben sie sich _______________[1]. Ralf muss seine Meinung immer _______________[2]. Susi liebt Ralf sehr. _______________[3] hat sie sich von ihm getrennt. Jetzt ist sie _______________[4] traurig. Aber auch Ralf geht es _______________[5] der Trennung nicht gut. Er weiß, dass er _______________[6] die Trennung viel verloren hat. _______________[7] ist er sehr traurig. Es ist _______________[8] bekannt, dass er Susi sehr vermisst.

D Was denken Sie? Beantworten Sie die Fragen. Benutzen Sie dafür die Wörter dieses Kapitels.

Versuchen Sie zu erklären, warum Sie lieber in einem Dorf (oder in einer Stadt) leben wollen.
Denken Sie, dass wir neue, alternative Energiequellen brauchen? Erklären Sie.

Du musst unbedingt zum Arzt gehen!

Du siehst sehr krank aus. Du musst *unbedingt* zum Arzt gehen!
Aber ich fühle mich *überhaupt* nicht krank. Ich fühle mich *völlig* gesund.
Es kann sein, dass du dich gesund fühlst und *trotzdem* krank bist. Geh bitte zum Arzt!
Ja, *okay*. Ich werde mich untersuchen lassen.

Kommst du zu meiner Feier heute Abend?

Stefan: Ich würde *zwar* sehr gern kommen, aber mein Kind ist krank. *Zudem* ist meine Frau nicht da. Sie muss arbeiten. Das bedeutet, dass ich zu Hause bleiben muss.

Mark: Ich kann verstehen, dass du *wegen* deines Kindes zu Hause bleibst und nicht zur Feier kommst.

Kaffee mit Zucker statt ohne

- Ich glaube, ich kann dir am Wochenende helfen, *wobei* ich nur am Abend Zeit habe.
- Ich kann gern ein Brot für dich kaufen. Ich wollte *sowieso* gerade einkaufen gehen.
- Es ist besser, wenn wir nicht aus dem Haus gehen, es ist *ohnehin* sehr kalt.
- Ich trinke Kaffee lieber mit Zucker *statt* ohne.
- Kann Susi heute Abend auch zur Feier kommen? – Ja *natürlich*, sehr gern!
- Früher war es *selbstverständlich*, dass zwei Menschen heiraten, wenn sie sich lieben. Heute ist das nicht mehr so *selbstverständlich*.
- Letzte Woche hat Peter das Spiel nicht gewonnen. Heute hatte er *wiederum* Erfolg.

Die neuesten Informationen

Laut neuesten Informationen sparen die Menschen jedes Jahr weniger. Sie haben immer weniger Geld, *trotzdem* kaufen und kaufen sie. Heute ist es für viele *selbstverständlich*, ein Telefon und einen Computer zu haben. Die Geschäfte und Händler versuchen *mittels* niedriger Preise, mehr Käufer zu bekommen. Die Produkte in den Läden müssen billig sein, *sonst* kommen keine Käufer mehr. *Letztlich* geht es nur darum, Gewinn zu machen.

Weitere wichtige Begriffe

- Ja, es war *so*, wie sie es gesagt haben.
- Ich habe ihn bei der Tat beobachtet, *somit* wissen wir, wer der Täter ist.
- Mein Mann verdient nur sehr wenig und ich ernähre *sozusagen* die ganze Familie.
- Bist du wieder gesund? – Ja, es geht mir schon wieder *total* gut.
- Susi hat in letzter Zeit viele schlechte Noten bekommen. Sie denkt aber *weiterhin*, dass sie eine gute Schülerin ist.

A Nach dem Test. Ergänzen Sie den Dialog mit den folgenden Wörtern.

so ▪ total ▪ wegen ▪ trotzdem ▪ völlig ▪ sowieso ▪ überhaupt

Tina: War das schwer. Der Test war ________________[1] schwierig! Ich habe sehr viel gelernt, aber ________________[2] habe ich nicht alles gewusst.

Tom: Ich finde, dass der Test ________________[3] nicht schwer war. Wir haben doch alles geübt.

Tina: Willst du damit sagen, dass ich besser zuhören muss?

Tom: Nein, ________________[4] habe ich das nicht gemeint. Du verstehst mich ________________[5] falsch.

Jonas: Ihr müsst euch jetzt nicht ________________[6] des Tests streiten. Wir müssen auf die Ergebnisse ________________[7] bis nächste Woche warten.

B Ohnehin – statt – wiederum. Ersetzen Sie die unterstrichenen Wörter durch folgende Wörter.

trotz ▪ unbedingt ▪ weiterhin

1 Wir wollen heute Abend ins Restaurant gehen und ich muss <u>ohnehin</u> noch zur Bank.
2 Musst du <u>statt</u> des Regens aus dem Haus gehen?
3 Ich arbeite schon seit drei Jahren in dieser Firma und werde <u>wiederum</u> hier arbeiten.

C 78 Jahre. Ergänzen Sie den Text mit den folgenden Wörtern.

zwar ▪ laut ▪ somit ▪ mittels ▪ sonst

__________[1] Meldungen der Polizei ist heute ein 78 Jahre alter Mann verschwunden. Er ist krank und braucht __________[2] Hilfe von Ärzten. Wenn Sie ihn sehen, bringen Sie ihn bitte ins nächste Krankenhaus, __________[3] stirbt er. Er kennt ________[4] seinen Namen, nicht aber seine Adresse. Der Mann wird ________[5] Foto gesucht.

D Das ist doch selbstverständlich. Ergänzen Sie den Text mit den folgenden Wörtern.

natürlich ▪ okay ▪ selbstverständlich ▪ sozusagen ▪ letztlich

1 Ich habe ein eigenes Geschäft. Ich bin ______________________ selbstständig.

2 Ist es ______________________, wenn wir heute nicht essen gehen? – Ja ______________________.

3 In vielen Familien ist es ______________________, dass die Mutter das Essen kocht.

4 Ich kaufe keine neue Maschine. ______________________ geht sie sowieso wieder kaputt.

E Und bei Ihnen? Beantworten Sie die Fragen. Benutzen Sie dafür die Wörter dieses Kapitels.

Was ist für Sie selbstverständlich? Warum? Erläutern Sie. Wann mussten Sie das letzte Mal jemanden von etwas überzeugen? Worum ging es? Was haben Sie und was hat die andere Person gesagt? Beschreiben Sie.

Auf der Suche nach einem neuen Job

Ich bin nicht zufrieden mit meinem Job. Ich muss sehr viel arbeiten und bekomme nur wenig Geld. Das ist der *Grund* dafür, dass ich meinen Job wechseln möchte. Ich möchte gern in einer anderen Firma arbeiten. Ich habe lange *überlegt*, ob ich das machen soll. Aber schließlich habe ich mich dafür *entschieden*, ein anderes Unternehmen nach einem Job zu fragen. Die *Entscheidung* war nicht leicht. Gestern habe ich eine Antwort erhalten. Das Unternehmen wird mich einstellen.

Die Auseinandersetzung

Susi und Ralf haben eine *Auseinandersetzung*, weil Ralf viel Geld für einen neuen Computer ausgegeben hat. Susi findet, dass sie keinen neuen Computer brauchen. Ralf meint, dass er ihn für seine Arbeit braucht. Sie sind nicht derselben *Ansicht*.

Ralf: Ich habe keine *Ahnung*, was du von mir willst. Gefällt dir der Computer nicht?

Susi: Darum geht es doch nicht. Ich denke, dass er viel zu teuer ist. Außerdem bin ich der *Meinung*, dass wir keinen neuen brauchen.

Ralf: Ich habe keine Lust, mir ständig deine *Vorwürfe* anzuhören. Ich habe den *Eindruck*, dass du alles, was ich mache, schlecht findest.

Susi: Es hat keinen *Zweck*, mit dir darüber zu diskutieren. Du *gibst* sowieso nie *zu*, dass du etwas falsch gemacht hast.

Eine negative Einstellung

- Er mag keine Kinder. Er hat eine negative *Einstellung* gegenüber Kindern.
- Er wird bestimmt diese Partei wählen. Ich kenne seine politische *Haltung*.
- Wenn ich es schaffe, ihn zu überzeugen, *ändert* er seine *Meinung*.
- Peter hat *Gründe*, um den Bau der neuen Straße abzulehnen. Er kann *begründen*, warum er dagegen ist.
- Die Forscher haben eine neue Tierart entdeckt. Dadurch haben sie neue wissenschaftliche *Erkenntnisse* darüber gewonnen, wie Arten entstehen.
- Ich verstehe, dass es ein Fehler war, schlecht von dir zu reden. Ich habe meinen Fehler *erkannt*.
- In der Diskussion hat er auf alle Fragen geantwortet. Er ist auf alle Fragen *eingegangen*.
- Ich studiere Mathematik und das Studium macht mir viel Spaß. Es entspricht genau meiner *Vorstellung*.
- Er hört mir immer zu, wenn ich Probleme habe. Ich *schätze* ihn sehr als Freund. Er ist mir sehr wichtig.
- Die Prüfung war sehr schwer. Erst nach langer *Überlegung* hat er die Fragen beantwortet.
- Immer wenn ich Stress habe, kann ich mich nicht konzentrieren. Ich kann nicht gut mit Stress *umgehen*.

Eine gute Idee!

- Mir ist gerade etwas ganz Tolles *eingefallen*! Wir können doch morgen zu Peter gehen.
  Das ist eine gute *Idee*, aber leider kann ich morgen nicht. Ich habe gerade *erfahren*, dass ein Kollege krank ist und ich deswegen morgen arbeiten muss.
- Weißt du, was ich gerade erfahren habe? Das kannst du dir nicht *vorstellen*! Meine Schwester bekommt ein Kind!
- Weißt du schon, was du studieren willst? – Nein, ich muss erst noch darüber *nachdenken*.
- Ich glaube ihm. Das, was er sagt, ist richtig. Er sagt die *Wahrheit*. – Ich habe *Zweifel*, ob er die Wahrheit sagt.

A Ich habe eine Idee. Ordnen Sie ähnliche Sätze einander zu.

1	Mir ist etwas eingefallen.	→ d	a	Ich kann mir nicht vorstellen, dass das richtig ist.
2	Ich habe meinen Fehler erkannt.		b	Wie ist dein Eindruck?
3	Meinst du wirklich, dass das stimmt?		c	Ich gebe zu, dass ich etwas falsch gemacht habe.
4	Wie findest du ihn?		d	Ich habe eine Idee.

B Die Diskussion im Fernsehen. Ergänzen Sie den Dialog mit den folgenden Wörtern.

Grund ▪ Entscheidung ▪ Meinung ▪ Wahrheit ▪ Zweifel ▪ entschieden ▪ Ansicht ▪ einzugehen

Zwei Politiker diskutieren über ein neues Gesetz.

Herr Müller: Was denken Sie über das Gesetz, Frau Schulz?

Frau Schulz: Meiner ________________[1] nach war dieses Gesetz notwendig.

Herr Müller: Also, ich bin nicht der ________________[2], dass das Gesetz nötig war. Die Regierung hat es entwickelt, ohne auf die Interessen der Bürger ________________[3]. Die Regierung würde nie zugeben, dass diese ________________[4] auf Druck der Wirtschaft entstanden ist.

Frau Schulz: Dem Staat fehlt Geld und somit hat die Regierung sich für ein neues Gesetz ________________[5]. Einen anderen ________________[6] für das neue Gesetz gibt es nicht. Die Wirtschaft hat kein Interesse daran!

Herr Müller: Ich habe ________________[7] daran, dass das richtig ist. Sagen Sie den Bürgern endlich die ________________[8]!

C Eine Meinung haben. Füllen Sie das Kreuzworträtsel aus.

3						1		M						
				2				E						
3								I						
4								N						
				5				U						
6								N						
					7			G						

1 Er ist zu streng. Er kann nicht gut mit Kindern …
2 Ich bleibe bei meiner Meinung. Ich werde sie nicht …
3 Durch die Tests haben wir neue … gewonnen.
4 Ich habe gerade erst davon …
5 Hast du eine …, wie ich zur Post komme?
6 Erst nach langer … traf sie eine Entscheidung.
7 Können Sie …, warum Sie gestern nicht auf Arbeit waren?

D Auseinandersetzungen. Beantworten Sie die Fragen. Benutzen Sie dafür die Wörter dieses Kapitels.

Wenn Sie eine Entscheidung treffen müssen, denken Sie lange vorher darüber nach oder entscheiden Sie spontan? Wenn Sie in einer Auseinandersetzung mit jemandem sind, der eine andere Meinung als Sie hat, ändern Sie dann schnell Ihre Meinung oder bleiben Sie immer bei einer Ansicht? Können Sie gut damit umgehen, wenn Sie einen Fehler zugeben müssen?

Wenn man Zweifel hat

- Kommst du heute Abend zu meiner Feier? – Ich weiß nicht, ich wollte *eigentlich* mit Freunden ins Kino gehen.
- Mein Bruder kommt *eventuell* am Wochenende zu Besuch. Er weiß noch nicht, ob er Zeit hat.
- Kannst du *vielleicht* morgen mit Lea zum Arzt gehen? Ich muss arbeiten.
- Weißt du, wo Lea ist? Sie ist nicht zu Hause. – Mach dir keine Sorgen. Sie ist *vermutlich* bei einer Freundin.
- Er ist noch nicht richtig gesund, aber es geht ihm schon wieder *relativ* gut.
- Sie ist *angeblich* schon fünfmal verheiratet gewesen. Ich glaube das nicht.
- Herr Müller geht nicht an sein Telefon, aber wir müssen ihn *irgendwie* erreichen. Er ist *offenbar* krank.

Die Möglichkeit

- Das Unternehmen hat Verluste gemacht. Es ist durchaus *möglich*, dass es geschlossen werden muss.
- „*Möglicherweise*“ ist ein Synonym zu „eventuell“ und „vielleicht“. Wenn wir mit dem Auto in die Stadt fahren, kommt Johannes *möglicherweise* mit.
- Ich habe im Test eine schlechte Note bekommen. Mein Lehrer hat mir die *Möglichkeit* gegeben, den Test noch einmal zu schreiben, um mich zu verbessern.
- Er hat sehr wenig gelernt. Es ist beinahe *unmöglich*, dass er die Prüfung schafft.

Beispielsweise

Paul und Lea müssen heute nicht arbeiten. Sie überlegen, was sie unternehmen können.

Paul: Vielleicht fahren wir ein bisschen mit dem Rad? Wir können *beispielsweise* an den See fahren. Oder willst du etwa den ganzen Tag in der Wohnung bleiben?

Lea: Nein, ich habe *grundsätzlich* nichts dagegen, etwas zu unternehmen. Aber der See ist weit weg. Meine Eltern wollen doch noch vorbeikommen. Es ist *gewiss* besser, wenn wir nicht so weit fahren. Warum gehen wir nicht einfach in den Park?

Normalerweise

Lisa: Es ist schon spät. Warum ist Anna noch nicht da? *Normalerweise* ist sie um diese Zeit bereits zu Hause.

Tim: Ich glaube, sie wollte sich mit Freunden treffen. *Sicherlich* ist sie mit ihnen unterwegs. Sie hat *bestimmt* einfach die Zeit vergessen.

Lisa: Ja, *wahrscheinlich* ist es so. Ich mache mir immer solche Sorgen, dass ihr etwas passiert. Anna ist erst 14 Jahre alt, sie ist noch *sehr* jung.

Tim: Aber nächste Woche hat sie Geburtstag. Sie ist schon *fast* 15 Jahre alt. Ich denke, dass du *ziemlich* streng zu ihr bist. Lass Anna etwas mehr Freiheit, sie ist alt genug.

Die meisten Touristen kommen im Sommer. Sie kommen *hauptsächlich*, weil es hier wärmer ist. Sie kommen aber auch, weil der Urlaub hier billig ist. Es gibt *sogar* Jahre, in denen man kein Bett mehr in den Hotels bekommen kann. *Jedenfalls* brauchen wir den Tourismus. Viele Menschen leben davon. Er ist für diese Region *äußerst* wichtig. Es gibt nur sehr wenige Betriebe und deswegen ist es für uns *absolut* notwendig.

Max: Ist es *tatsächlich* so, dass man in Deutschland die Schuhe auszieht, wenn man in eine Wohnung kommt?

Paul: Ja, das ist hier so *üblich*. Man muss die Schuhe ausziehen, sonst macht es einen schlechten Eindruck.

A Wie oft geht Peter zum Sport? Ordnen Sie ähnliche Sätze einander zu.

1	Etwa viermal im Jahr. → b	a	Sehr oft.
2	Etwa einmal im Monat.	b	Fast nie.
3	Jede Woche einmal.	c	Absolut nie.
4	Jede Woche dreimal.	d	Äußerst selten.
5	Er geht nicht zum Sport.	e	Ziemlich oft.

B Das passiert sehr oft. Ergänzen Sie den Text mit den folgenden Wörtern.

offenbar ▪ sehr ▪ sogar ▪ hauptsächlich ▪ fast ▪ jedenfalls

Gestern Abend gab es wieder einen Anschlag. In den letzten Wochen gab es ____________[1] oft ähnliche Fälle. Die Opfer sind ____________[2] nur alte Menschen. Die Täter brauchen ____________[3] Geld. Die Taten geschehen ____________[4] am Abend. Wahrscheinlich gibt es noch heute ein neues Opfer. Sie sollten ____________[5] aufpassen.

Hast du das gerade gehört? Selbst in unserem Ort kann man sich nicht mehr sicher fühlen. ____________[6] wenn es hell ist, fühle ich mich nicht sicher.

C Was ist in Ihrem Land üblich? Ergänzen Sie den Dialog mit den folgenden Wörtern.

grundsätzlich ▪ üblich ▪ tatsächlich ▪ eventuell ▪ wahrscheinlich ▪ Möglichkeit ▪ normalerweise ▪ relativ ▪ eigentlich ▪ beispielsweise

Laura: Wie ist das in deinem Land? Gibt man sich ____________[1] die Hand, wenn man sich nicht kennt?

Stefan: Nein, ____________[2] begrüßen wir uns mit einem Kuss. Aber es gibt auch die ____________[3], dass man sich die Hand gibt. Bei Menschen, die alt sind, ist das so ____________[4].

Laura: Und wie ist das, wenn man eingeladen wird? Bei uns bringt man etwas mit, ____________[5] einen Wein oder so.

Stefan: Nein. Bei uns ist es ____________[6] so, dass Gäste nichts mitbringen. Es kann aber sein, dass der Gast nicht alleine kommt. ____________[7] bringt er, ohne zu fragen, andere Personen mit. Das passiert ____________[8] oft.

Laura: Oh, ____________[9]? Das macht hier niemand. Es ist nicht sehr ____________[10], dass ein Gast, ohne zu fragen, eine andere Person mitbringt.

D Möglicherweise. Beantworten Sie die Fragen. Benutzen Sie dafür die Wörter dieses Kapitels.

Woran zweifeln Sie? Was würden Sie eventuell machen, wenn Sie bekannt und reich wären?
Nennen Sie mindestens fünf Möglichkeiten.
Wie begrüßt man sich in Ihrem Land?

Was kann man in seiner Freizeit machen?

Lea hat Geburtstag. Es gibt ein Fest.
Ihre Freunde feiern mit ihr.

Ein Ereignis feiern

Am Wochenende *findet* in unserem Dorf ein großes *Fest statt*. Zu diesem *Ereignis* sind viele *Leute* eingeladen. Ich werde leider erst am Abend *hingehen* können. Am Abend ist die *Stimmung* meistens am besten. Dann lachen und singen die *Leute* gemeinsam.

Veranstaltungen

- Sabine geht heute in eine Ausstellung. Sie weiß erst seit kurzem von dieser Ausstellung. Peter hat sie darauf *hingewiesen*. Es sind nur noch wenige Karten *vorhanden*.
- Sabine geht gern zu Ausstellungen. Sie besucht gern *Veranstaltungen* dieser Art.
- Zu *Beginn* eines Films öffnet sich der Vorhang. Dieser *Anfang* ist im Kino immer gleich.
- Der Film beginnt um 20.00 Uhr. Ich denke, er ist um 22.00 Uhr zu *Ende*.
- Am Anfang ist der Film lustig, aber am *Ende* ist er traurig. Zum *Schluss* musste ich weinen.
- Es waren nur wenige *Leute* im Kino. Es haben nur wenige *Zuschauer* den Film gesehen.
- Paul geht zu jeder *Veranstaltung* im Ort. Er ist sehr an *kulturellen* Dingen interessiert.
- Alle *Leute* gehen nach Hause, wenn die *Veranstaltung vorbei* ist.
- Sabine hat zu ihrem Geburtstag nur gute Freunde eingeladen. Es ist eine *private Veranstaltung*.
- Zur Eröffnung der Ausstellung können alle Leute kommen. Es ist eine *öffentliche Veranstaltung*.
- Die Stimmung auf der Feier war sehr gut. Ich habe viel Spaß gehabt. Es war eine sehr *gelungene* Feier.

Geburtstag feiern

- Sabine hat heute Geburtstag. Das ist ein guter *Anlass*, um zu *feiern*.
- Sabine möchte zu ihrem Geburtstag ein neues Fahrrad. Das ist ihr größter *Wunsch*.
- Stefan würde sehr gern einen neuen Computer haben. Er *wünscht* sich einen zum Geburtstag.
- Peter schenkt seinem Vater eine Flasche Wein. Er hat die Flasche von zu Hause *mitgebracht*.
- Johannes wusste nicht, dass Sabine zu seinem Geburtstag kommt. Sie hat ihn damit *überrascht*.

A Ein Ereignis feiern. Ersetzen Sie die Wörter durch ähnliche Wörter.

1 der Anfang
2 der Schluss
3 das Publikum
4 das Ereignis

B Der Anfang und das Ende. Welches Wort passt nicht dazu? Unterstreichen Sie dieses Wort.

1 der Anfang – das Ende – der Beginn
2 der Besucher – das Publikum – die Zuschauer
3 die Feier – die Veranstaltung – der Wunsch
4 gelingen – privat – öffentlich
5 kulturell – die Veranstaltung – die Belastung – die Ausstellung

C Eine Veranstaltung beginnen. Ergänzen Sie die Sätze mit den folgenden Wörtern.

wünscht ▪ überraschen ▪ gelingt ▪ feiert ▪ schenken ▪ hingehen

1 Paul weiß nicht, dass Lea früher nach Hause kommt. Sie möchte ihn ________________ .
2 Marias Fahrrad ist kaputt. Deswegen ________________ sie sich eine neues Fahrrad.
3 Leas Freunde gehen sehr früh ins Kino. Leider kann sie erst später ________________ .
4 Peter hat heute Geburtstag. Deswegen ________________ er heute.
5 Stefans Eltern ________________ ihm einen neuen Computer zu seinem Geburtstag.
6 Maria weiß, dass sehr wenige Leute zu der Veranstaltung kommen. Sie hofft, dass die Veranstaltung trotzdem ________________ .

D Das Fest. Ergänzen Sie den Text mit den folgenden Wörtern.

hingewiesen ▪ findet ... statt ▪ Leute ▪ Karte ▪ die Stimmung ▪ bringt ... mit ▪ zu Ende

Heute ________________ [1] ein Fest ________________ [1]. Ich habe viele Freunde mit einer ________________ [2] eingeladen. Es kommen viele ________________ [3]. Ich habe nichts gekocht. Jeder ________________ [4] etwas ________________ [4]. Ich hoffe, dass sich alle freuen. Hoffentlich wird ________________ [5] gut sein. Ich denke, dass das Fest erst spät ________________ [6] sein wird. Wir haben auch die Nachbarn darauf ________________ [7], dass es lauter werden kann.

E Feiern Sie gern? Beantworten Sie die Fragen. Benutzen Sie dafür die Wörter dieses Kapitels.

Feiern Sie gern? Schreiben Sie auf oder erzählen Sie von Ihrer letzten Feier. Wann haben Sie Geburtstag? Erzählen Sie, wie in Ihrem Heimatland Geburtstag gefeiert wird. Besuchen Sie oft Veranstaltungen? Welche Veranstaltung haben Sie zuletzt besucht? Erzählen Sie, was Sie erlebt haben.

Das Theater

Der Abend im Theater

- Ich habe diesen Schauspieler schon oft im *Theater* gesehen. Er spielt die *Rolle* des Hamlet sehr gut.
- Bevor er auf der *Bühne auftritt*, ist er immer sehr nervös. Er ist vor jedem *Auftritt* aufgeregt.
- Die Schauspieler sind auf der *Bühne* zu sehen. Sie *stellen* unterschiedliche *Rollen dar*.
- Anna sieht sich ein *Theater*stück an. Sie *schaut* sich gern Stücke im *Theater* an.

Eine Ausstellung besuchen

- Peter mag *Ausstellungen* mit interessanten Gegenständen. Viele dieser *Objekte* hat er fotografiert.
- Herr Müller liebt *Kunst*. Er *beteiligt* sich oft finanziell an *Ausstellungen* im Ort.
- In einigen *Museen* kann man moderne *Kunst* anschauen.
  Es handelt sich dabei zum Beispiel um Bilder und Objekte.
- Peter mag keine Bilder, die jemand gezeichnet hat. Er schaut sich eher *Fotografien* an.
  Er mag besonders gern Schwarz-Weiß-Fotografien.
- Maria interessiert sich für *Kunst*. Sie geht gern in *Museen* und schaut sich Bilder an.
- Maria mag Fotos. Sie geht an jeden Ort, an dem Fotos gezeigt werden.
  Sie geht in jede *Ausstellung*, in der Fotos gezeigt werden.
- Die Bilder sind in der *Ausstellung* zu sehen. Sie werden *präsentiert*.
- Speziell zur *Ausstellung erscheint* ein neues Buch über die Künstlerin.
- Viele Bilder in einer *Ausstellung* haben einen *Rahmen*. Meistens ist dieser aus Holz.
- In der *Ausstellung* kann man zurzeit ein *Modell* der alten Kirche ansehen.
  Es ist sehr klein und ist aus Holz hergestellt.
- Das *Modell* ist rechteckig und hat ein spitzes Dach. Diese *Form* ist typisch für Kirchen.
- Am Wochenende besuchten wir eine *Ausstellung* eines sehr *bekannten* Künstlers.
  Dieser ist vor allem in Europa *berühmt*.
- Maria hat noch nie von dieser Künstlerin gehört. Sie ist eher *unbekannt*.

Kino oder Konzert?

Maria und Peter wollen heute etwas unternehmen. Maria möchte gern ins *Kino* und den neuen *Film* mit Moritz Bleibtreu sehen. Peter möchte aber gern Musik hören. Er möchte in ein *Konzert* gehen. Er hört gern *klassische* Musik wie zum Beispiel Musik von Wolfgang Amadeus Mozart. Maria meint, er kann die *klassische* Musik auch zu Hause auf CD hören. Aber Peter meint, dass die Musik auf einem *Konzert* viel besser *klingt*. Am Ende entscheiden sie sich, ins *Kino* zu gehen.

A Richtig oder falsch? Welches Wort passt nicht dazu? Unterstreichen Sie dieses Wort.

1 klingen – leise – beteiligen – Ton
2 klassisch – Musik – Konzert – Antwort
3 Bühne – Krankenhaus – Theater – Auftritt
4 bekannt – Erfolg – Spur – berühmt
5 erscheinen – Film – Musik – Vorwurf
6 weiter – helfen – springen – erfahren

B Unterhaltung. Ergänzen Sie die Sätze mit den folgenden Wörtern.

anzuschauen ▪ klingt ▪ unbekannt ▪ stellen … dar ▪ auftreten ▪ präsentieren ▪ bekannt

1 Maria geht gern ins Kino, um sich die neuesten Filme ________________.

2 Schauspieler ________________ auf der Bühne Szenen ________________.

3 Überall wird von dem Künstler gesprochen. Er ist sehr ________________.

4 Viele Leute sind sehr aufgeregt, wenn sie auf der Bühne ________________.

5 Die Künstler ________________ ihre Kunst in einer Ausstellung.

6 Sabine hat noch nie von dieser Künstlerin gehört. Sie ist ihr ________________.

7 Die Musik ________________ auf einem Konzert viel besser als auf einer CD.

C Eine Ausstellung besuchen und einen Film anschauen. Finden Sie die folgenden Wörter im Wörtergitter. Markieren Sie die Wörter und ordnen Sie sie in die Tabelle ein.

Auftritt ▪ Kinoprogramm ▪ Ausstellung ▪ Modell ▪ Objekt ▪ Szene ▪ Kunst ▪ Reihe ▪ Rolle ▪ Bühne ▪ Form

D	A	N	R	R	O	L	L	E	O	V	C
E	R	F	O	R	M	R	E	I	H	E	L
A	U	S	S	T	E	L	L	U	N	G	J
K	I	N	O	P	R	O	G	R	A	M	M
B	D	S	M	O	D	E	L	L	Y	N	C
Ü	O	B	J	E	K	T	K	S	T	K	M
H	M	F	I	C	P	E	U	Z	Y	C	L
N	H	W	T	H	R	G	N	E	C	A	I
E	U	H	G	M	G	I	S	N	B	M	F
A	U	F	T	R	I	T	T	E	W	P	T

Kino und Theater	Museum

D Was machen Sie in Ihrer Freizeit? Beantworten Sie die Fragen. Benutzen Sie dafür die Wörter dieses Kapitels.

Was machen Sie in Ihrer Freizeit? Mögen Sie lieber Filme oder das Theater? Bitte begründen Sie Ihre Antwort.
In was für Ausstellungen gehen Sie am liebsten und warum?

Medien

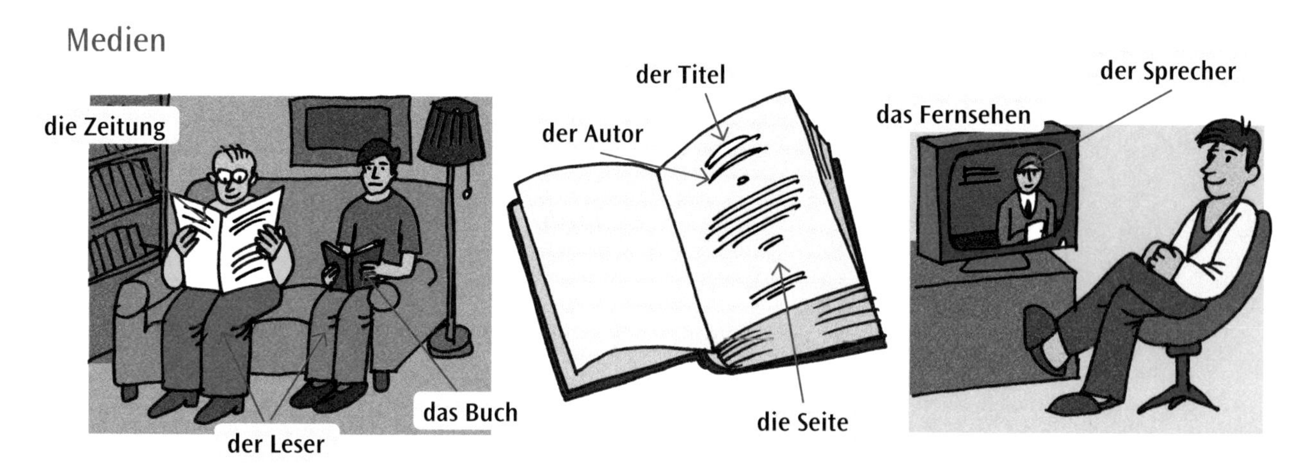

Informationen verbreiten

- *Fernsehen*, *Zeitungen* und *Bücher* sind *Medien*. Sie *informieren* darüber, was in der Gesellschaft passiert.
- Leute beantworten in einem *Interview* Fragen. Das *Interview* kann man dann in der *Zeitung* lesen.
- Passiert etwas in der Stadt oder in der Welt, schreiben *Zeitungen* viele Informationen darüber auf. Man sagt auch, sie schreiben *Berichte*.
- *Quellen* können *Artikel* in *Zeitungen*, *Berichte* im *Fernsehen* und Personen sein. *Quellen* geben wichtige Informationen. *Zeitungen* brauchen *Quellen*, um *Berichte* zu schreiben.

Bücher und Zeitungen

- Ein *Buch* besteht meist aus vielen Teilen. Diese Teile heißen *Kapitel*.
- In einem *Buch* kommen Personen vor. Man nennt diese Personen auch *Figuren*.
- Alles, was in einem *Buch* steht, ist der *Inhalt* des *Buches*.
- Jeder *Artikel* hat einen bestimmten *Inhalt*. Der *Inhalt* gehört zu einem bestimmten *Thema*.
- In einem *Artikel* schreibt man meist über mehrere Gedanken in mehreren *Absätzen*.
- Ein *Abschnitt* ist ein *Absatz*.
- Jeden Tag kommt eine neue *Ausgabe* der *Zeitung* heraus. In einer Woche, von Montag bis Sonntag, gibt es sieben *Ausgaben* der *Zeitung*.
- Die Anzahl der *Romane*, die in einer Gesellschaft entstehen, nennt man *Literatur*.
- Ein *Autor* möchte, dass viele Menschen sein *Buch* lesen können. Deshalb arbeitet er mit einem *Verlag* zusammen. Der *Verlag* stellt das *Buch* viele Male her und verkauft es.

Rund um die Medien

- Die *Berichte* der *Zeitung* informieren über alles in Politik und Wirtschaft. Sie *informieren* sehr gut über das, was in der Gesellschaft passiert.
- Alle *Zeitungen* haben über das Ereignis *berichtet*. Sie haben meist zwei oder drei *Artikel* darüber geschrieben.
- Ich glaube nicht, dass der *Artikel* stimmt. Die *Zeitung* hat einen falschen Bericht *verbreitet*.
- Darf ich Sie *zitieren*? So können unsere *Leser* Wort für Wort lesen, was Sie gesagt haben, und so am besten verstehen, was Sie meinen.
- Die *Bücher* des *Autors* sind sehr bekannt. In seinen *Romanen* geht es um Schicksale von Frauen und anderen *Figuren*.
- Man kann dieses Jahr neue *Romane* des *Autors* kaufen. Er hat dieses Jahr zwei neue *Romane veröffentlicht*.
- Dieses *Buch* ist sehr dick. Es *umfasst* 800 Seiten.
- Heute läuft ein guter Film im Fernsehen. Den Film muss ich mir *ansehen*.
- Die größte deutsche *Bibliothek* ist in Leipzig. Dort gibt es 13,2 Millionen Bücher.

A Buch und Zeitung. Finden Sie die folgenden Wörter im Wörtergitter und ordnen Sie sie in die Tabelle ein. Einige Wörter passen in beide Spalten.

Absatz ▪ Abschnitt ▪ Artikel ▪ Ausgabe ▪ Figur ▪ Inhalt ▪ Kapitel ▪ Literatur ▪ Roman ▪ Seite ▪ Thema ▪ Titel ▪ Verlag

L	I	T	E	R	A	T	U	R	S
S	P	A	T	E	B	G	A	B	P
A	L	U	O	P	S	E	I	T	E
R	P	A	B	J	C	I	K	M	M
T	I	P	P	K	H	E	A	X	J
I	R	O	M	A	N	B	P	C	G
K	M	E	U	I	I	M	I	V	E
E	B	V	H	L	T	E	T	H	R
L	W	Z	E	L	T	H	E	M	A
F	I	G	U	R	O	T	L	R	U
A	N	T	I	P	L	Z	I	E	S
D	H	T	E	E	U	A	K	B	G
C	A	B	S	A	T	Z	G	I	A
M	L	J	H	A	O	L	W	Q	B
L	T	I	T	E	L	K	G	A	E

Buch	Zeitung

B Medien. Welches Wort passt zu welcher Erklärung? Ordnen Sie zu.

1 Ort, an dem viele Bücher stehen → c
2 Man kann es lesen, ein Verlag hat es veröffentlicht.
3 die Person, die ein Buch schreibt
4 Darin kann man Berichte und Interviews lesen.
5 die Person, die ein Buch oder eine Zeitung liest
6 das Medium, das gleichzeitig Bild und Ton überträgt
7 die Person, die im Fernsehen etwas ansagt
8 Begriff für Bücher, Zeitungen, Fernsehen

a die Zeitung
b der Autor
c die Bibliothek
d das Fernsehen
e die Medien
f der Sprecher
g das Buch
h der Leser

C Lesen und Schreiben. Ersetzen Sie die unterstrichenen Wörter durch ähnliche Wörter.

1 Der Artikel hat insgesamt zehn <u>Absätze</u>.
2 Die <u>Romane</u> hat man jetzt erst veröffentlicht.
3 <u>Das Thema</u> des Buches ist sehr interessant.
4 Die Medien <u>berichten</u> schon den ganzen Tag über das Ereignis.

D Lesen Sie? Beantworten Sie die Fragen. Benutzen Sie dafür die Wörter dieses Kapitels.

Lesen Sie? Lesen Sie lieber Zeitungen oder Bücher?
Welche Medien informieren Sie am besten über aktuelle Ereignisse und warum?
Was denken Sie über die Medien Ihres Landes?
Wie heißt Ihr Lieblingsbuch? Wie heißt der Autor des Buches?

Der Sport

Das Fußballspiel

Rund um den Fußball

- *Fußball* ist in Deutschland der beliebteste *Sport* in einer *Mannschaft*.
- Beim *Fußball* besteht das *Team* aus elf *Spielern*.
- Die *Mannschaft* wird vom Trainer *aufgestellt*. Er entscheidet, wer mitspielen darf.
- Ein *Spiel* dauert 90 Minuten.
- Markus ist seit mehreren Jahren *Mitglied* in einem *Verein*. Dort spielt er regelmäßig mit vielen anderen Kindern.
- Markus ist nicht dick. Durch den Sport hat er ständig *Bewegung*.
- Lea wird beim *Spiel* mitmachen. Sie *nimmt* am Wochenende am *Wettbewerb teil*.
- Bei dem *Wettbewerb kämpfen* sieben *Mannschaften* gegeneinander.
- Stefans *Mannschaft* gewinnt das *Spiel* und holt sich den *Sieg*.
- Leas *Mannschaft verliert* das *Spiel* und belegt deshalb den letzten Platz.

Der Wettbewerb

- Susi hat viel geübt, damit sie beim *Wettbewerb* die anderen *Gegner* besiegen kann.
- Anna treibt jede Woche *Sport*. Sie geht regelmäßig *schwimmen*.
- Als Sportler braucht man viel *Kraft*, oft muss man bis zur letzten Minute *kämpfen*.
- Ein *Lauf* ist ein Wettkampf, bei dem man so schnell wie möglich eine bestimmte Strecke laufen muss.
- Maria ist sehr *sportlich*. Sie geht regelmäßig laufen und fährt täglich mit dem Fahrrad zur Schule.
- Beim letzten *Spiel* zeigte die *Mannschaft* ihre ganze *Stärke*. Sie kämpfte hart und konnte ihren *Gegner* besiegen.
- Stefans *Team* hat den *Wettbewerb gewonnen*. Er und seine *Mannschaft* gingen als *Erste* ins Ziel.
- Viele fahren am Wochenende zum *Wettbewerb*, sie sind als *Teilnehmer* angemeldet.
- Da Paul keine Kraft mehr hatte, musste er *den Lauf aufgeben*.
- Bei einer *Weltmeisterschaft* messen Sportler unterschiedlicher Nationen ihre Kräfte.

A Weltmeisterschaft. Finden Sie die folgenden Wörter im Wörtergitter [ß = ss].

Weltmeisterschaft ▪ Teilnehmer ▪ schießen ▪ schwimmen ▪ laufen ▪ Verein ▪ Stärke ▪ Kraft ▪ Team ▪ Sieg ▪ Runde

T	Y	I	O	T	E	I	L	N	E	H	M	E	R	C	Q	K
V	E	R	E	I	N	T	E	A	M	Y	C	Y	Q	J	D	M
W	E	L	T	M	E	I	S	T	E	R	S	C	H	A	F	T
F	Z	D	A	L	I	O	S	C	H	W	I	M	M	E	N	X
N	K	W	V	A	K	R	A	F	T	R	S	Z	I	M	K	S
E	K	O	V	U	O	L	N	F	Q	M	R	X	J	H	H	D
N	F	P	J	F	W	M	E	R	T	P	U	E	V	F	Y	B
B	U	J	M	E	S	T	Ä	R	K	E	D	D	E	B	S	N
O	F	M	T	N	T	K	X	S	I	E	G	T	C	Q	S	A
S	C	H	I	E	S	S	E	N	L	K	H	R	U	N	D	E

B Sport. Welches Wort passt nicht dazu? Unterstreichen Sie dieses Wort.

1 Wer ist beim Wettkampf dabei? der Sportler – der Fahrer – der Spieler – der Gegner
2 Wer gehört auf das Fußballfeld? das Team – die Mannschaft – der Gast – der Sportler
3 Wer spielt im Verein? das Mitglied – der Teilnehmer – der Trainer – der Bürgermeister
4 Was macht der Sportler beim Wettbewerb? kochen – kämpfen – verlieren – gewinnen
5 Was ist bei Olympia wichtig? das Ergebnis – die Stärke – die Kraft – die Musik

C Einen Wettbewerb gewinnen. Ergänzen Sie die Sätze mit den folgenden Wörtern.

teilnehmen ▪ kämpfte ▪ gewinnen ▪ aufstellen ▪ starten ▪ verloren ▪ Bewegung ▪ aufgeben ▪ sportlich

1 Ralf übt täglich für den Wettbewerb. Er möchte unbedingt ________________.

2 Anne spielt Fußball, Tennis und Hockey. Sie ist sehr ________________.

3 Uta hat Glück, dass sie als Erste den Lauf ________________ darf.

4 Der Trainer soll für die Weltmeisterschaft nur die besten Spieler ________________.

5 Johannes ist enttäuscht, dass seine Mannschaft das Spiel ________________ hat.

6 Obwohl Stefanie keine Kraft mehr hatte weiterzulaufen, wollte sie nicht ________________.

7 Maria ________________ hart und konnte dadurch ihre Gegnerin besiegen.

8 Claudia ist sehr traurig, dass sie nicht am Wettbewerb ________________ kann.

9 Die Kinder brauchen viel ________________, um nicht zu dick zu werden.

D Sind Sie sportlich? Beantworten Sie die Fragen. Benutzen Sie dafür die Wörter dieses Kapitels.

Wie oft machen Sie Sport? Haben Sie schon einmal persönlich oder als Zuschauer an einem Wettbewerb teilgenommen? Beschreiben Sie Ihre Erlebnisse. Was denken Sie über Sport?
Welche Sportart ist in Ihrem Land sehr beliebt?

Meine Eltern

Meine Eltern und ich verstehen uns nicht gut. Wir haben kein gutes *Verhältnis*. Natürlich haben sie für mich gut *gesorgt*: Ich habe gut gegessen und alles für die Schule bekommen, was ich brauchte. Aber ich musste mich immer nach ihnen *richten* und machen, was sie wollten. Ob ich in den Urlaub fahren wollte, mit Freunden in die Disco gehen oder die Schule früher beenden: *Meine* Wünsche wurden nie *berücksichtigt*. *Meine* Eltern waren immer dagegen und ich musste mich *fügen*. Jetzt wohne ich nicht mehr bei ihnen und sie haben nicht mehr so viel *Einfluss* auf mich. Ich verdiene *mein* eigenes Geld und bin nicht mehr *abhängig* von ihnen. Das ist gut so. Aber den *Kontakt* will ich nicht ganz abbrechen. Es sind ja doch *meine* Eltern.

Mein bester Freund

Paul und ich, wir sind *uns* zum ersten Mal auf dem Gymnasium *begegnet*. Paul kam aus Berlin, hatte grüne Haare und war sehr cool. Er war *mir* erst sehr *fremd*. Wir waren so unterschiedlich, dass wir nicht wussten, wie wir *miteinander umgehen* sollten. Aber irgendwie mochten wir uns gegenseitig. Mit der Zeit haben wir gemerkt, dass wir doch einiges *gemeinsam* haben: Zum Beispiel mögen wir die gleiche Musik und auch *unser* Filmgeschmack ist ähnlich. So fingen wir an, manchmal *gemeinsam* ins Kino oder zum Konzert zu gehen. *Meine* Eltern wollten nicht, dass ich so viel mit Paul *zusammen* bin. Sie meinten, er sei ein schlechter *Umgang* für mich. Sie hatten Angst, dass er mich negativ *beeinflussen* würde. Ihre *Erwartungen* waren eher, dass *meine* Freunde wie kleine Manager aussehen. Aber als sie ihn besser kennen lernten, hörten sie auf, sich um mich zu *sorgen*.

Mein Lehrer

Herr Lehmann war *mein* bester Lehrer. Ich habe ihn sehr *geachtet*, denn er wusste sehr viel und hat *mir* vieles erklärt. Er war *unser* Physiklehrer und erzählte uns viel über die neuesten technischen *Entwicklungen*, aber genauso viel über das Leben. Er hat mit *uns* über viele Themen gesprochen und hatte immer viel *Verständnis* für unsere Meinung. Er hat uns nie *gedrängt*, seine Meinung zu *teilen*, aber er hat trotzdem stark *beeinflusst*, wie ich heute denke und handle. Über ihn *persönlich* weiß ich nicht viel, weder über seine Hobbys noch über seine Familie. Nur einmal erzählte er etwas Persönliches: „Heute sind *Beziehungen* zwischen Männern und Frauen oft sehr kurz. Meine Frau und ich aber, wir lieben *einander* seit 30 Jahren." Das war typisch Herr Lehmann. Er sprach wie ein Poet. Alle anderen würden sagen: Wir lieben *uns*.

A Immer zu zweit. Ergänzen Sie die Sätze mit den folgenden Wörtern.

meine ▪ beeinflusst ▪ richte ▪ mir ▪ Umgang ▪ berücksichtige ▪ füge ▪ uns ▪ zusammen ▪ unser ▪ gemeinsam

1 Ich ________________ mich immer nach meiner Frau.

2 Sie weiß genau, wie ich sein soll, und ich ________________ mich.

3 Ich ________________ immer ihre Wünsche.

4 Sie ________________ alles in meinem Leben.

5 Seit wir ________________ sind, machen wir alles zu zweit.

6 Wir wohnen, kochen, wandern und arbeiten ________________.

7 Wir haben wenig ________________ mit anderen Leuten.

8 ________________ Haus gehört ________________ beiden.

9 Nur ________________ Katze gehört nur ________________.

B Hohe Erwartungen. Ordnen Sie die Wörter den passenden Erklärungen zu.

1 wenn man eine bestimmte Vorstellung hat, wie etwas wird → c
2 eine Wirkung auf jemanden oder etwas haben
3 ein Prozess, bei dem sich etwas verändert
4 die Beziehung zwischen Menschen
5 begreifen, wie sich der andere fühlt

a das Verhältnis
b das Verständnis
c die Erwartung
d der Einfluss
e die Entwicklung

C Sich begegnen. Füllen Sie das Kreuzworträtsel aus.

			1		B						
		2			E						
	3				G						
			4		E						
		5			G						
6					N						
	7				E						
	8				N						

1 Sie hat kein eigenes Geld und ist … von ihren Eltern.
2 Ich fühle mich … hier. Ich kenne niemanden.
3 Meine Freunde … sich um mich, weil ich so oft krank bin.
4 Ich habe nicht so viel Hunger, wollen wir uns das Essen …?
5 Sie mögen sich nicht, aber sie wollen jetzt freundlich miteinander …
6 Wir müssen … reden!
7 Ich … und respektiere meinen Chef, er leitet die Firma sehr gut.
8 Sie hilft ihm beim Kochen, er hilft ihr im Garten, sie helfen sich …

D Wichtige Menschen. Beantworten Sie die Fragen. Benutzen Sie dafür die Wörter dieses Kapitels.

Wer ist Ihnen wichtig? Erzählen Sie von der Person.
Gibt es jemanden, der Sie besonders beeinflusst hat? Warum?
Mit wem haben Sie Probleme? Erzählen Sie davon.

die Liebe

der Streit

enttäuscht

Katharinas große Liebe

Katharina war lange *allein*. Drei Jahre lang hatte sie keinen *Freund*. Jetzt hat sie einen neuen *Freund*: Christoph. Sie schreibt in ihr Tagebuch: Ich *vertraue* ihm und kann ihm alles erzählen. Wir haben so *intensive* Gespräche! Ich glaube, er ist meine große *Liebe*! Ob er für mich auch so viel *empfindet*? Wenn ich *alleine* bin, träume ich ganz *intensiv* davon, dass wir uns niemals *trennen* werden und ich nie wieder *alleine* bin. Hoffentlich habe ich *endgültig* mein großes Glück gefunden, für immer und ewig!

Sich trennen

Max: Ich kann nicht mehr mit dir zusammen sein. Ich *trenne* mich von dir.
Lisa: Aber warum? *Empfindest* du denn nichts mehr für mich?
Max: Unsere Vorstellungen vom Leben sind so unterschiedlich. Wenn ich etwas will, willst du immer etwas anderes. Unsere Meinungen gehen zu stark *auseinander*.
Lisa: Aber wir *beide*, du und ich, wir *gehören* doch zusammen!
Max: Nein, wir *trennen* uns. Wir werden kein Paar mehr sein.
Lisa: Meinst du, wir können später wieder zusammen sein?
Max: *Bemüh* dich nicht weiter! Es ist *endgültig*!

Das Singleleben

Ich *bevorzuge* das Singleleben. Ich lebe lieber *alleine* als in einer Beziehung. Ich will *unabhängig* sein und tun, was ich will. Ich will nicht, dass ein anderer mein Leben *prägt* und so stark beeinflusst, was ich tue.
Als ich einen *Freund* hatte, habe ich mich oft *zurückgezogen* und ihm gesagt, dass ich keine Zeit für ihn habe und *alleine* sein will. Meinen Freund habe ich dann *enttäuscht* und es gab oft *Streit*. Wir wurden dann sehr laut und haben uns angeschrien. Ich war froh, als wir wieder *auseinander* waren.

A Probleme. Ergänzen Sie die Sätze mit den folgenden Wörtern.

gehören • **enttäuscht** • **endgültig** • **Streit** • **intensiv**

1 Peter ist nicht so nett, wie ich dachte. Er hat mich _______________.

2 Seit er so viel arbeitet, haben wir ständig _______________.

3 Wenn eine Trennung _______________ ist, dann wird man nie wieder ein Paar sein.

4 Man muss nur _______________ daran glauben, dann wird es wahr.

5 Probleme _______________ zu jeder Beziehung dazu.

B Wer macht was? Die folgenden Sätze sind falsch. Verbessern Sie die Fehler.

1 Ich glaube, sie sagt nicht die Wahrheit. Ich empfinde ihr nicht.
2 Er hat sich immer vertraut, ihr ein guter Freund zu sein.
3 Liebst du mich noch? – Ja, ich trenne sehr viel für dich.
4 Wir verstehen uns einfach nicht, wir müssen uns zurückziehen.
5 Ich kann nicht immer Zeit für dich haben, ich will mich auch mal bemühen.

C Für kurz oder lang. Ordnen Sie den Wörtern das passende Gegenteil zu.

1	nur einer → c	a	Streit
2	nur kurz	b	unabhängig
3	zusammen	c	beide
4	abhängig	d	endgültig
5	Harmonie	e	auseinander

D Beziehungen. Füllen Sie das Kreuzworträtsel aus.

1	B
2	E
3	Z
4	I
5	E
6	H
7	U
8	N
9	G

1 Gegenteil von Hass
2 Nicht gemeinsam, sondern …
3 Sie trinkt gerne Kaffee, aber wenn Ralf dabei ist, … sie Tee.
4 Kommt Susi oder Ralf? – Sie kommen …
5 Manchmal möchte ich alleine sein und mich …
6 Er hat mir nicht geholfen, als ich ihn brauchte. Er hat mich …
7 Ralf und Susi sind ein Paar. Er ist ihr …
8 Synonym für: etwas fühlen
9 Sie sind jetzt getrennt, aber er hat ihr Leben …

E Allein oder zu zweit? Beantworten Sie die Fragen. Benutzen Sie dafür die Wörter dieses Kapitels.

Haben Ihre Freunde/Freundinnen eine Beziehung oder sind die meisten allein?
Was gehört für Sie zu einer guten Beziehung? Beschreiben Sie Ihren letzten Streit.

Aufregender Besuch

Ich mag Tom schon lange sehr gern. Gestern habe ich ihn auf der Straße *getroffen*. Ich habe mich sehr gefreut und er hat mich sehr nett *begrüßt*.
Ich habe ihn zu mir nach Hause *eingeladen*. Nächsten Sonntag kommt er. Ich kann den Tag kaum *erwarten*! Ich denke an nichts anderes mehr als an seinen *Besuch*. Ich werde etwas kochen. Er hat *vorgeschlagen*, dann noch *auszugehen*.
Wir werden also noch in eine Kneipe oder in einen Club gehen.

Termine, Termine

Ich wollte schon lange einen *Termin* mit meinem Chef, aber es hat lange nicht *geklappt*. Er hatte nie Zeit *für* mich. Ich musste ihn dreimal *auffordern*, einen *Termin vorzuschlagen*: „Herr Brandenburger, wann können wir miteinander sprechen? *Schlagen* Sie doch bitte einen Tag *vor*!" Endlich *legte* er eine Zeit *fest*: Freitag um 13 Uhr. Aber dann rief er mich am Donnerstag an und *sagte* den *Termin* wieder *ab*. Er *setzte* dann unser Treffen eine Woche später *an* und da *klappte* es endlich. Wir *trafen* uns und konnten alles Wichtige besprechen.

Kein netter Gast

Gestern hatten wir einen seltsamen *Gast*. Ein Freund meiner Tochter hat uns besucht. *Leider* war meine Tochter nicht zu Hause, aber er wollte auf sie *warten*. Er gehört zu den Menschen, die niemanden *begrüßen* und nicht einmal von allein „Hallo" sagen. Ich musste ihn sogar *auffordern*, seine dreckigen Schuhe auszuziehen. Von selbst denkt er nicht daran. Er hat zehn Minuten im Haus auf meine Tochter *gewartet*. Ich habe ihm einen Tee gemacht. Wenigstens hat er „Vielen *Dank*" gesagt, ohne dass ich ihn dazu *auffordern* musste. Als meine Tochter nicht kam, ging er einfach wieder. Natürlich ohne sich zu *verabschieden*!

A Höflicher Umgang. Ergänzen Sie die Sätze mit den folgenden Wörtern.

Dank ▪ einladen ▪ verabschiedet ▪ absagen ▪ Gast ▪ Termin ▪ begrüßt ▪ vorschlagen

1 Als Erstes sucht man einen ______________ und fragt den anderen, welchen Tag er ______________ würde.

2 Falls man doch keine Zeit hat, muss man rechtzeitig ______________.

3 Betritt der ______________ das Haus, gibt man ihm die Hand und ______________ ihn.

4 Zum ______________ für die Einladung bringt der Besucher Blumen oder eine Flasche Wein mit.

5 Bevor man geht, sollte man den anderen ______________, auch mal zu Besuch zu kommen.

6 Zum Schluss gibt man sich die Hand und ______________ sich voneinander.

B Sich begegnen. Ordnen Sie den Sätzen die passenden Ausdrücke zu.

1 Hallo Claudia! Was machst du denn hier? → b
2 Möchtest du mich nächste Woche mal besuchen?
3 Sehr gerne. Leider habe ich aber nächste Woche keine Zeit.
4 Dann gehen wir gleich heute Abend tanzen.
5 Also sagen wir Montag um 19 Uhr.

a das klappt nicht
b jemanden treffen
c Zeit festlegen
d miteinander ausgehen
e jemanden einladen

C Das klappt nicht. Die folgenden Sätze sind falsch. Verbessern Sie die Fehler.

erwarte ▪ warte ▪ Dank ▪ Besuch

1 Jetzt erwarte ich schon mehr als 20 Minuten auf ihn.
2 Ich habe ihn gefragt, ob er am Mittwoch zu uns zu Gast kommt.
3 Oh nein! Ich habe nichts eingekauft und ich ansetze heute Besuch!
4 Ich komme dich immer gerne besuchen, vielen Besuch für alles!

D Freunde treffen. Füllen Sie das Kreuzworträtsel aus.

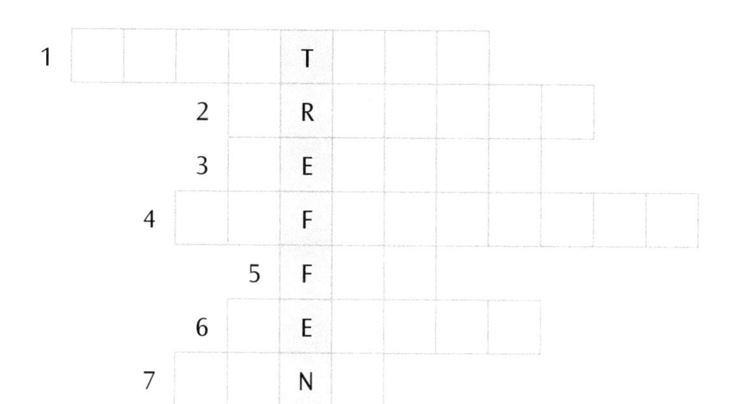

1 Ich möchte für nächste Woche ein Treffen …
2 Ich …, dass sich alle dafür Zeit nehmen.
3 Ich freue mich über die Einladung, … habe ich keine Zeit.
4 Ich werde ihn …, sofort mein Haus zu verlassen.
5 … einen neuen Termin ist es jetzt zu spät.
6 Heute kommt wichtiger …
7 Haben Sie vielen … für die freundliche Einladung.

E Ich lade dich ein. Beantworten Sie die Fragen. Benutzen Sie dafür die Wörter dieses Kapitels.

Wer hat Sie zuletzt eingeladen? Wie verlief der Besuch? Was finden Sie im Umgang mit Gästen wichtig? Auf was muss man Ihrer Meinung nach achten?

Die globalen Klimaveränderungen

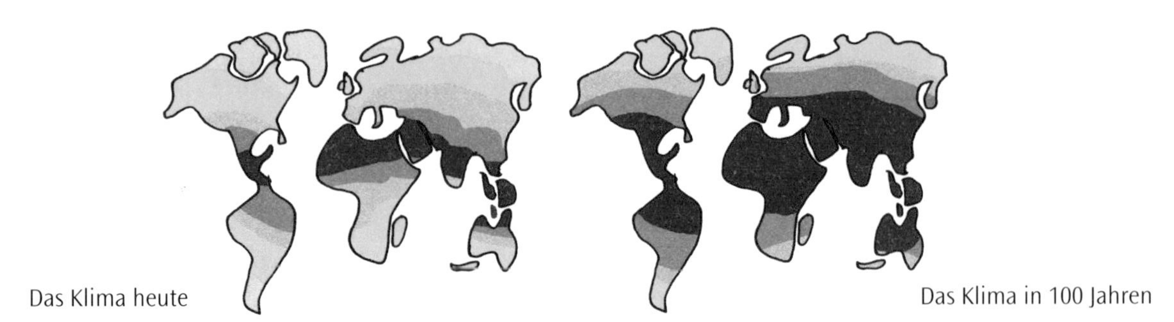

Seit ein paar Jahren berichten die Medien immer häufiger über die Veränderungen des Klimas auf der *Welt*. Das Thema ist sehr *aktuell*. Was hat sich *verändert*? Wissenschaftler haben festgestellt, dass die Temperaturen steigen. Es wird immer wärmer auf der Erde. Das ist eine *Tatsache*, die man nachweisen kann. Und was sind die Gründe für die *weltweiten* Klimaveränderungen? *Warum* verändert sich das *globale* Klima? Es gibt unterschiedliche Meinungen dazu, was die *Ursachen* für die Veränderungen sind. Der aktuelle *Stand* der Forschung ist dieser: Nur wenige Forscher sind der Meinung, dass die Klimaveränderungen natürliche *Ursachen* haben. Die meisten Wissenschaftler sind davon überzeugt, dass der Mensch und die Industrie die *entscheidenden Ursachen* sind.

Die Auswirkungen der weltweiten Klimaveränderungen

Es wird nicht nur über die *Ursachen* der Klimaveränderungen diskutiert. Es gibt auch eine *Debatte* über ihre *Auswirkungen* auf die Umwelt und auf den Menschen. Manche Auswirkungen kann man schon heute beobachten: Es *kommen weltweit* immer häufiger Umweltkatastrophen *vor*. Man kann aber noch nicht alle *Folgen* für Menschen und Tiere erkennen. Man kann noch nicht alle Folgen *absehen*.
Viele Menschen haben das *Problem* schon *realisiert*. Sie haben erkannt, dass die *Lage* ernst ist und man etwas tun muss. Denn wir sind in einer *kritischen Situation*: Wir müssen jetzt reagieren und nicht erst in ein paar Jahren. Wenn es jetzt nicht zu einer *Änderung* unserer Lebensweise kommt, werden wir die negativen Konsequenzen der Klimaveränderungen in allen Bereichen unseres Lebens immer stärker spüren.

Für mehr Umweltschutz eintreten

Vor dem *Hintergrund* der häufigen Umweltkatastrophen erkennen auch immer mehr Menschen, dass die Situation *kritisch* ist. Sie unterstützen Vereine, die für einen stärkeren Schutz der Umwelt *eintreten*. Seit 1986 hat Deutschland einen Minister für den Umweltschutz. Er versucht mit seinen *Reden* andere Politiker und die Öffentlichkeit vom Umweltschutz zu überzeugen. Das ist wichtig, denn ein wachsendes Bewusstsein für die Umwelt *bedingt* einen besseren Schutz für sie.

Was ist passiert?

- Du siehst so glücklich aus! Was ist denn *geschehen*? Hast du eine gute *Botschaft* bekommen? –
  Wir bekommen ein Kind!
- Wie sieht Paul denn aus? Was ist denn mit seinem Bein *passiert*? –
  Er ist beim Fahrradfahren gestürzt und hat es sich gebrochen.
- Frau Schreiber, haben wir schon eine Antwort auf unsere Fragen an Herrn Schmidt erhalten? –
  Nein, eine Antwort ist bis jetzt noch nicht *erfolgt*.
- Von 1961 bis 1989 gab es zwischen West- und Ostdeutschland eine Mauer. Am 9. 11. 1989 wurde diese Mauer geöffnet. Dieses historische Ereignis ist in die Geschichte Deutschlands *eingegangen*. Seitdem sind die Deutschen nicht mehr getrennt. Sie sind wieder eine *Einheit*.

A Das Jahr 1989. Ergänzen Sie den Text mit den folgenden Wörtern.

Einheit ▪ verändert ▪ eingegangen ▪ Lage ▪ Auswirkungen ▪ eingetreten ▪ Hintergrund ▪ Veränderungen

Dieser Roman hat einen historischen ________________ [1]. Er beginnt am 9. November 1989. In dieser Nacht wurde die Mauer zwischen Ost- und Westdeutschland geöffnet. Dieses Ereignis hatte entscheidende politische ________________ [2]. Deshalb ist die Nacht in die deutsche Geschichte ________________ [3]. Das Buch beschreibt die schwierige politische ________________ [4] in den Jahren vor 1989. Viele Menschen wollten, dass sich die politische Situation ________________ [5]. Sie sind dafür ________________ [6], dass es nicht mehr zwei deutsche Staaten gibt. Der Roman beschreibt auch die Zeit nach 1989. Er zeigt die vielen ________________ [7], die es im Leben der Menschen gegeben hat. Er erklärt auch, weshalb sich die Deutschen nach 1989 nicht sofort wieder als eine ________________ [8] gefühlt haben.

B Was alles geschehen kann. Ordnen Sie die Antworten den passenden Fragen zu.

1 Musst du oft bis 22 Uhr arbeiten?
2 Ist das der aktuelle Stand der Forschung?
3 Wann ist der Patient genau gestorben?
4 Warum sagst du immer, dass ich nicht so schnell Auto fahren soll? Uns ist doch noch nie etwas passiert!
5 Ich finde, dass Ralf sehr zugenommen hat. Weshalb macht er keinen Sport mehr?
6 Findest du, dass ich den Text ändern muss?
7 Bereitest du etwas für Utas Geburtstag vor?
8 Hat sich die Lage in dem Land geändert?

a Der Tod erfolgte genau um 12.35 Uhr.
b Ja, ich wollte gern eine kleine Rede halten.
c Ich finde nicht, dass Änderungen nötig sind.
d Das bedingt sich gegenseitig: Weil er so zugenommen hat, macht es ihm keinen Spaß mehr Sport zu machen. Und deshalb nimmt er noch mehr zu. Ich verstehe sein Problem gut.
e Ja, aber es ist eine Tatsache, dass in Deutschland jedes Jahr mehr als 5000 Menschen auf den Straßen sterben! Ich möchte nicht einer von ihnen sein!
f Nein, die Situation ist immer noch kritisch.
g Nein, das kommt nur selten vor.
h Ja, das Buch von Professor Klein ist von 2006.

C Die weltweiten Veränderungen des Klimas. Ersetzen Sie die unterstrichenen Wörter durch ähnliche Wörter.

Die Medien berichten viel über das <u>weltweite</u> [1] Problem, dass sich das Klima <u>auf der Erde ändert</u> [2].
Manche negativen <u>Folgen</u> [3] kann man jetzt schon spüren. Alle Auswirkungen kann man aber noch nicht <u>erkennen</u> [4].
Es gibt <u>einen Meinungsstreit</u> [5] über die <u>Gründe</u> [6] für die Klimaveränderungen.
Viele Wissenschaftler sind der Ansicht, dass der <u>hauptsächliche</u> [7] Grund die Lebensweise der Menschen ist.

D Das Thema Klimaveränderung. Beantworten Sie die Fragen. Benutzen Sie dafür die Wörter dieses Kapitels.

Gibt es in Ihrem Land eine aktuelle Debatte über die weltweiten Klimaveränderungen?
Gibt es in Ihrem Land Menschen, die für mehr Umweltschutz eintreten?
Kennen Sie jemanden, der Ihnen vom Fall der Mauer 1989 erzählen kann?
Welches Ergeignis war wichtig für Ihr Land?

Bürger in der Demokratie

- Nicht nur Museen, Kirchen und andere wichtige Gebäude gehören zur *Kultur* eines Landes. Auch die Menschen gehören zur *Kultur*. Sie formen die *Gesellschaft*.
- Stefan ist in Köln geboren, aber er lebt seit fast 30 Jahren in Amerika. Er ist aber nicht *Bürger* der USA geworden, sondern er ist immer noch deutscher *Bürger* und darf in Deutschland zur Wahl gehen.
- Auf der *Ebene* der Länder werden Gesetze für einzelne Länder beschlossen. Auf der *Ebene* des Bundes werden Gesetze beschlossen, die in ganz Deutschland gelten. Die Abgeordneten im Parlament sind die *Vertreter* des Volkes. Sie setzen sich im Parlament für die Vorstellungen ihrer Partei ein. Wählt man eine Partei, so *unterstützt* man ihre Ideen. Man denkt genauso.

Die Demokratie

Die *Bürger* eines Landes sind die *Basis* der Demokratie. Die Meinungen der Bevölkerung sollen sich in der Politik widerspiegeln. Das ist ein wichtiges *Prinzip* in einer Demokratie. Die meisten *Bürger* haben keinen direkten *Zugang* zur Politik. Sie können aber wählen gehen und somit zur Demokratie *beitragen*. Wenn sie wählen, beteiligen sie sich an der Demokratie. Aber häufig beachten die Politiker die Probleme der Menschen nicht genug. Sie versprechen vor der Wahl etwas und entscheiden nach der Wahl etwas anderes. Die Menschen haben Hoffnungen und Träume, aber die *Wirklichkeit* sieht ganz anders aus.

Die moderne Gesellschaft

Die deutsche *Gesellschaft* hat sich in den letzten Jahrzehnten sehr verändert. Ihre *Struktur* hat sich geändert:
Es leben immer mehr Menschen aus anderen Ländern in Deutschland und immer mehr Deutsche leben im Ausland.
Der Begriff der *Gesellschaft* hat heute ganz neue *Dimensionen*: Früher lebte man die meiste Zeit an einem Ort.
Im *Unterschied* dazu kann man sich heute sehr schnell bewegen und an vielen verschiedenen Orten in der Welt leben, Urlaub machen, studieren und arbeiten. Das hat sowohl *gesellschaftliche* als auch politische Auswirkungen.
Es wird immer schwieriger zu sagen, was „die deutsche Kultur“ ist.
Aber die moderne *Gesellschaft* hat nicht nur *Vorteile*: Es ist nicht immer leicht, sich in eine neue Kultur zu *integrieren*.
In dieser *Hinsicht* ist es sehr wichtig, offen zu sein. Erst dann kann man die *Vorteile* einer modernen *Gesellschaft* für sich nutzen und viele gute Erfahrungen sammeln.

Die Macht der Bürger

Die Arbeitnehmer sind unzufrieden. Sie arbeiten viel, verdienen aber wenig. Jetzt *fordern* sie mehr Geld. Sie gehen nicht zur Arbeit, stattdessen gehen sie auf die Straße und äußern laut ihre Kritik. Sie *verteilen* Blätter an die *Bürger*, um auf sich aufmerksam zu machen. So erfährt auch die *Öffentlichkeit* von ihren Problemen und Forderungen. Die Arbeitnehmer üben so *Druck* auf die Arbeitgeber aus. Unter diesen *Umständen* verlieren die Arbeitgeber sehr viel Geld. Das ist ein großer *Nachteil* für sie.

A In der Gesellschaft. Ergänzen Sie die Sätze mit den folgenden Wörtern.

beitragen ▪ Bürger ▪ Kritik ▪ Öffentlichkeit ▪ verteilt ▪ Umständen ▪ Zugang

1 Wenn man mit etwas nicht zufrieden ist, dann kann man seine ________________ auf unterschiedliche Art und Weise äußern.

2 Die ________________ der Stadt Leipzig sind sehr aktiv. Sie wollen dazu ________________, dass die Umwelt besser geschützt wird.

3 Die Medien informieren die ________________ über die neuen Bestimmungen.

4 Unter diesen ________________ sind sie nicht bereit, die Forderungen zu erfüllen.

5 ________________ man die Aufgaben gut, so kann jeder machen, was er am besten kann.

6 Um die Öffentlichkeit zu erreichen, sollte man ________________ zu den Medien haben.

B Was vertritt eigentlich ein Vertreter? Welches Wort passt zu welcher Erklärung? Ordnen Sie zu.

1 alle Menschen sind Teil von ihr
2 jemand, der eine Meinung oder Institution vertritt
3 ein grundlegendes Element für etwas
4 helfen, dass etwas gelingt
5 etwas, was einem viel nützt
6 die Regel, nach der etwas funktioniert
7 versuchen, ein Mitglied einer Gruppe zu werden

a sich integrieren
b der Vorteil
c beitragen
d die Gesellschaft
e der Vertreter
f die Basis
g das Prinzip

C Ein kleiner Unterschied. Welches Wort passt nicht dazu? Unterstreichen Sie dieses Wort.

1 helfen – begleiten – unterstützen
2 der Gegensatz – der Unterschied – der Umstand
3 das Niveau – die Hinsicht – die Ebene

D Das stimmt so nicht. Die folgenden Sätze sind falsch. Verbessern Sie die Fehler.

Kultur ▪ fordert ▪ Druck ▪ Struktur ▪ Nachteil ▪ Dimensionen

1 Er übt sehr viel Gewalt auf seinen Chef aus, indem er nicht mehr zur Arbeit geht.
2 Die Bevölkerung befürchtet mehr Rechte im Staat.
3 Dass er seine Familie nicht mehr so oft sehen kann, ist ein großer Fortschritt für ihn.
4 Eine fremde Lösung kennen zu lernen, kann eine interessante Erfahrung sein.
5 Die Förderung der Gesellschaft hat sich in den letzten Jahren stark verändert.
6 Die Masse der Auswirkungen auf die Gesellschaft sind noch nicht abzusehen.

E Ich und wir. Beantworten Sie die Fragen. Benutzen Sie dafür die Wörter dieses Kapitels.

Was würden Sie an der Gesellschaft, in der sie leben, gerne ändern? Welche anderen Kulturen kennen Sie? Gibt es große Unterschiede zwischen diesen und Ihrer eigenen Kultur?

Die deutsche Armee

Quelle: Wikimedia Commons, gemeinfrei

Deutschland hat eine *Armee*. Diese *Armee* heißt Bundeswehr. Ein Deutscher zwischen 18 und 45 Jahren hat die Pflicht, entweder zehn Monate in der *Armee* zu *dienen* oder elf Monate Dienst im sozialen Bereich zu leisten.

Der Erste und Zweite Weltkrieg

Es gab im 20. Jahrhundert in Deutschland zwei *Kriege*: den Ersten *Weltkrieg* von 1914 bis 1918 und den Zweiten *Weltkrieg* von 1939 bis 1945. Nach dem Ersten *Weltkrieg* hatte sich in Deutschland eine *Demokratie* gebildet. Es gab jedoch mehrere *Gefahren* für diese sehr junge *Demokratie*: Es gab viele Menschen, die sich wieder einen Kaiser oder einen *König* wünschten. Die wirtschaftliche Lage war Ende der 1920er Jahre sehr schlecht. Die ganze Welt befand sich in einer wirtschaftlichen *Krise*. Viele Menschen waren nicht zufrieden.
Es gab in der *Politik* sowohl extrem rechte als auch extrem linke *Parteien*.
Eine extrem rechte *Partei* war die *Partei* von Adolf Hitler. Die anderen deutschen *Politiker* dieser Zeit erkannten die Gefahr durch diese *Partei* nicht. Durch seine neue politische *Strategie* kam Hitler 1933 mit seiner *Partei* an die Macht. Unter Hitler wurde Deutschland zum Gegenteil einer Demokratie. Am 1. 9. 1939 *besetzte* Deutschland Polen. Der Zweite *Weltkrieg* begann. Sowohl in Deutschland als auch in anderen Ländern Europas und Asiens *zerstörte* der *Krieg* viele Städte.

Ein Land besetzen

Kriege entstehen, wenn ein Land ein anderes Land *besetzt*. In dem Moment unterdrückt eine fremde Macht die Rechte und die Freiheit eines Landes. Die Bevölkerung dieses Landes ist nicht mehr *frei*. Sie kann sich nicht *frei* bewegen. In dem besetzten Land entsteht früher oder später *Widerstand* gegen die fremde *Armee*. Dann muss die fremde *Armee* die Zahl ihrer Soldaten *verstärken* oder sie verliert den *Krieg*.

Der Krieg

Der Grund für einen *Krieg* ist häufig ein *Konflikt* zwischen Gruppen mit verschiedenen Interessen. Dies können zum Beispiel religiöse oder wirtschaftliche Interessen sein. Im früheren Jugoslawien waren es *innere Konflikte*, die zu *militärischen* Auseinandersetzungen geführt haben. Die Regierung gibt meist einen *offiziellen* Grund an, warum ein Land einen *Krieg* führt oder unterstützt. Oft gibt es aber noch andere Gründe.
Manchmal *droht* ein Land mit dem *Einsatz* chemischer oder biologischer Waffen. Davor haben die Menschen große Angst, weil solche Waffen besonders *gefährlich* sind. Während eines *Krieges* kommt es immer zu *militärischen* Auseinandersetzungen. Es sterben viele Soldaten in diesen *Kämpfen*. Es gibt auch politische Versuche, einen Krieg zu beenden und *Frieden* zu schaffen. Politiker können in Verhandlungen für ein Ende des *Krieges* treten. Manchmal haben diese Verhandlungen Erfolg, aber häufig scheitern sie auch.

A Was passiert während des Krieges? Ergänzen Sie die Sätze mit den folgenden Wörtern.

zu zerstören ▪ droht ▪ dienen ▪ verstärkt

1 Es möchten nicht alle Männer in der Armee __________________.

2 Er __________________ den Druck auf die Soldaten.

3 Es reichte ein Tag, um die Stadt vollständig __________________.

4 Der Lehrer __________________ mit einem Test, wenn die Schüler nicht aufmerksam sind.

B Macht, Politik und Krieg. Welches Wort passt zu welcher Erklärung? Ordnen Sie zu.

1	die Soldaten eines Landes → c	a	der Erste Weltkrieg
2	eine mögliche Ursache des Krieges	b	der König
3	eine schwierige, gefährliche Lage	c	die Armee
4	der Krieg von 1914–1918	d	ein Konflikt
5	Person, die im 16. Jahrhundert in Frankreich an der Macht war	e	die Politik
6	das politische Handeln eines Staates	f	eine Krise

C Was machen die Menschen im Krieg? Ergänzen Sie die Sätze mit den folgenden Wörtern.

eine Strategie ▪ vom Frieden ▪ Politiker ▪ Widerstand ▪ den Kampf

1 Sie leisten __________________ gegen die fremde Macht.

2 Sie verfolgen __________________, um den Gegner zu beeinflussen.

3 Sie überleben __________________ mit schweren Verletzungen.

4 Sie wählen __________________.

5 Sie träumen während des Krieges __________________.

D Im Krieg oder im Frieden? Füllen Sie das Kreuzworträtsel aus.

1 Der Krieg ist eine große ... für die Leute.
2 Das Land ist nicht besetzt. Es ist ...
3 Er ist der ... Sprecher der Regierung
4 Der ... moderner Technik spart Zeit.
5 Der Soldat ist bei einem ... Einsatz
6 In diesem Land gibt es ... Konflikte.

1 G
2 E
3 F
4 A
5 H
6 R

E Und was denken Sie? Beantworten Sie die Fragen. Benutzen Sie dafür die Wörter dieses Kapitels.

Was ist schlecht am Krieg? Was wird auf der Welt für den Frieden gemacht?

Der deutsche Staat

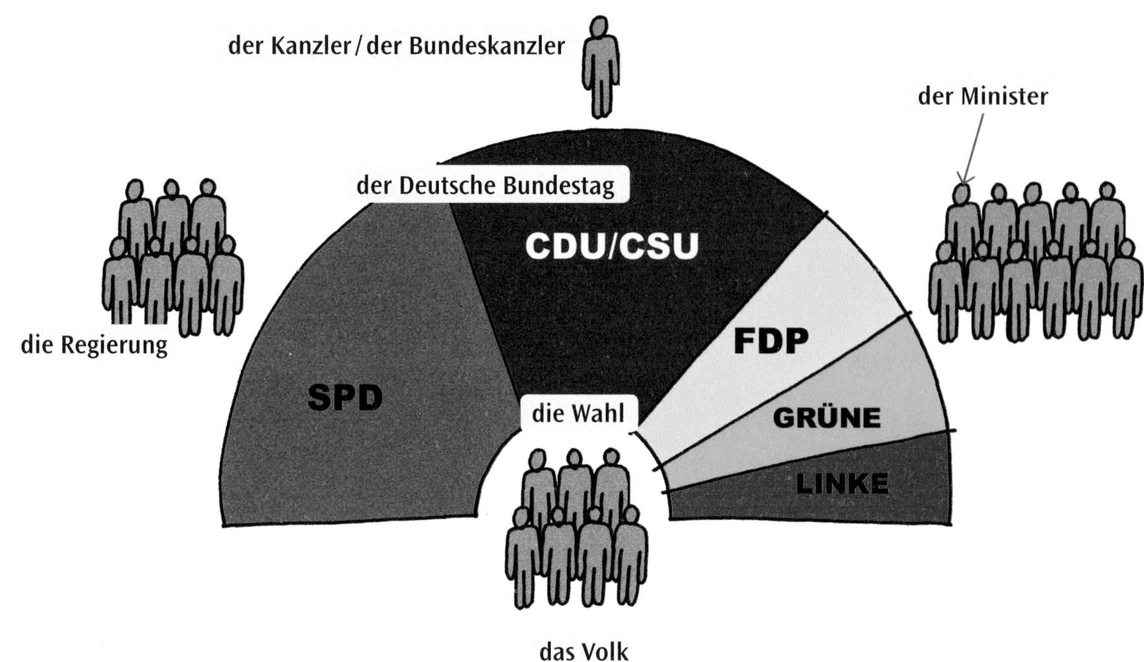

Die Wahl

- Frau Schmidt ist am Sonntag zur *Wahl* gegangen. Sie wusste lange nicht, welche *Partei* sie *wählen* soll. Der *Kandidat* der SPD ist Ralf Müller. Frau Schmidt mag ihn nicht. Deshalb wählt sie den *Kandidaten* der *Partei* Die Grünen.
- Alle *Kandidaten*, die gewählt werden, kommen ins *Parlament*. Im *Parlament* sitzen die *Abgeordneten* der *Parteien*.
- Wenn eine *Partei* die absolute Mehrheit im *Parlament* hat – wenn sie also mehr als 50 % der Stimmen hat –, kann sie alleine die *Regierung* bilden. Wenn keine *Partei* die absolute Mehrheit erreicht, können mehrere *Parteien* zusammen die *Regierung* bilden. Dann bilden sie eine *Koalition* aus mehreren *Parteien*.
- Der Bundespräsident wird nicht von der *Bevölkerung* gewählt. Er hat zwar das höchste Amt in Deutschland, aber er entscheidet nur sehr wenig. Er hat wenig Macht.
- Die Bundesrepublik Deutschland ist ein *demokratischer Staat*. Deutschland ist eine *Demokratie*.

Der Bund und die Bundesländer

In Deutschland gibt es 16 Länder. Zusammen bilden sie den *Bund*. Deshalb heißen sie *Bundesländer*. Jedes *Bundesland* hat eine eigene Landesregierung und ein eigenes Landesparlament. Der Bundestag ist das *nationale Parlament*. Er wird vom gesamten deutschen *Volk* gewählt.

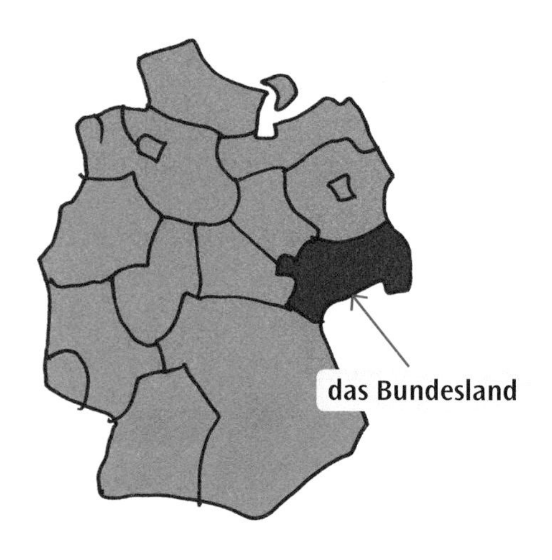

Regeln und Gesetze

- In jedem Staat gibt es *Regeln* für das Zusammenleben der Menschen. Verkehrs*regeln* legen fest, was die Auto- und Fahrradfahrer tun dürfen oder sollen und was sie nicht tun dürfen.
- Manchmal *regeln* Polizisten den Verkehr.
- Das *Parlament* entscheidet, welche *Regel* zu einem *Gesetz* werden soll. Es kann ein *Gesetz beschließen*.
- Wenn die *staatlichen* Einnahmen sehr hoch sind, kann der Bundestag beschließen, dass die Steuern *gesenkt* werden.

A Der Staat. Welches Wort passt zu welcher Erklärung? Ordnen Sie zu.

1	die Bevölkerung eines Landes → c	a	der Minister
2	ein demokratischer Staat	b	der Bund
3	er besteht aus Bundesländern	c	das Volk
4	er ist ein Mitglied der Regierung	d	die Partei
5	sie stellt Kandidaten für das Parlament auf	e	eine Demokratie

B Wie heißt es richtig? Ergänzen Sie die Sätze mit den folgenden Wörtern.

wählen ▪ Koalition ▪ regeln ▪ senken ▪ Wahl ▪ Regeln ▪ bilden ▪ Bundespräsident ▪ beschließen ▪ Parlament

1	ein Gesetz ______	6	eine ______ bilden
2	einen Kandidaten ______	7	zur ______ gehen
3	die Steuern ______	8	die ______ festlegen
4	den Verkehr ______	9	ins ______ gewählt werden
5	die Regierung ______	10	den ______ wählen

C Die Bundesrepublik. Die folgenden Sätze sind falsch. Verbessern Sie die Fehler.

1 Der Deutsche Bundestag ist ein Landesparlament.
2 Der Bundeskanzler ist der Chef einer Landesregierung.
3 In Deutschland gibt es 16 kleine Staaten.
4 Der Präsident hat sehr viel politische Macht.
5 Im Parlament sitzen die Minister einer Partei.

D Wer macht was im Staat? Ergänzen Sie die Sätze mit den folgenden Wörtern.

Regeln ▪ Regierung ▪ staatliche ▪ Kanzler ▪ Bundestag ▪ Kandidat

1 Die neue ______ hat versprochen, die Steuern zu senken.
2 Der ______ hat die Mehrheit der Stimmen erhalten.
3 Der Bundestag wählt den neuen ______.
4 Wenn ich mit meinem Bruder Fußball schaue, muss er mir immer wieder die ______ erklären.
5 ______ Museen sind häufig am Montag geschlossen.
6 Der ______ wird vom gesamten deutschen Volk gewählt.

E Parteien. Beantworten Sie die Fragen. Benutzen Sie dafür die Wörter dieses Kapitels.

Wann sind Sie das letzte Mal zu einer Wahl gegangen? Welche Partei und welchen Kandidaten haben Sie gewählt? Wie viele große Parteien gibt es in Ihrem Land? Sind sie alle im Parlament? Welche Partei bildet in Ihrem Land die Regierung? Berichten Sie.

Die europäische Union

Viele *europäische* Länder, wie zum Beispiel Italien, Frankreich oder Deutschland, haben sich verbunden. Sie sind Teil einer *Union*. Da in dieser *Union* viele verschiedene Nationen zusammenkommen, bezeichnet man sie als *international*. Die *Union* geht über die nationalen *Grenzen* hinaus. Zurzeit sind *knapp* 30 Staaten in der europäischen *Union*. Genau sind es 27.

Zusammen mehr erreichen – im Großen und im Kleinen

Eine andere weltweit wirkende *Organisation* ist die UNO. Sie hat zurzeit 192 Mitgliedstaaten. Die UNO ist eine sehr wichtige *Organisation*, sie ist sehr *bedeutend*. Sie beschäftigt sich mit vielen *politischen* und sozialen Themen. Meistens gibt es einen engen *Zusammenhang* zwischen den *politischen*, wirtschaftlichen und sozialen oder gesellschaftlichen Problemen.

Die Präsidenten der beiden Länder haben sich zu Gesprächen getroffen. Dabei haben sie *vereinbart*, dass der *internationale* Frieden weiterhin gesichert werden muss. Dies haben sie *angesichts* der *politischen* Entwicklungen der letzten Zeit beschlossen. Besonders der *Terrorismus* wird eine immer größere Gefahr für den Frieden auf der Welt. Immer öfter schließen sich Gruppen von Terroristen zusammen und planen Anschläge. Aber gegen diese Art von *Terror* und Gewalt kann man schlecht kämpfen.

Gespräch über Politik

- Was können die Politiker tun? – Angesichts der Umstände haben sie keine andere Möglichkeit. Sie müssen den Vertrag annehmen. Sie haben keine *Alternative*.
- Wenn sie das neue Gesetz *einführen*, dann wird das heftige Reaktionen *auslösen*. Es wird eine große Diskussion geben. – Ja, aber das Gesetz bringt viele Vorteile. Es ist ein Fortschritt. Die neuen Gesetze sichern den Bürgern mehr *Freiheit* in ihrem wirtschaftlichen Handeln.
- Von dem Politiker hat man viele Jahre nichts mehr gehört. Und plötzlich *taucht* er wieder in der Öffentlichkeit *auf*; er ist jetzt wieder da.
- Ich finde die Ideen der Partei sehr gut, aber wie will sie diese in die Realität *umsetzen*? Ich glaube, in der Praxis funktioniert das so nicht.
- Glauben Sie wirklich, dass die hohe Zahl an Anschlägen von Terroristen mit dem *politischen* Wechsel *zusammenhängt*? – Ja, ich sehe da eindeutig eine Verbindung.

Die Führung im Staat

- Ein Staatschef ist für die *Führung* des Staates verantwortlich. Früher *herrschten* Könige oder Kaiser über ihr Volk. Sie hatten viel *Macht*. Sie waren sehr *mächtig*.
- Die Arbeit der Regierung wird überprüft. Dafür gibt es eine spezielle *Kommission*. In einer *Kommission* sitzen verschiedene Experten. Sie kennen die *Prozesse*, die im Land ablaufen.
- Wenn man ein Problem im Ausland hat, kann man zur *Botschaft* gehen. Die *Botschaft* ist die Behörde, die jeweils ein bestimmtes Land im Ausland vertritt. Sie befindet sich in der Hauptstadt eines Landes. Dort findet man sie meistens an einem zentralen Ort. Sie hat ihren *Sitz* meistens im Stadtzentrum.

A Zwischen den Staaten. Ordnen Sie die Wörter den passenden Erklärungen zu.

1 sie trennt zwei Staaten voneinander
2 die Länder Europas betreffend
3 diese Behörde vertritt ein Land im Ausland
4 eine Verbindung mehrerer Menschen/Staaten mit konkreten Zielen
5 eine Organisation, die viele Länder verbindet
6 ein grundlegender Wert in der modernen Gesellschaft

a die Organisation
b die Freiheit
c die Grenze
d die Union
e europäisch
f die Botschaft

B Jeder hat seine Aufgabe. Ergänzen Sie den Text mit den folgenden Wörtern.

angesichts ▪ Sitz ▪ Prozess ▪ Kommission ▪ vereinbart ▪ internationalen

1 Die ____________ hat den Antrag gestellt, die Arbeit der Verwaltung noch einmal grundlegend zu überprüfen.

2 Wir können ____________ der Tatsachen nichts mehr tun.

3 Die Regierung hat ____________, dass die Steuern gesenkt werden sollen.

4 Den ____________ Frieden zu sichern ist ein nie abgeschlossener ____________.

5 Die Landesregierung hat ihren ____________ in der Hauptstadt.

C Gibt es eine andere Möglichkeit? Ersetzen Sie die unterstrichenen Wörter durch ähnliche Wörter.

knapp ▪ Alternative ▪ bedeutender ▪ Führung ▪ einen Zusammenhang

1 Wenn wir den Frieden sichern wollen, dann haben wir keine <u>andere Möglichkeit</u>.
Wir müssen die Bedingungen annehmen.
2 Mahatma Gandhi war in politischer und gesellschaftlicher Hinsicht ein <u>wichtiger</u> Mensch.
3 Der Präsident sieht zwischen den schlechten Wahlergebnissen und den Terroranschlägen <u>eine Verbindung</u>.
4 Bei den Gesprächen zum neuen Friedensprojekt waren <u>fast</u> 200 Menschen da.
5 Der neue Präsident wird ab nächster Woche die <u>Leitung</u> des Staates übernehmen.

D Was passt? Ergänzen Sie die Wortgruppen mit den folgenden Wörtern.

einführen ▪ auslösen ▪ zusammenhängen ▪ auftauchen ▪ herrschen ▪ umsetzen ▪ mächtiger ▪ politische

1 ein neues Gesetz ____________
2 ein ____________ König sein
3 heftige Diskussionen ____________
4 mit der Politik ____________
5 plötzlich ____________
6 eine ____________ Einstellung vertreten
7 etwas in die Realität ____________
8 in einem Land ____________

E Im Ausland. Beantworten Sie die Fragen. Benutzen Sie dafür die Wörter dieses Kapitels.

Waren Sie schon einmal in der Botschaft Ihres Landes?
In welcher deutschen Stadt hat die Botschaft Ihres Landes ihren Sitz?

Auf der Messe

- Warum vertreten Sie Ihren *Konzern* auf dieser *Messe*?
- Diese *Messe* stellt eine gute Möglichkeit für unsere Firma dar, unsere neuen Produkte zu präsentieren. Außerdem können wir hier den Kunden direkt unsere neuen *Konzepte* vorstellen.
- Aber Ihr *Konzern* muss auch viel bezahlen, um auf dieser *Messe* einen Stand zu haben, oder?
- Ja, aber diese *Investition* lohnt sich. Neue Aufträge, die wir hier bekommen, tragen sehr zum *Wachstum* unserer Firma bei.
- Herr Müller, Sie sind der Chef des Unternehmens. Welche *Faktoren* sind wichtig, damit eine Firma gute Umsätze macht?
- Nun ja, man muss natürlich gute Produkte *erzeugen*. Dabei muss man sich zum einen am Markt orientieren und zum anderen neue Entwicklungen fördern. Damit kann man *Fortschritte* für die Firma erreichen. Zusätzlich braucht man ein gutes *Management*, die Firma muss gut organisiert sein. Auch der *Standort* ist für unsere Firma wichtig: Wir dürfen nicht weit weg vom Kunden sein.

Kaufen, kaufen, kaufen

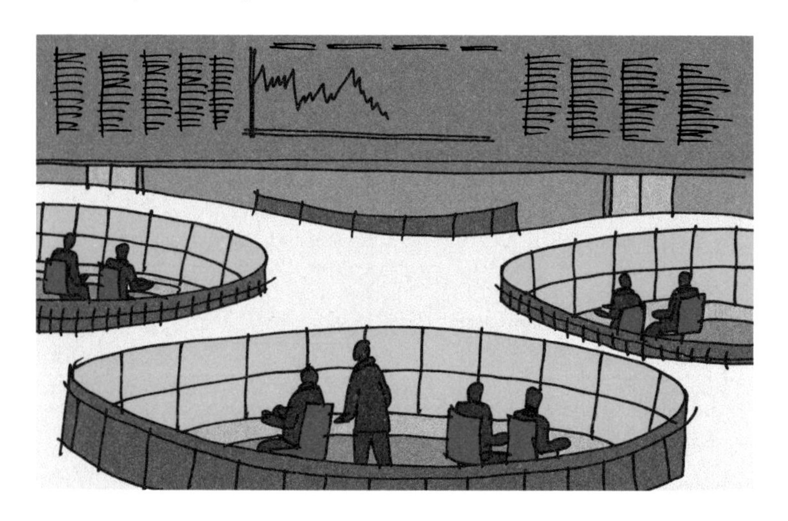

Heute ist ein großer Tag für Ralf Schmidt. Er ist der *Vorsitzende* der Firma Schmidtakk. Er leitet diese schon seit vielen Jahren und ab heute ist sie eine *Aktiengesellschaft*. Man kann also nun *Aktien* von dieser Firma kaufen und besitzt damit *Anteile* von ihr. Herrn Schmidt gehört die Firma zwar dann nicht mehr allein, aber er hat somit mehr Geld zur Verfügung. Die Firma kann damit ihre *Position* auf dem Markt verbessern und neue Investitionen machen.

Die Welt und das Geld

- Bald erscheint ein neues Produkt auf dem Markt. Nach einer langen Zeit der Entwicklung kann man es nun im Laden kaufen. Der *Hersteller* des Produkts ist sehr zufrieden damit. Wenn viele Menschen das Produkt kaufen, erhöht die Firma die *Produktion*.
- Alles wird besser: Die *Industrie* im Land wächst. Es lässt sich ein *ökonomisches* Wachstum feststellen. Das merkt auch der *Handel*: Immer mehr Menschen kaufen ein.
- Oft steht hinter deutschen Firmennamen *GmbH*. Das heißt, dass in dieser Firma verschiedene *Gesellschafter* Geld angelegt haben. Bei der Firma handelt es sich also um eine *wirtschaftliche* Gesellschaft, die Rechte und Pflichten hat. Sie kann dadurch zum Beispiel Verträge abschließen und vor Gericht gehen.

Das Unternehmen im Staat

Jede Firma hat ihren eigenen Chef. Somit liegt die *Leitung* zwar bei jedem Unternehmen selbst, aber auch der Staat hat Einfluss. So gibt es staatliche Regeln, welche die Firmen erfüllen müssen. Diese Bestimmungen betreffen zum Beispiel den Urlaub, den jeder Arbeitnehmer in Anspruch nehmen darf. Aber sie betreffen auch Regelungen in Bezug auf die Steuern, die eine Firma bezahlen muss. Der Staat fördert teilweise auch Firmen, um die *Wirtschaft* des gesamten Landes zu verbessern.

A Die Wirtschaft. Ergänzen Sie die Sätze mit den folgenden Wörtern.

Gesellschafter ▪ GmbH ▪ Industrie ▪ Hersteller ▪ Aktiengesellschaft ▪ Wirtschaft ▪ Produktion ▪ Aktien

1. Die __________________ haben das Produkt vom Markt genommen, weil die Umsätze sehr gering waren. Die __________________ wird beendet.
2. Die Firma ist seit letzter Woche eine __________________. Man kann nun __________________ von ihr kaufen.
3. Der Staat ist sehr daran interessiert, die __________________ im Land aufzubauen. Sie möchte vor allem die __________________ fördern.
4. Die __________________ haben darauf hingewiesen, dass die Firma kein Geld mehr hat.
5. Diese Firma ist eine __________________. Ihre Rechte und Pflichten sind gesetzlich geregelt.

B Investitionen. Welches Wort passt zu welcher Erklärung? Ordnen Sie zu.

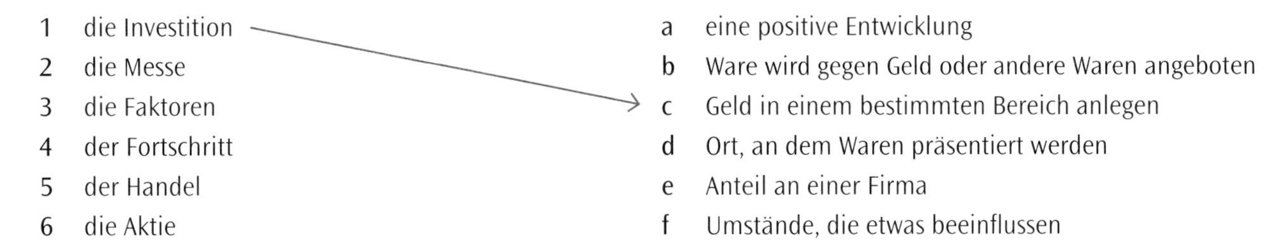

1 die Investition → c
2 die Messe
3 die Faktoren
4 der Fortschritt
5 der Handel
6 die Aktie

a eine positive Entwicklung
b Ware wird gegen Geld oder andere Waren angeboten
c Geld in einem bestimmten Bereich anlegen
d Ort, an dem Waren präsentiert werden
e Anteil an einer Firma
f Umstände, die etwas beeinflussen

C Wer leitet, der führt? Ersetzen Sie die unterstrichenen Wörter durch ähnliche Wörter.

erzeugt ▪ Position ▪ der Standort ▪ Leitung ▪ der Konzern

1. Der Mitarbeiter konnte seine Stellung innerhalb der Firma verbessern.
2. Er arbeitet jetzt direkt unter der Führung des Direktors.
3. Die Lage des Unternehmens ist schlecht: Die Kunden sind alle weit entfernt und die Transportkosten steigen.
4. Das Unternehmen produziert dieses Jahr doppelt so viel Strom wie letztes Jahr.

D Von der Idee zum Unternehmen. Welches Wort passt nicht dazu? Unterstreichen Sie dieses Wort.

1. das Unternehmen – der Konzern – der Verein
2. ökonomisch – beruflich – wirtschaftlich
3. der Leiter – der Vorsitzende – der Vorwurf
4. probieren – herstellen – erzeugen
5. die Idee – der Wunsch – das Konzept

E Risiko oder Sicherheit? Beantworten Sie die Fragen. Benutzen Sie dafür die Wörter dieses Kapitels.

Was halten Sie davon, sich Aktien zu kaufen?
Wie schätzen Sie die aktuelle wirtschaftliche Lage Ihres Landes ein?
Glauben Sie, dass sich diese Lage verändern wird? Warum (nicht)?

Das Gericht

Herr Meier ist Richter. Er arbeitet am *Gericht*.
Als Richter spricht er *Recht*. Er wendet das *Recht* an.
Herr Meier arbeitet am *Fall* Schmidt: Herr und Frau Schmidt wollen sich trennen. Aber sie möchten beide das Haus behalten, in dem sie wohnen.
Herr und Frau Schmidt müssen dem Richter erzählen, was geschehen ist. Sie müssen eine *Aussage* machen.
Der Richter möchte wissen, wer für den Streit verantwortlich ist. Er möchte wissen, wer die *Schuld* an dem Streit hat.
Ein Verdacht genügt dem Richter nicht, um die *Schuld* festzustellen. Er braucht *Beweise*.
Es gibt viele *Verhandlungen* zwischen Herrn und Frau Schmidt, aber sie finden lange keine Lösung für ihren Konflikt. Es ist ein schwieriger *Prozess*.
Am Ende des *Prozesses* trifft der Richter eine Entscheidung. Er spricht das *Urteil*.

Verbieten und erlauben

Hier darf man Fahrrad fahren. Hier ist das Fahrradfahren *erlaubt*.

Hier darf man nicht Fahrrad fahren. Hier ist es *verboten*, Fahrrad zu fahren.

Das *BGB* ist das *Bürgerliche Gesetzbuch*. Dort stehen alle *Gesetze*, die das Zusammenleben der Menschen in Deutschland regeln. Das *BGB* ist die *rechtliche* Grundlage für viele *Prozesse*. Dort steht, was *gesetzlich erlaubt* oder *verboten* ist. Im *BGB* steht, dass die Anwendung von Gewalt gegen Kinder in Deutschland *verboten* ist. *Gemäß* dem *BGB* dürfen Eltern ihre Kinder nicht schlagen. Diese *gesetzliche Regelung* ist wichtig für den Schutz der Kinder vor Gewalt.

Der Fall von Johannes und Maria

Maria führt einen *Prozess* gegen ihren Freund. Sie *behauptet*, dass Johannes ihr Geld weggenommen hat. Johannes *behauptet*, dass er das Geld nicht genommen hat. Beide können ihre *Aussagen* nicht auf *Beweise stützen*. Ohne *eindeutige Beweise* kann der Richter aber nicht beurteilen, was *wahr* und was falsch ist. Er kann nicht über Johannes und Maria *richten*.

Der Vertrag

- Wenn man in einer Firma anfängt zu arbeiten, bekommt man vom Arbeitgeber einen *Vertrag*.
- Ralf hat sich Bücher im Internet gekauft. Er muss die Bücher innerhalb von 14 Tagen bezahlen.
  Er ist zur Zahlung innerhalb von 14 Tagen *verpflichtet*.
- In Deutschland muss kein Arbeitnehmer das ganze Jahr arbeiten.
  Jeder Arbeitnehmer hat einen *Anspruch* auf mindestens 20 Tage Urlaub im Jahr.
- Weil wir kein Geld haben, können wir dieses Jahr nicht wegfahren. Wir müssen auf eine Reise *verzichten*.

A Vor Gericht. Welches Wort passt zu welcher Erklärung? Ordnen Sie zu.

1 sagen, dass jemand etwas machen darf
2 das Verfahren vor Gericht
3 entsprechend
4 sagen, dass man etwas nicht machen darf
5 ein Urteil sprechen
6 ein Recht auf etwas haben
7 sie findet am Gericht statt
8 vor Gericht sagen, wie etwas geschehen ist
9 sagen, dass etwas wahr ist, ohne es beweisen zu können

a etwas behaupten
b richten
c der Prozess
d eine Aussage machen
e jemandem etwas verbieten
f jemandem etwas erlauben
g gemäß
h die Verhandlung
i Anspruch auf etwas haben

B Der Prozess. Ergänzen Sie den Text mit den folgenden Wörtern.

Prozess ▪ gewinnen ▪ Aussage ▪ behauptest ▪ stützen ▪ eindeutigen ▪ Schuld ▪ wahr

Ralf macht immer wieder die gleiche ______________[1]: Er behauptet, dass er keine ______________[2] hat. Ich glaube, dass es ______________[3] ist, dass er die 5000€ nicht genommen hat. Ich weiß nicht, wieso du immer ______________[4], dass er das Geld genommen hat! Du hast doch gar keine ______________[5] Beweise dafür! Ich glaube, dass du diesen ______________[6] verlieren wirst. Ralf wird ihn ______________[7]. Du kannst deine Aussage auf keine Beweise ______________[8].

C Erlaubt oder verboten. Ergänzen Sie die Sätze erst mit den folgenden Wörtern und ordnen Sie dann den Fragen die richtigen Antworten zu.

gesetzlich ▪ stützen ▪ Regelung ▪ BGB ▪ wahr ▪ erlaubt ▪ Prozess ▪ rechtliche ▪ Fall ▪ verpflichtet

1 Ist es in Deutschland ______________ zu telefonieren, wenn man Auto fährt?
2 Konnte der Prozess im ______________ Klein endlich abgeschlossen werden?
3 Gibt es eine ______________ Grundlage dafür, dass man Kinder nicht schlagen darf?
4 Ist es ______________, was du da sagst?
5 Musst du ihm dieses Geld zahlen?

a Natürlich. Und ich habe auch Beweise, auf die ich mich ______________ kann.
b Ja, es gibt eine ______________, die es verbietet. Sie steht im ______________.
c Nein, es ist ______________ verboten, weil es zu gefährlich ist.
d Ja, ich bin dazu ______________.
e Ja, Frau Klein hat den ______________ gewonnen.

D Gesetze. Beantworten Sie die Fragen. Benutzen Sie dafür die Wörter dieses Kapitels.

Gibt es etwas, auf das sie sehr leicht verzichten könnten? Worauf könnten Sie nur sehr schwer verzichten?
Wissen Sie, ob es in Ihrem Land auch gesetzliche Regelungen gibt, die es verbieten, seine Kinder zu schlagen?
Mussten Sie selbst schon einmal vor Gericht gehen und an einem Prozess teilnehmen?

Gestern, heute und morgen

Beginn und Ende

Ralf: Weißt du, von wann bis wann das Wintersemester geht?
Lea: Ja, das Wintersemester *beginnt* im Oktober und *endet* im Januar.
Ralf: Und wann beginnt das Sommersemester?
Lea: Es *fängt* im April *an* und endet im Juli.
Ralf: Danke! Hast du etwas von Paul und Anna gehört?
Lea: Ja, Paul ist mit seinem Studium fertig, er hat es *beendet*. Und ich glaube, dass Anna nicht weiterstudiert, sie hat mit dem Studium *aufgehört*.

E-Mail für dich

Am Sonntag fliege ich zu Tante Uta und ihrer Tochter Susi. Sie leben in Rom und haben mich für eine Woche eingeladen. Das heißt, ich bin im *Zeitraum* vom 3. März bis zum 10. März in Rom. Meine Tante ist eine 65-*jährige* Dame, aber für ihre 65 Jahre ist sie sehr aktiv. Bei meiner Tante und Susi zu sein, genieße ich sehr. Es ist schön, viel Zeit mit ihnen zu *verbringen*. Die Woche dort geht schnell vorbei, sie *vergeht* schnell. Jedes Mal *läuft* die Zeit in Rom zu schnell *ab*. Wenn du einen kleinen *Augenblick* wartest, kann ich dir meine E-Mail-Adresse geben. Ich werde in Rom immer um 20 *Uhr* meine E-Mails lesen. Als ich noch ein Kind war, hat es länger gedauert, sich ins Ausland zu schreiben. *Heute* funktioniert es mit Hilfe von E-Mails viel einfacher und schneller.

Internet für mich

Als ich noch zur Schule ging, hatte man kein Internet. *Früher* kannte man das nicht. *Heute* haben fast alle die *Gelegenheit*, Internet zu Hause zu haben. Nicht jeder hat das gerne, aber ich brauche *dringend* Internet, weil ich damit arbeite. Die Internetfirma hat mir gesagt: „In einer Woche haben Sie Internet." Sie haben mir einen genauen *zeitlichen* Plan gegeben, aber die *Zeit* ist schon *abgelaufen* und ich habe immer noch kein Internet. Ich muss ein paar Tage warten, es *dauert* noch eine Weile, bis ich Internet habe. Meine Freunde fragen mich: „Hast du *schon* Internet?" Und die Antwort ist immer: „Nein, noch nicht." Länger kann ich nicht warten. Auf *Dauer* halte ich das nicht mehr aus. Vor einigen Minuten hat auf einmal, das heißt ganz *plötzlich*, das Telefon geklingelt. Es war die Internetfirma. Sie wollte für *heute* einen Termin mit mir ausmachen. Ich habe *heute* keine *Zeit*, deshalb müssen wir einen anderen *Zeitpunkt* für den Termin finden. Ich hoffe, ich habe bald Internet.

A Wörtergitter. Finden Sie sechs Wörter dieses Kapitels im Wörtergitter.

G	E	G	E	N	W	A	R	T	G	Q	W	E	R
A	S	D	F	G	H	J	K	H	E	U	T	E	F
H	J	K	L	M	N	Z	B	V	S	C	X	Y	T
A	S	D	F	M	F	U	F	G	T	H	J	A	Z
O	K	M	I	O	J	K	N	U	E	H	B	H	U
Z	G	V	T	R	F	U	C	R	R	D	X	E	I
E	V	E	R	G	A	N	G	E	N	H	E	I	T
Z	T	R	E	E	U	F	T	V	D	N	S	T	F
D	E	T	F	N	N	T	A	S	D	F	G	H	J

B Jeder Anfang hat ein Ende. Welches Wort passt nicht dazu? Unterstreichen Sie dieses Wort.

1 anfangen – ablaufen – beginnen
2 enden – aufhören – verbringen
3 vergehen – beenden – enden

C Die Zeit. Welches Wort passt zu welcher Erklärung? Ordnen Sie zu.

1 45 Jahre alt → b
2 für lange Zeit
3 Moment von bestimmter Dauer
4 auf einmal

a auf Dauer
b 45-jährig
c plötzlich
d Zeitpunkt

D Viele Momente. Ergänzen Sie die Sätze mit den folgenden Wörtern.

dringend ▪ früher ▪ Gelegenheit ▪ schon ▪ Weile gedauert ▪ einen Augenblick ▪ zeitlichen ▪ im Zeitraum

Heute lese ich oft die Zeitung. ____________ [1], als ich noch jung war, habe ich das nie gemacht.

Wenn meine Frau mich dann etwas fragt, sage ich immer: „Warte ____________ [2], ich lese gerade."

Im Urlaub habe ich immer eine ____________ [3], sie ganz zu lesen. Neben der Zeitung brauche ich ____________ [4] Internet zu Hause.

Die Lehrerin hat gesagt, dass wir ____________ [5] vom 21.12. bis zum 06.01. Ferien haben.

Die Organisatoren haben den ____________ [6] Ablauf für die Konferenz genau geplant.

Es hat eine ____________ [7], bis ich die richtige Straße fand. Zum Glück habe ich ____________ [8] früh das Haus verlassen.

E Und bei Ihnen? Beantworten Sie die Fragen. Benutzen Sie dafür die Wörter dieses Kapitels.

Wann beginnt Ihr Arbeitstag/Schultag? Wann endet er? Wie lange dauert er?
Mit wem verbringen Sie gerne Ihre Zeit? Vergeht die Zeit manchmal schneller, manchmal langsamer?
Was haben Sie gestern gemacht? Was machen Sie heute / morgen / nächste Woche?

Tag und Nacht

Leas Tag

- Lea verlässt jeden *Morgen* um 7 Uhr das Haus und geht zur Schule.
- Lea kommt jeden *Nachmittag* um 16 Uhr von der Schule nach Hause.
- Leas Mutter kommt jeden *Abend* um 20 Uhr von der Arbeit nach Hause.

Das Jahr, der Monat, die Woche

Ein *Jahr* hat zwölf *Monate*. Der erste *Monat* ist der *Januar*. Der *Dezember*, der *Januar* und der Februar gehören zum *Winter*.

Die Brücke

Zu Beginn des 20. *Jahrhunderts* gab es eine Gruppe von Künstlern. Diese Gruppe hieß „Die Brücke“. Vier Männer gründeten 1905 die Gruppe. Sie hatte bis 1913 sieben Mitglieder. Das letzte Mitglied, das 1910 in die Gruppe eintrat, war Otto Müller. Die Künstler haben viel gemalt – man sagt, sie malten jeden Tag. Trotzdem war es eine finanziell schwere Zeit für sie. Sie hatten zu Beginn keinen Erfolg. Um ausreichend Geld zu haben, verkauften sie einmal im *Jahr* eine Auswahl ihrer Bilder. In dieser *jährlichen* Auswahl zeigten sie ihre neuesten Techniken beim Malen. Während der Zeit des Nationalsozialismus hat man die Bilder der Brücke-Maler verboten. Im *Jahr* 1967, *Jahrzehnte* nachdem die Künstler die Gruppe gegründet hatten, eröffnete in Berlin das Brücke-Museum. Im *Jahr* 2005, ein *Jahrhundert* nachdem die Gruppe gegründet wurde, gab es zahlreiche Ausstellungen in Deutschland.

A Die Woche. Ordnen Sie die Wochentage der Reihe nach.

Mittwoch ▪ Montag ▪ Sonntag ▪ Donnerstag ▪ Dienstag ▪ Samstag ▪ Freitag

Montag ______________________________

____

B Sekunden, Minuten, Stunden. Ergänzen Sie den Text mit den folgenden Wörtern.

der Morgen ▪ Sekunden ▪ ein Jahrhundert ▪ Samstag ▪ Monate ▪ ein Jahr ▪ ein Tag ▪ Minuten ▪ eine Stunde ▪ eine Woche ▪ Sonntag ▪ ein Jahrzehnt

Der __________[1] und der __________[2] gehören zum Wochenende.

Eine Stunde hat 60 __________[3]. __________[4] besteht aus zehn Jahren.

__________[5] dauert 24 Stunden. __________[6] hat sieben Tage.

Eine Minute hat 60 __________[7]. __________[8] hat 52 Wochen.

Nach der Nacht kommt __________[9]. __________[10] hat 3600 Sekunden.

Ein Jahr hat zwölf __________[11]. __________[12] besteht aus 100 Jahren.

C Peters Tag. Lesen Sie den Text und beantworten Sie die Fragen dazu mit folgenden Wörtern.

am Abend ▪ am Morgen ▪ in der Nacht ▪ am Nachmittag

Peter geht meistens um 8.00 Uhr zur Arbeit. Um 15.30 Uhr macht er immer eine Pause und geht mit Kollegen einen Kaffee trinken. Um 19.30 Uhr ist er meistens wieder zu Hause und um 20.30 Uhr geht er immer mit seiner Freundin etwas essen. Um 2.30 Uhr liegt Peter im Bett und schläft.

1 Wann trinkt Peter einen Kaffee? ______________________________

____

2 Wann geht Peter zur Arbeit? ______________________________

____

3 Wann geht Peter immer mit seiner Freundin etwas essen? ______________________________

____

4 Wann schläft Peter? ______________________________

____

D Die Zeit. Beantworten Sie die Fragen. Benutzen Sie dafür die Wörter dieses Kapitels.

Was haben Sie dieses Jahr vor? Beschreiben Sie, was Sie letzte Woche gemacht haben.
Beschreiben Sie, was Sie gestern gemacht haben oder morgen machen werden.
Woran denken Sie, wenn Sie an den Winter, den Frühling, den Sommer oder den Herbst denken?

Vor der Prüfung

Es ist Dienstag. Claudia hat um acht Uhr Prüfung. Ihre Uhr zeigt 6.30, es ist jetzt *halb* sieben. Claudia muss heute *früh* aufstehen, weil sie noch etwas essen will. Sie kann nämlich *während* der Prüfung nicht essen. Es ist *nun* schon sieben Uhr. Wenn Claudia nicht aufsteht, kommt sie zu *spät* und kann die Prüfung nicht mitschreiben. Zum Glück ist Claudia *endlich* aufgestanden.

In der Prüfung

Nach der Prüfung

Claudia hat die ganzen vier Stunden geschrieben, um zwölf Uhr ist sie *gerade* fertig geworden. Sie freut sich und hat ein gutes Gefühl. Sie ruft *sofort* ihre Mutter an, um ihr zu sagen, wie die Prüfung war. Zwei Monaten *vor* der Prüfung hat sie angefangen zu lernen. Sie hatte *bisher* keine Freizeit. Aber *ab* morgen hat sie Ferien. Dann fährt sie mit ihrer Freundin in den Urlaub.

Tante Uta erzählt von ihrer Jugend

Früher wohnte ich auf dem Dorf. Ich habe *damals* gerne draußen in unserem Garten gespielt. Dann sind wir nach Berlin gegangen. Ich wohne jetzt seit 1975 hier in Berlin. Berlin ist sehr groß. Ich werde *bald* wieder zurück aufs Dorf gehen. Aber das dauert noch ein bisschen, *inzwischen* versuche ich die Wohnung in Berlin zu verkaufen.

A Zeitlicher Gegensatz. Finden Sie die fehlenden Wörter.

1 spät – ______________________________

2 jetzt – ______________________________

3 seit – ______________________________

4 vor – ______________________________

B Gestern und heute. Ordnen Sie die folgenden Wörter in die Tabelle ein.

bisher ▪ ab ▪ sofort ▪ bald ▪ jetzt ▪ damals

Vergangenheit	Gegenwart	Zukunft

C Los jetzt, Sefanie! Ergänzen Sie den Dialog mit den folgenden Wörtern.

nach ▪ während ▪ halb ▪ sofort ▪ nun

Mutter: Es ist schon ______________[1] acht. Die Schule fängt bald an. Du musst aufstehen!

Stefanie: Ich gehe schnell ins Bad, ______________[2] du Brot holst.

Mutter: Stefanie! Du bist immer noch im Bad? Es ist ______________[3] schon acht Uhr!

Stefanie: Dann gehe ich eben ______________[4] der ersten Stunde in die Schule.

Mutter: Du ziehst dich ______________[5] an und gehst in die Schule.

D Claudias Prüfungsergebnisse. Ergänzen Sie den Text mit den folgenden Wörtern.

noch ▪ bereits ▪ inzwischen ▪ nach ▪ endlich ▪ vor

Claudia hat ______________[1] einer Woche ihre Prüfung geschrieben. Sie weiß ______________[2] nicht, ob sie gut oder schlecht war. Heute hat Claudia ______________[3] ihr Ergebnis bekommen. Sie kann schon nicht mehr warten. Im Brief steht, dass das Ergebnis gut ist und Claudia ______________[4] ab dem nächsten Jahr auf die Universität gehen kann. Zuerst hatte sie etwas Angst, aber ______________[5] freut sie sich auf die Uni. Sie ist froh, dass sie gleich ______________[6] dem Gymnasium studieren kann.

E Und bei Ihnen? Beantworten Sie die Fragen. Benutzen Sie dafür die Wörter dieses Kapitels.

Erzählen Sie von früher. Was haben Sie damals gerne gemacht?
Was machen Sie jetzt gerne?

Das Telefon

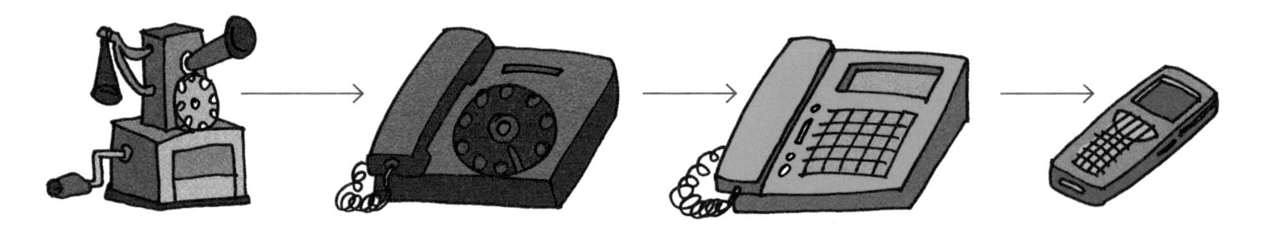

Man hat *erstmals* im 19. Jahrhundert den Traum realisiert, Töne durch elektrische Leitungen zu übertragen. Das war zu *damaligen* Zeiten etwas Besonderes. Das Telefon entwickelte sich *seitdem* zu einem wichtigen Gerät im täglichen Leben. *Derzeit* gibt es in Deutschland etwa 56 Millionen Anschlüsse.

Beim Arzt anrufen

Dr. Claudia Schmidt
Ärztin für Allgemeinmedizin

Mo, Mi, Fr: 8.00 – 14.00 Uhr
Di, Do: 12.00 – 19.00 Uhr

Termin außerhalb dieser Sprechzeiten
nur am Telefon unter der Nummer: 030 / 256 78 93

- Guten Tag. Mein Name ist Paul Müller. Entschuldigung, aber *diesmal* kann ich nicht zu meinem Termin am 30. März kommen. Ich hätte gerne einen neuen Termin für die Woche vom 3. zum 9. April.
- Es gibt leider *innerhalb* dieser Woche keinen freien Termin mehr.
- *Ab wann* gibt es wieder freie Termine?
- *Ab* dem 11. April.
- Kann ich auch *außerhalb* der Sprechzeiten einen Termin bekommen?
- Nur in dringenden Fällen. *Soweit* ich weiß, ist es möglich, aber da müssen Sie mit Frau Schmidt persönlich sprechen.
- Danke, das mache ich. Auf Wiedersehen.
- Auf Wiedersehen.

Mein Lehrer, Herr Schreiber

Ich habe heute einen *ehemaligen* Lehrer von mir, Herrn Schreiber, getroffen. Ich dachte, er hat mich *längst* vergessen, aber er erinnerte sich *noch* an mich. *Mittlerweile* ist er 68 Jahre alt und arbeitet nicht mehr. Er genießt *zurzeit* seine freie Zeit und fährt immer mit seiner Frau in fremde Länder. Er möchte jedoch *künftig* nicht mehr so viel reisen, sondern sich mehr um seinen Garten kümmern. Seine Tochter hat sich *bislang* darum gekümmert, aber sie hat eine Arbeit in einer anderen Stadt angenommen. Herr Schreiber und seine Frau planen *langfristig*, ihre Wohnung in der Stadt aufzugeben. Sie möchten dann nur noch in dem kleinen Haus in ihrem Garten wohnen. Beide wussten schon immer, dass sie nicht *ewig* in der Stadt leben wollen.

Die Bevölkerung

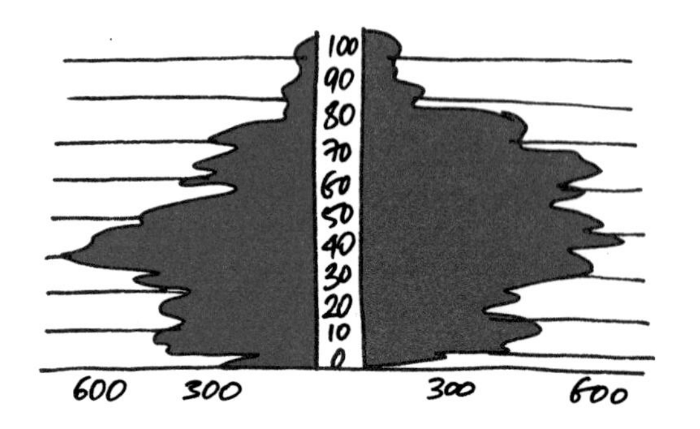

Es gibt in Deutschland *gegenwärtig* eine Diskussion darüber, dass es immer mehr alte Menschen und immer weniger junge Menschen gibt. Dies kann ein Problem für das *bisherige* soziale System Deutschlands darstellen, da die staatlichen Kassen zu wenig Geld einnehmen. Gerade junge Menschen denken, dass die Kassen *irgendwann* leer sind. Der Staat versucht jedoch, das *einst* so sichere System so zu verändern, dass die Menschen auch *künftig* im Alter Geld zum Leben haben.

A Heute ist der 2. Juli 2008. Ordnen Sie die folgenden Wörter in die Tabelle ein.

ehemalig ▪ zurzeit ▪ einst ▪ künftig ▪ gegenwärtig ▪ damalig ▪ derzeit

1850	2008	2200

B Das Museum. Ergänzen Sie die Sätze mit den folgenden Wörtern.

bisherige ▪ langfristig ▪ längst ▪ bislang ▪ innerhalb ▪ zurzeit ▪ erstmals

Sie können das Museum für Verkehr und Technik in Berlin _____________ [1] nicht besuchen. Es ist wegen Arbeiten geschlossen. Die Arbeiten waren _____________ [2] notwendig, da das Haus schon sehr alt ist. Wir denken, dass die Arbeiten _____________ [3] von neun Monaten fertig sein werden. Sie kosten zwar viel Geld, aber wir hoffen, dass sie _____________ [4] gesehen gut für das Museum sind. Die _____________ [5] Ausstellung wird es dann in dieser Art nicht mehr geben. Wir versuchen _____________ [6] ein neues Konzept einer Ausstellung umzusetzen – ein Konzept, das es in diesem Museum _____________ [7] noch nicht gegeben hat.

C Ist es so? Die folgenden Sätze sind falsch. Verbessern Sie die Fehler.

wann ▪ diesmal ▪ ehemaligen ▪ ewig

1 Die erstmaligen Schüler betreten nach fünf Jahren wieder Schule.
2 Sie sind jetzt Mann und Frau! Für immer und bislang.
3 Kannst du mir sagen, wo er nach Hause kommt?
4 Ich schaffe es innerhalb wirklich nicht, am Wochenende zu unseren Eltern zu fahren.

D Der Sport. Ergänzen Sie die Sätze mit den folgenden Wörtern.

gegenwärtig ▪ irgendwann ▪ seitdem

_____________ [1] ich Sport mache, fühle ich mich viel wohler in meinem Körper. Ich habe viele Jahre keinen Sport gemacht. Mit der Zeit bin ich dann immer dicker geworden und war auch häufig krank. Ich war dann _____________ [2] beim Arzt und der sagte, ich muss mich mehr bewegen. _____________ [3] kann ich mir nicht vorstellen, keinen Sport zu machen.

E Die Veränderung. Beantworten Sie die Fragen. Benutzen Sie dafür die Wörter dieses Kapitels.

Wie haben Sie sich im Laufe der Zeit verändert? Kennen Sie die Geschichte des Ortes, in dem Sie geboren sind? Erzählen Sie etwas darüber.

Die englische Sprache lernen

Ich hatte *nur* fünf Tage Zeit, um mich auf meine Prüfung in englischer Literatur vorzubereiten. Das ist nicht viel Zeit. Ich musste jedoch diesmal in der Prüfung *bloß* einen kleinen Text übersetzen. Das war nicht schwer. Die letzte Prüfung, die ich gemacht habe, haben nur *wenige* Studenten bestanden. *Lediglich* acht von 30 Studenten haben die Prüfung bestanden. Zum Glück war ich davor sechs Monate in Großbritannien. Am Anfang fühlte ich mich dort sehr allein. Ich habe nur *wenig* verstanden und konnte mich *kaum* ausdrücken. Ich möchte jedoch nach dem Studium für eine britische Firma arbeiten. Wenn ich dann nur *wenig* Englisch spreche, sind meine Chancen sehr *gering*, dort einen Job zu bekommen. Um mein Englisch nicht zu vergessen, lese ich zurzeit *ausschließlich* englische Zeitungen und Bücher.

Angaben

Der Fisch kostet acht Euro *je* Kilogramm.

Stefan ist zu dick. Er muss *mehr* Sport machen.

Die *ganzen* Ferien hat Lea im Supermarkt gearbeitet.

Paul hat alles aufgegessen. Es ist nur noch ein *Rest* Brot da.

Die *meisten* Kinder der Klasse 4C sind krank. Nur wenige Kinder sind gesund.

Vier Wochen in New York

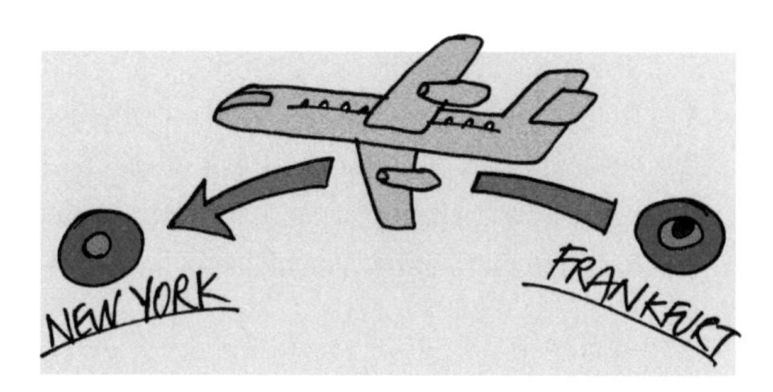

Lea ist heute von Frankfurt nach New York geflogen. Der Flug dauerte *circa* acht Stunden – um es genau zu sagen, acht Stunden und 20 Minuten. Paul fragt Lea, wie viel der Flug gekostet hat, aber sie weiß es nicht mehr genau. Sie sagt, er hat *ungefähr* 500 Euro gekostet. Sie weiß aber, dass sie *höchstens* 550 Euro bezahlt hat, da sie nicht mehr Geld zur Verfügung hatte. Paul ist sehr überrascht über den Preis. Er dachte, ein Flug nach New York kostet *mindestens* 700 Euro. Als Lea nach vier Wochen wieder in Frankfurt ankommt, wartet ihre Schwester am Flughafen auf sie. Die Schwester ist sehr enttäuscht. Sie dachte, dass Lea *wenigstens* eine Karte aus New York schreibt. Lea entschuldigt sich dafür. Ihre Schwester ist dann jedoch froh, dass Lea *zumindest* an sie gedacht hat und ihr Schokolade aus New York mitgebracht hat. Lea erzählt, dass es in New York *teilweise* so heiß war, dass sie nur nachts auf die Straße gehen konnte. Ihre Schwester erzählt dann, dass es auch in Deutschland sehr heiß war und seit Wochen kaum geregnet hat. Es war *überwiegend* trocken. Der Sommer ist dieses Jahr *erheblich* heißer als die Jahre zuvor.

Musik aus Berlin

Wir organisieren eine Veranstaltung zum Thema „Musik aus Berlin“ im Monat Juli. Wir haben schon viele Leute eingeladen und hoffen, dass sie *zahlreich* erscheinen. Zu Beginn dachten wir, dass es nicht *allzu* schwer ist, diese Veranstaltung zu organisieren. Aber inzwischen hat die Arbeit einen riesigen *Umfang* angenommen. Im Vergleich zu *sonstigen* Veranstaltungen von uns ist diese eindeutig die größte.

A Welche Menge? Welches Wort passt nicht dazu? Unterstreichen Sie dieses Wort.

1 gering – lediglich – je – bloß
2 überwiegend – wenig – zahlreich – viel
3 ungefähr – circa – der Umfang – beinahe
4 wenigstens – mindestens – allzu – zumindest

B Ganz anders! Ergänzen Sie den Text mit den folgenden Wörtern.

höchstens ▪ nur ▪ sonstigen ▪ kaum ▪ mehr ▪ ganzen

Heute kann ich nicht. Ich habe ______________ [1] Zeit – ______________ [2] fünf Minuten. Die Veranstaltung dauert noch den ______________ [3] Tag. An den ______________ [4] Tagen habe ich auch wenig Zeit. Mein Freund möchte ______________ [5] Zeit mit mir verbringen. Als ich ihm sage, dass das Projekt ______________ [6] noch eine Woche dauert, freut er sich.

C Viel oder wenig? Ordnen Sie die Wörter den passenden Erklärungen zu.

1 Manchmal habe ich im Urlaub Spanisch gesprochen.
2 Auf der Veranstaltung waren gestern sehr viele Leute.
3 Paul verdient nur wenig Geld.
4 Im Urlaub waren wir hauptsächlich schwimmen.
5 Er darf nicht schwimmen, aber zumindest darf er noch Fußball spielen.
6 Maria spricht nur Deutsch. Sie kann keine andere Sprache sprechen.

a wenigstens
b ausschließlich
c gering
d zahlreich
e überwiegend
f teilweise

D Claudias Urlaub. Ergänzen Sie die Sätze mit den folgenden Wörtern.

erheblich ▪ zahlreichen ▪ teilweise ▪ wenig ▪ meisten ▪ Rest ▪ bloß ▪ wenigstens ▪ ungefähr

Claudia macht Urlaub in Spanien. Allerdings spricht sie nur sehr ______________ [1] Spanisch. Wenn die Leute Spanisch sprechen, dann versteht sie ______________ [2] ein paar Wörter. Heute fährt sie nach Sevilla, hier können einige Spanier ______________ [3] Englisch sprechen. Die Fahrt in die Stadt dauert ______________ [4] zwei Stunden. ______________ [5] kann Claudia nur sehr langsam fahren, da auf den Straßen sehr viel Verkehr ist. Die ______________ [6] Leute fahren zur Arbeit. Als sie in Sevilla ankommt, geht sie in eins der ______________ [7] Museen. Mittags isst sie Fisch. Der Fisch ist ______________ [8] billiger als in Deutschland. Den ______________ [9] des Tages geht sie einkaufen, und am Abend fährt sie wieder in ihr Hotel.

E Sprechen und essen. Beantworten Sie die Fragen. Benutzen Sie dafür die Wörter dieses Kapitels.

Welche Sprache sprechen Sie gut? Bei welcher Sprache verstehen Sie kaum etwas?
Bei welcher Sprache verstehen Sie überwiegend alles?
Essen Sie gesund? Wie oft essen Sie Fisch oder Fleisch? Was essen Sie oft?
Was manchmal? Erzählen Sie.

Eins, zwei, drei

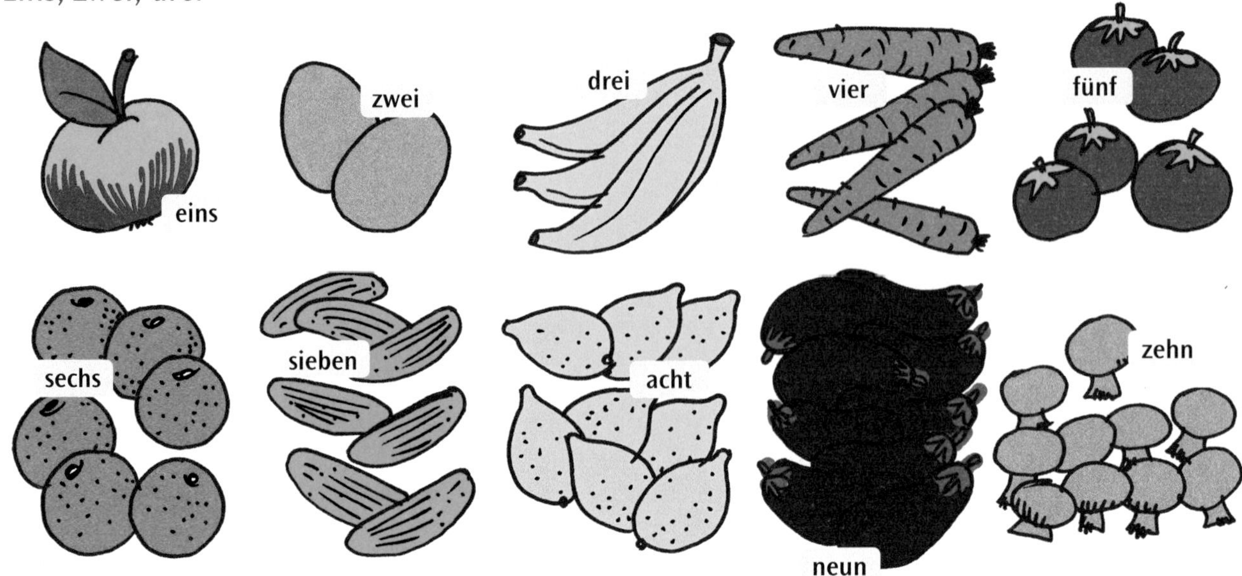

Rechnen

10 + 1 = 11	7 + 5 = 12	9 + 6 = 15	2 · 10 = 20
Zehn plus *eins* ist *elf*.	*Sieben* plus *fünf* ist *zwölf*.	*Neun* plus *sechs* ist *fünfzehn*.	*Zwei* mal *zehn* ist *zwanzig*.
30 – 20 = 10	20 · 5 = 100	100 : 2 = 50	10 · 100 = 1000
Dreißig minus *zwanzig* ist *zehn*.	*Zwanzig* mal *fünf* ist *hundert*.	*Hundert* durch *zwei* ist *fünfzig*.	*Zehn* mal *hundert* ist *tausend*.

Einen Kuchen teilen

Ulrike hat einen *einzelnen* Kuchen.

Sie kann ihn in zwei gleiche *Hälften* schneiden. Sie hat jetzt zwei *Stück* Kuchen.

Sie kann den Kuchen aber auch durch *drei* teilen und bekommt *drei Drittel*.

Zu viele Zahlen

Jeden Tag haben wir etwas mit *Zahlen* zu tun. Wir müssen uns zum Beispiel viele *Zahlen* merken, Telefon*nummern*, Geheim*zahlen* für das Handy und zum Bezahlen mit der Karte. Im Radio können wir 100 Euro gewinnen, im Fernsehen sogar bis zu einer *Million* (1 000 000). Auf dem Konto sind noch 1000 Euro. In der Zeitung lesen wir, dass der Regierung wieder eine *Milliarde* (1 000 000 000) Euro fehlt. Da ist es doch besser, nur 1000 Euro zu haben. Wenigstens haben wir beim Schlafen nichts mit *Nummern* zu tun.

A Zahlensalat. Benennen Sie die Zahlen in den Bildern.

3	7	100	12	1000	30
1 ________	2 ________	3 ________	4 ________	5 ________	6 ________

B Meister der Mathematik. Schreiben Sie die Zahlen und das Ergebnis als Wort.

1 $4 + 5 = ?$ ________________ + ________________ = ________________

2 $10 + 6 = ?$ ________________ + ________________ = ________________

3 $20 - 13 = ?$ ________________ – ________________ = ________________

4 $100 : 2 = ?$ ________________ : ________________ = ________________

5 $5 \cdot 3 = ?$ ________________ · ________________ = ________________

6 $12 - 1 = ?$ ________________ – ________________ = ________________

C Was brauchen Sie zum Kuchenbacken? Ergänzen Sie die Wortgruppen mit den folgenden Wörtern.

Stück ▪ einzelne ▪ Drittel ▪ Hälften

1 zu einem ________________ mit Wasser gefüllt

2 cin ganzcs ________________ Bullei

4 zwei ________________ Schokolade

5 eine ________________ Zitrone reicht aus

D Daten der Welt. Ergänzen Sie den Text mit den folgenden Wörtern.

Milliarde ▪ Zahl ▪ Millionen ▪ Hälfte

1 Im Vergleich zur ganzen Welt ist Europa klein. Es wohnen etwa 500 ________________ Leute in Europa.

2 Das ist gerade mal die ________________ der Einwohner von China.

3 Dort leben über eine ________________ Menschen.

4 Das ist eine unglaubliche ________________.

E Was haben Sie mit Zahlen zu tun? Beantworten Sie die Fragen.
Benutzen Sie dafür die Wörter dieses Kapitels.

Wie viele und welche Personen gibt es in Ihrer Familie? Wie lautet Ihre Telefonnummer?
Wie lautet die Telefonnummer von mindestens zwei Ihrer Freunde?
Was ist Ihre Glückszahl?
Welche Zahl bedeutet Pech in Ihrem Land?

Verschiedene Einheiten

Eine Ameise ist vier *Millimeter* lang.

Ein Käfer ist einen *Zentimeter* lang.

Das Schiff ist 20 *Meter* lang.

Der Fluss ist 60 *Kilometer* lang.

Ein Elefant wiegt 1500 *Kilogramm*.

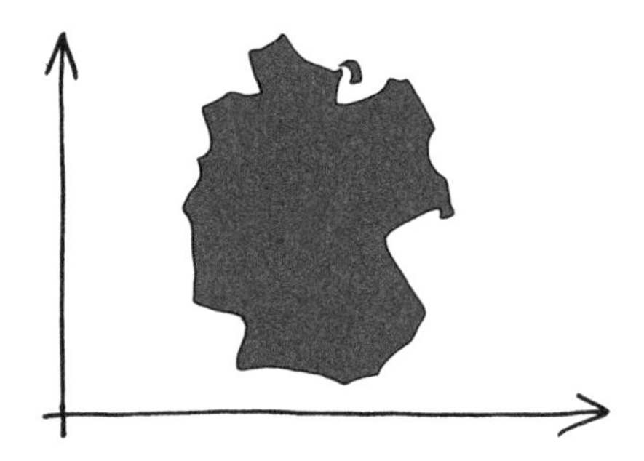

Die *Fläche* Deutschlands beträgt 357 000 *Quadratkilometer*.

65 *Prozent* der Schweizer mögen Schokolade.

Was man braucht, um etwas zu beschreiben

- Um anzugeben, wie weit es von einem Punkt zu einem anderen ist, braucht man die *Länge*.
- Um zu sagen, wie schwer oder leicht etwas ist, braucht man die *Masse*.
  Man benutzt dazu die *Einheiten* Kilogramm, Gramm …
- Um zu beschreiben, wie viel es von etwas gibt, braucht man die *Menge*. Man gibt hier die Zahlen an.
- Um anzugeben, wie viele in einer *Menge* etwas machen oder nicht, kann man die *Einheit Prozent* benutzen.

Peter und das Geld

- Peter verdient im Monat 2000 Euro. Das ist *doppelt* so viel wie Markus verdient, er bekommt nur 1000 Euro.
- Peter muss für sein Geld Steuern zahlen. Das findet er nicht gut.
- Der Staat bekommt *sämtliche* Steuern. Damit kann er arme Menschen unterstützen oder auch Schulen bauen.
- Peter braucht sein gesamtes Geld für den Monat. Am Ende des Monats hat er null Euro auf dem Konto, er hat *nichts* mehr übrig.

Daten zu Österreich

In Österreich gibt es 4 870 000 Frauen und 3 396 000 Männer. In Österreich wohnen *insgesamt* 8 266 000 Menschen. Das Land hat eine Fläche von 84 000 *Quadratkilometern*. Also gibt es *pro Quadratkilometer* 98 Menschen. Die *Anzahl* der Bundesländer beträgt neun. Deutschland hat ein *bisschen* mehr, nämlich 16 Bundesländer. Deutschland hat aber auch *zehn Mal* so viele Einwohner wie Österreich. Österreich ist bekannt für seine vielen Berge. Es gibt *mehrere* Berge, die über 3000 m hoch sind. Der größte ist der Großglockner. Er ist 3798 m hoch.

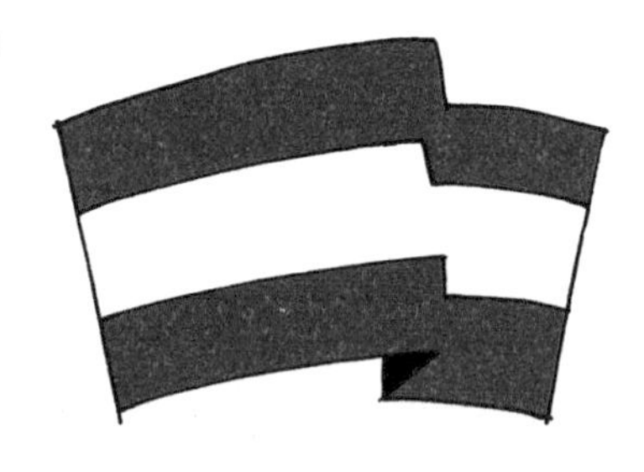

A Buchstabensalat. Finden Sie fünf Wörter dieses Kapitels im Wörtergitter und setzen Sie diese in die Sätze ein.

M	H	A	N	Z	A	H	L	T	M
P	R	A	F	S	Z	G	N	O	A
U	E	I	N	H	E	I	T	E	N
P	O	I	N	Z	E	L	D	Z	E
L	S	Ä	M	T	L	I	C	H	E
D	I	K	E	S	H	H	E	S	D
S	N	D	O	P	P	E	L	T	S
E	T	E	W	A	L	L	R	A	E
E	M	A	L	W	A	Q	T	G	E

1 Ich war schon drei ________________ in Paris.

2 Meter und Kilogramm sind ________________.

3 Zwei Hunde essen ________________ so viel wie ein Hund.

4 Die ________________ der Studenten beträgt 48.

5 Ich habe ________________ Produkte, die wir brauchen, eingekauft.

B Wonach wird gefragt? Ordnen Sie die Wörter den Fragen zu.

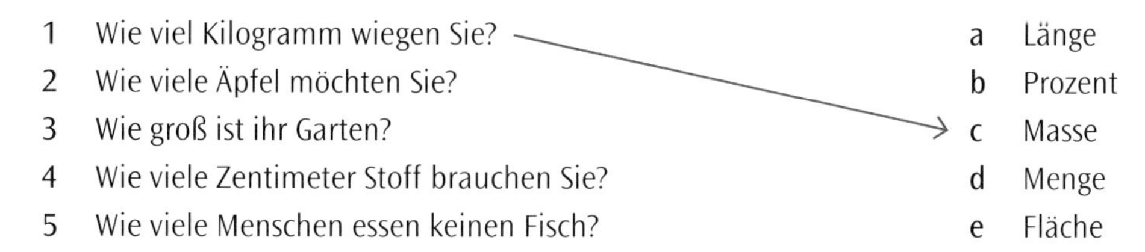

1 Wie viel Kilogramm wiegen Sie?
2 Wie viele Äpfel möchten Sie?
3 Wie groß ist ihr Garten?
4 Wie viele Zentimeter Stoff brauchen Sie?
5 Wie viele Menschen essen keinen Fisch?

a Länge
b Prozent
c Masse
d Menge
e Fläche

C Paul, Lea und das Geld. Ergänzen Sie die Sätze mit den folgenden Wörtern.

insgesamt ▪ mehrere ▪ nichts ▪ pro ▪ bisschen

1 Kannst du mir ein ________________ Geld leihen, Lea?

2 Nein, ich kann dir leider ________________ geben.

3 Ich habe mir ________________ Paar Schuhe gekauft.

4 Wie viel haben die denn ________________ gekostet?

5 Naja, 50 Euro ________________ Paar. Das sind zusammen 200 Euro.

D In Zahlen. Beantworten Sie die Fragen. Benutzen Sie dafür die Wörter dieses Kapitels.

Wie groß ist Ihr Heimatland? Wie viele Einwohner hat es?
Beschreiben Sie sich selbst und Ihr Heimatland in Zahlen und Einheiten.

Wie ist der Mensch?

- Peter kann gut zuhören, er ist freundlich und sehr aufmerksam. Er hat viele gute *Eigenschaften*.
- Ralf ist immer *böse* zu seiner Schwester, das ist ein typisches *Merkmal* für ihn.
- Ralf hat noch weitere *Merkmale*, die ihn *kennzeichnen*: Er raucht viel, er lacht gerne und er kann sehr *schnell* laufen.

Gegensätze

Das Mädchen ist *jung*.
Die Frau ist *alt*.

Dieses Tier ist *langsam*.
Das Auto ist *schnell*.

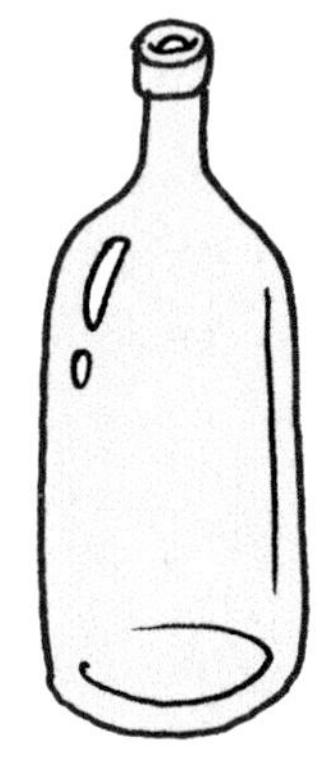

Die Flasche ist *voll*.
Die Flasche ist *leer*.

Die Frau ist *stark*.
Der Junge ist *schwach*.

Der Polizist ist *gut*.
Der Mann ist *böse*.

Lea ist *reich*.
Paul ist *arm*.

Der Test hat ein *positives* Ergebnis. Der Test hat ein *negatives* Ergebnis.

Die Natur

In der Natur gibt es sehr viele Tiere, es sind *extrem* viele. Bis heute weiß kein Mensch, wie viele es genau sind. Immer wieder werden neue Arten entdeckt, manchmal an *unheimlichen* Orten wie tief unten im Meer, wo es kein Licht mehr gibt. Auch die Welt der Pflanzen ist *vielfältig*. Es gibt noch hunderte von unbekannten Blumen und Bäumen. Bei starkem Regen oder heftigem Wind zeigt die Natur ihre *gewaltige* Kraft. Ich mag keinen Regen, aber ich liebe die Natur: Sie ist *wunderbar*.

A Wie ist Stefan? Gegensätze. Finden Sie die fehlenden Wörter.

1 Stefan ist nicht reich, er ist __________________.

2 Stefan ist nicht böse, er ist __________________.

3 Stefan ist nicht schwach, er ist __________________.

4 Stefan läuft nicht langsam, er läuft __________________.

B Wie ist Claudia? Welches Wort passt nicht dazu? Unterstreichen Sie dieses Wort.

1 freundlich – lieb – reich – gut
2 leer – schwach – schön – langsam
3 böse – negativ – streng – nett
4 jung – voll – alt – neu

C Das Meer. Verbinden Sie die passenden Teile.

1	Viele Länder der Welt → c	a	riesige Wellen geben.
2	Im Meer gibt es	b	gibt es Leben.
3	Selbst an unheimlich tiefen Stellen	c	liegen am Meer.
4	Manchmal kann es bei starkem Wind	d	wunderbar im Meer schwimmen.
5	Im Sommer kann man	e	extrem viele Arten von Fischen.

D Ein Interview mit Dietmar Bühlen und der Zeitung „Stern“. Ergänzen Sie die Sätze mit den folgenden Wörtern.

vielfältig ▪ Eigenschaften ▪ wunderbar ▪ negativen ▪ kennzeichnet

Stern: Was sind ihre besten __________________[1]?

D. Bühlen: Ich bin sehr freundlich und ich lache gerne und viel.

Stern: Was mögen Sie an anderen Menschen?

D. Bühlen: Ich mag es, wenn sie __________________[2] und nicht langweilig sind.

Stern: __________________[3] das auch ihre Freunde?

D. Bühlen: Ja, meine Freunde sind tolle Menschen, sie sind einfach __________________[4].

Stern: Was ist eine Ihrer__________________[5] Eigenschaften?

D. Bühlen: Ich kann nicht so gut zuhören.

Stern: Vielen Dank für das Interview.

E Und bei Ihnen? Beantworten Sie die Fragen. Benutzen Sie dafür die Wörter dieses Kapitels.

Beschreiben Sie Ihre Freunde. Welche Eigenschaften wünschen Sie sich bei einem Menschen?
Beschreiben Sie Ihren besten Freund / Ihre beste Freundin.
Sind sie sich sehr ähnlich? Welche Gemeinsamkeiten und welche Unterschiede fallen Ihnen ein?

Eigenschaften

Der Computer ist *alt*.
Der Laptop ist viel *moderner*.

Das linke T-Shirt ist noch nicht gewaschen.
Das rechte T-Shirt ist *sauber*, es ist *rein*.

Das linke Auto fährt nicht mehr.
Peter kauft sich ein *neues* Auto.

Die Häuser links stehen weit auseinander.
Rechts stehen sie *dicht* zusammen.

Der Wetterbericht

Morgen früh ist das Wetter noch *schlecht*. Es wird etwa bis um zwölf Uhr regnen. Danach wird der Himmel blau und *klar* und man sieht den ganzen Tag die Sonne. In den nächsten Tagen wird das Wetter *rasch* wieder *schlechter*. Schon am Wochenende wird es wieder viel Regen geben, seien Sie *vorsichtig* beim Autofahren. Genießen Sie den heutigen Tag, gehen sie mit Ihrer Familie schwimmen, das Wetter ist dafür *ideal*.

Peter schreibt einen Brief

Liebe Tante Maria,
endlich ist die Schule aus, aber bevor ich in den Urlaub fahre, schreibe ich dir noch *schnell*. Dieses Jahr war ich *gut* in der Schule, ich bin *zufrieden* mit mir. Nur in Mathematik bin ich leider nicht *gut*, aber das ist nicht so *schlimm*. Es ist *wichtig*, dass ich weiterhin in Sport der Beste bin, ich kann nämlich *besonders gut* Fußball spielen. Ich spiele genauso gut wie Papa, da bin ich ihm wohl ähnlich und nach ihm *geraten*.
Alles Liebe
dein Peter

Johannes und Uta lösen Aufgaben

Johannes: Immer diese Aufgaben! In Deutsch und Englisch sind sie leicht, aber *speziell* in Mathematik sind sie immer viel zu schwierig.
Uta: Du musst die richtige Art und *Weise* haben, um sie zu lösen. Dann sind sie leichter.
Johannes: Uta, findest du es nötig und *sinnvoll*, so viel für eine Aufgabe zu rechnen?
Uta: Ja, ich will doch ein richtiges Ergebnis haben. Da müssen wir alles *exakt* berechnen.
Johannes: Ich weiß jetzt, warum du in der Schule besser bist als ich. Du bist einfach *erfolgreicher*.
Uta: Ich konzentriere mich nur auf das, was *wichtig* ist, auf das Wesentliche. Das hilft.

A Wie kann ein Mensch sein? Ordnen Sie die folgenden Wörter in die Tabelle ein.

wesentlich ▪ erfolgreich ▪ vorsichtig ▪ dicht ▪ zufrieden ▪ rasch

Ein Mensch kann … sein	Ein Mensch kann nicht … sein

B Definitionen. Welches Wort passt zu welcher Erklärung? Ordnen Sie zu.

1 jemand, der viel arbeitet und viel Geld verdient
2 etwas, was perfekt ist
3 etwas Neues, was jetzt gern gemocht wird
4 sehr genau sein
5 etwas, was nicht gut ist

a modern
b exakt
c schlecht
d ideal
e erfolgreich

C Verkehrte Welt. Die folgenden Sätze sind falsch. Verbessern Sie die Fehler.

1 Ich habe die Hose gerade aus der Waschmaschine geholt. Sie ist sinnvoll.
2 Es ist exakt, dass Sie morgen das Geld mitbringen.
3 Der Himmel ist heute besonders modern.
4 Ich habe etwas Falsches gegessen. Mir ist ideal.

D Mein Bruder Markus. Ergänzen Sie den Text mit den folgenden Wörtern.

geraten ▪ neues ▪ schlimm ▪ besonders ▪ Weise ▪ speziell

1 Gestern hat sich mein Bruder Markus ein __________ Auto gekauft.

2 Ich finde es nicht __________ schön. Aber mir muss es ja nicht gefallen.

3 Mein Bruder meint, dass es mit drei Metern etwas groß __________ ist.

4 Die Art und __________, wie es fährt, ist sehr __________, sagt er.

5 Markus muss jetzt länger einen Platz suchen, wo er es hinstellen kann, aber __________ findet er das nicht.

E Und bei Ihnen? Beantworten Sie die Fragen. Benutzen Sie dafür die Wörter dieses Kapitels.

Was an Ihrer Stadt gefällt Ihnen ganz besonders? Warum?

Richtungen

Claudias Familie

Claudia hat ihren Bruder seit drei Wochen nicht gesehen. Jetzt fährt sie *zu* ihm. Sie freut sich sehr. Claudia lebt *in* Berlin, ihr Bruder wohnt *in* Hamburg, ihre Schwester *in* New York. Sie besucht ihren Bruder oft. Hamburg liegt *nah bei* Berlin. Ihre Schwester sieht sie selten. Es ist schon neun Monate her, seit sie ihre Schwester *in* New York besucht hat. New York ist sehr *weit* weg von Berlin.
Claudias Eltern wohnen direkt *an* einem Wald. Wenn sie ihre Eltern besucht, geht Claudia *durch* den Wald zu ihnen. Ihre Tante wohnt nicht *weit von* ihrer Wohnung entfernt. Sie läuft einmal *um* den Garten, schon ist sie da. Eigentlich ist Claudia ein stiller Mensch, doch *innerhalb* ihrer Familie lacht sie viel. *In* ihrer Wohnung hat Claudia ein Bild von ihrer Familie. Man sieht *in* der Mitte ihre Eltern und *daneben* stehen ihr Bruder, ihre Schwester und sie selbst.

Mit dem Zug nach Berlin

Tochter: Mama, *wohin* fährt der Zug?
Mutter: Der Zug fährt *nach* Berlin.
Tochter: Und *woher* kommt er?
Mutter: Der Zug kommt *aus* München.
Tochter: Sind wir gleich *in* Berlin?
Mutter: Nein, vorher kommt erst noch Leipzig.
Wir fahren *über* Leipzig *nach* Berlin. *Von* Leipzig fahren wir noch 90 Minuten *bis* Berlin. Es dauert *ab* Leipzig also noch 90 Minuten, bis wir ankommen.

Wo ist Murle?

Die Katze Murle ist weg. Sebastian sucht sie überall. Er guckt *unter* den Tisch. Er sucht *neben* dem Bett. Er schaut *zwischen* den Stühlen. Sebastian kann sie nicht finden. Er ruft „Murle!“ und guckt *hinter* die Tür und *in* die Küche. Die Katze ist nicht da. Auch *bei* der Pflanze ist Murle nicht. Plötzlich hat Sebastian eine Idee. Er sieht *aus* dem Fenster. Murle liegt *auf* der Mauer im Garten. Sie schläft.

A Sebastian sucht Murle. Ergänzen Sie den Text mit den folgenden Wörtern.

in ▪ vor ▪ unter ▪ oben ▪ zwischen ▪ nah

1 Sitzt Murle hinter dem Stuhl? – Nein, sie sitzt ______________ dem Stuhl.
2 Liegt Murle unten im Haus? – Nein, sie liegt ______________ im Haus.
3 Ist Murle weit von hier? – Nein, sie ist ganz ______________.
4 Läuft Murle aus der Küche? – Nein, sie läuft ______________ die Küche.
5 Springt Murle über den Tisch? – Nein, sie liegt ______________ dem Tisch. Sie schläft.
6 Liegt Murle im Korb? – Nein, sie liegt ______________ den zwei Stühlen.

B Paul trifft Anna. Ergänzen Sie den Dialog mit den folgenden Wörtern.

um ▪ nach ▪ bei ▪ woher ▪ bis ▪ auf ▪ hinten

Paul: __________ [1] kommst du, Anna?
Anna: Ich komme aus München.
Paul: Wohnst du allein in München?
Anna: Nein, ich wohne __________ [2] meinen Eltern.
Paul: Willst du dort vorne etwas trinken?
Anna: Ja, dort ist es schöner als hier __________ [3].
Paul: Studierst du in München?
Anna: Nein, ich bin noch __________ [4] dem Gymnasium.
Paul: Und wohin gehst du jetzt?
Anna: Ich gehe __________ [5] Hause.
Paul: Gehst du jetzt gleich?
Anna: Ja, ich muss __________ [6] zwölf Uhr zu Hause sein.
Paul: Wollen wir noch tanzen gehen?
Anna: Nein, ich brauche lange, __________ [7] ich zu Hause bin.

C Erklärungen. Unterstreichen Sie das richtige Wort.

1 Wenn Lea ihre Freunde besucht, dann geht sie zu/bei ihnen nach Hause.
2 Wenn ein Baum im Wald steht, dann stehen die anderen Bäume darunter/daneben.
3 Wenn ich mit dem Fahrrad fahre, dann fahre ich von/ab zu Hause bis nach Köln.
4 Wenn das Bild gut hängt, dann hängt es gerade an/auf der Wand.
5 Wenn die Bibliothek um 9.00 Uhr öffnet, dann hat sie bis/ab 9.00 Uhr geöffnet.

D Bewegung in Leben und Freizeit. Beantworten Sie die Fragen.
Benutzen Sie dafür die Wörter dieses Kapitels.

Wissen Sie manchmal nicht, wo Ihr Geld ist? Wo suchen Sie es?
Haben Sie schon Ihr Leben lang in der Stadt gewohnt, in der Sie jetzt wohnen?
Kennen Sie den Sport Aerobic? Wie bewegen sich die Menschen da?

Norden, Süden, Osten, Westen

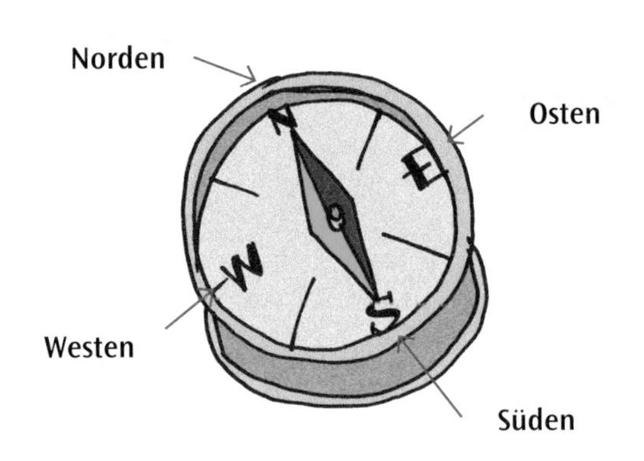

Wir gehen in die falsche Richtung.
Die Stadt liegt nicht im *Osten*.
Sie liegt *westlich* von uns.
Wir müssen Richtung *Westen* gehen.

Wie komme ich von hier zur Post?

Lisa: Entschuldigen Sie, können Sie mir helfen? Ich suche eine Post. Wissen Sie, *wo* eine Post ist?

Tim: Ja, die Post ist im Zentrum der Stadt. Sie liegt sehr *zentral*, an einem großen Platz.

Lisa: Und wie komme ich *von hier* zur Post?

Tim: Das ist ganz einfach. Sehen Sie *dort* die große Straße? Diese Straße müssen Sie *entlang*gehen. Irgendwann sehen Sie drei rote Gebäude. Das *mittlere* Gebäude ist die Post.

Lisa: Gibt es auch *irgendwo* in der Nähe der Post eine Bank?

Tim: Ja, *da* ist auch eine Bank gegenüber der Post. Wenn Sie eine Karte von der Stadt haben wollen, können Sie in das Geschäft *drüben* auf der anderen Seite der Straße gehen. Da gibt es Bücher und Karten.

Lisa: Vielen Dank.

Wo ist das Mädchen?

dahinter

darunter

darüber

um den Tisch *herum*laufen

ein *Abstand* von zwei Metern

eine *Höhe* von 70 Zentimetern

Stefan zeigt sein Haus

Stefans Haus ist berühmt. Es hat einen Preis im Wettbewerb „Die Stadt und ihre *räumliche* Entwicklung" bekommen. Das Haus wirkt von *außen* sehr klein und schlicht. Aber es hat viel mehr Zimmer, als man denkt. Während es *unten* nur einige wenige große Räume gibt, sind im *oberen* Teil des Hauses viele kleine Zimmer. Es gibt *überall* im Haus Fotos von seiner Familie.
Ich finde die Küche des Hauses toll. Es steht ein riesiger Tisch *in* der *Mitte*. Mir gefällt es, wenn ein Tisch *mitten in* der Küche steht. Jetzt im Winter, wenn es *draußen* kalt ist, sitzen wir immer *an* diesem Tisch und hören Musik. Stefan macht dann immer die Musik so laut, dass man sie bis in die *äußersten* Ecken des Hauses hört.

A Norden, Süden, Osten, Westen. Welches Wort passt zu welchem Satz?

1 Im ________________ geht die Sonne auf,

2 im ________________ hält sie sich mittags auf.

3 Im ________________ wird sie untergehen,

4 im ________________ ist sie nie zu sehen.

B Draußen ist etwas. Ergänzen Sie den Text mit den folgenden Wörtern.

überall ▪ dort ▪ drüben ▪ mitten ▪ draußen

Was weckst du mich denn ______________[1] in der Nacht? Ist irgendwas? – Ja, hast du es denn nicht gehört? Ich glaube, ______________[2] vor der Tür ist jemand. Hast du es jetzt gehört? Da war es schon wieder. – Schon gut, ich gehe hinaus und schaue, ob ______________[3] jemand ist. – Und, hast du etwas gesehen? – Nein, ich bin um das ganze Haus herumgegangen. Ich habe ______________[4] gesucht, aber es war niemand da. Nur ______________[5] , im Garten von unseren Nachbarn, war eine Katze.

C Irgendwo. Ergänzen Sie die Sätze mit den folgenden Wörtern.

hier ▪ wo ▪ rechten ▪ irgendwo ▪ linken

1 Ich hatte den Brief gerade noch. Also muss er hier ______________ sein. Weißt du vielleicht, ______________ ich ihn gelassen habe? Ah, ______________ ist er ja!

2 Viele Menschen schreiben mit der ______________ Hand, aber nicht alle. Einige schreiben stattdessen mit der ______________ Hand.

D Angaben zu Richtung und Raum. Verbinden Sie die passenden Teile.

1	Nicht die rechte oder die linke Tür, sondern die → e	a	Höhe.
2	Meinst du den alten Mann dort? – Nein, den	b	Mitte?
3	Die innere Wand ist gemalt. Jetzt malen wir die	c	oberen.
4	Wir gehen falsch. Wir gehen nach Osten, aber der Parkt liegt	d	dahinter.
5	Die Bank liegt nicht vor dem Haus, sondern	e	mittlere.
6	Jetzt haben wir schon alles gemessen. Es fehlt nur noch die	f	außen.
7	Mein Zimmer liegt nicht im unteren Teil des Gebäudes, sondern im	g	da.
8	Wohnst du lieber am Rande der Stadt oder in der	h	äußere.
9	Von innen ist das Gebäude moderner als von	i	westlich.

E Wege. Beantworten Sie die Fragen. Benutzen Sie dafür die Wörter dieses Kapitels.

Gibt es Wege, die Sie täglich gehen oder fahren? Beschreiben Sie: Wie kommen Sie von A nach B? Was für Orte gibt es in der Nähe Ihres Wohnortes? Wo liegen sie? Beschreiben Sie.

Unterwegs

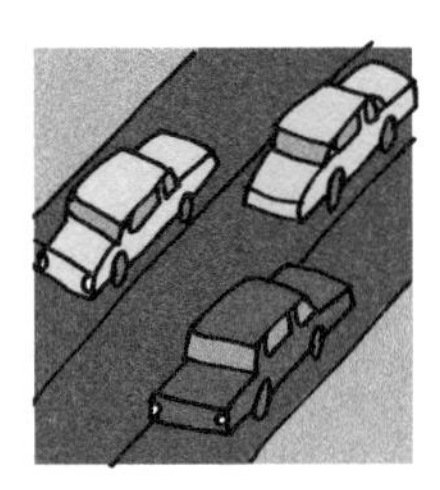

Diese Straße ist sehr *breit*. Hier können viele Autos fahren.

Auf diesem Weg können keine Autos fahren. Er ist zu *schmal*.

Formen

Die Kinder stehen im *Kreis* und singen zusammen.

Der Fußball ist *rund*.

Heute ist das Wetter schlecht und deshalb kann man die *Spitze* des Berges nicht sehen.

Farben

Sie mag lieber helle *Farben* als dunkle Farben.

Leas Kleid ist hell. Sie hat ein *rosafarbenes* Kleid.

Im Sommer bin ich sehr gerne im Wald. Ich liebe die *grünen* Bäume.

Heute hat es den ganzen Tag geregnet. Der Himmel war den ganzen Tag *grau*.

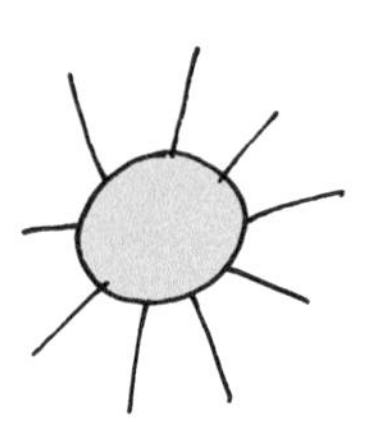

Die Sonne ist *gelb*.

Rot ist die Farbe der Liebe.

Ich liebe das Meer. Die *blaue* Farbe des Meeres ist so beruhigend.

Mein Kleid hat viele Farben: *Grün*, *Rot*, *Gelb* und *Schwarz*. Es ist *bunt*.

Wenn eine Frau in der Kirche heiratet, dann trägt sie ein *weißes* Kleid.

Kurz oder lang – alles fängt irgendwo mal an

Paul lässt sich die Haare schneiden. Sie sind zu *lang*.

Ich brauche ein längeres Stück Holz. Dieses ist zu *kurz*.

Dieser Berg ist über 2500 Meter *hoch*.

Das Meer kann sehr *tief* sein. Wenn man nicht schwimmen kann, dann muss man sehr vorsichtig sein.

Die Decke in meinem Zimmer ist sehr *niedrig*.

A Kreuzworträtsel. Füllen Sie das Kreuzworträtsel aus.

1 eine sehr dunkle, traurige Farbe
2 Bei schlechtem Wetter kann man die … des Berges nicht sehen.
3 Rot, Weiß, Blau, Gelb
4 Ein Fußball ist …
5 die Farbe der Liebe
6 Wenn etwas aus vielen Farben besteht, ist es …
7 Eine Autobahn ist sehr … und viel Autos können nebeneinander fahren.
8 Ein Wanderweg ist manchmal sehr … und nur eine Person kann darauf laufen.
9 das Gegenteil von hoch

1							
2							
3							
4							
5							
6							
7							
8							
9							

B Wie können Sachen sein? Gegensätze. Finden Sie die fehlenden Wörter.

1 schmal – ____________________
2 lang – ____________________
3 niedrig – ____________________
4 schwarz – ____________________

C Bunt sind alle meine Kleider. Ordnen Sie die Antworten den passenden Fragen zu.

1 Welche Farben mag Susi?
2 Muss Stefan weit zur Schule laufen?
3 Kann man im See schwimmen?
4 Was ist rund?
5 Wie ist das Wetter heute?
6 Welche Farbe hat dein neuer Rock?
7 Welche Farbe hat Gras?
8 Muss Peter zum Frisör gehen?

a Ja, aber sei vorsichtig. Er ist sehr tief.
b Schlecht. Der Himmel ist ganz grau.
c Es ist grün.
d Nein, sein Weg ist sehr kurz.
e Sie mag Gelb und Grün.
f Ja. Seine Haare sind viel zu lang.
g Ein Kreis.
h Er ist bunt.

D Paul sucht eine neue Wohnung. Ergänzen Sie den Text mit den folgenden Wörtern.

tief ▪ bunten ▪ grau ▪ niedrig ▪ Farbe ▪ langen ▪ schmal ▪ hohen

Paul mag seine Wohnung nicht. Die Wände sind ganz ____________[1]. Er überlegt, ob er sie neu streichen soll, mit einer hellen ____________[2]. Außerdem sind die Decken sehr ____________[3] und die Räume sehr ____________[4]. Er hat auch einen ____________[5] Weg zur Arbeit. Vielleicht sollte er in einer anderen Wohnung wohnen. In einer Wohnung mit ____________[6] Wänden und ____________[7] Decken. Er möchte einen großen Garten mit einem See, der so ____________[8] ist, dass er darin schwimmen kann.

E Die Bedeutung der Farben. Beantworten Sie die Fragen. Benutzen Sie dafür die Wörter dieses Kapitels.

Welche Farben tragen Sie gerne? Tragen Sie lieber helle oder dunkle Farben?
Beschreiben Sie Ihre Wohnung / Ihr Haus. Wie sind die Wände? Wie ist die Decke?

Familie

Anna und Lea sind Schwestern. Sie haben beide braune Haare, grüne Augen und sind beide 1,63 m groß. Sie sind *gleich* groß und sie sehen sich sehr *ähnlich*. Ihr Bruder Stefan *hingegen* hat schwarze Haare und braune Augen. Im *Gegensatz* zu Anna und Lea ist er sehr groß. Er sieht ganz *anders* aus als seine Schwestern. Stefan sieht *genauso* aus wie seine Mutter. Sie ist *ebenso* wie ihr Sohn sehr groß und hat schwarze Haare und braune Augen.

Schluss

Paul und Uta sind nicht mehr zusammen. Sie waren zu *unterschiedlich*: Paul war laut, Uta war leise, Paul mochte den Sommer, Uta den Winter, Paul liebte die Berge und Uta das Meer. Sie waren in allem *verschiedener* Meinung. Wenn Paul „Ja" sagte, sagte Uta *jeweils* „Nein", und *umgekehrt* sagte Paul jeweils „Nein", wenn Uta „Ja" sagte. *Einzig* beim Trinken waren sie sich sehr ähnlich. Sie mochten beide Wein und kein Bier.

Auto fahren

Max: Schnelle Autos sind gefährlich. Autos müssen langsamer fahren!
Ralf: Das glaube ich im *Gegensatz* zu dir nicht. Fahrradfahren ist viel gefährlicher.
Max: Fahrradfahren ist *ebenfalls* gefährlich. Aber nur, weil die Autos zu schnell fahren.
Ralf: Das glaube ich *auch* nicht. Wo Fahrräder unterwegs sind, fahren Autos langsamer.
Max: Im *Gegenteil*! In der Stadt, wo Fahrräder fahren, fahren Autos besonders schnell!
Ralf: Das denke ich nicht, da bin ich *anderer* Meinung.

Prüfung

Johannes schreibt morgen eine Prüfung in Mathematik. Er hat *derartige* Angst, dass er in der Nacht davor nicht schlafen kann. Am Tag der Prüfung ist Johannes sehr konzentriert. Er lässt sich für die *jeweilige* Aufgabe viel Zeit. Erst wenn er die *jeweilige* Aufgabe gelöst hat, beginnt er die nächste. Nach der Prüfung vergleicht Johannes seine Ergebnisse mit den Ergebnissen im Buch. Es sind *genau* die *gleichen* Ergebnisse. Johannes ist sehr glücklich.

A Tante Claudias Familienfotos. Ergänzen Sie die Sätze mit den folgenden Wörtern.

ähnlich ▪ anders ▪ genau ▪ verschieden ▪ unterschiedlich

Das ist die kleine Susi. Sie lacht wie ihre Mutter, sie geht wie ihre Mutter, sie sieht _______________[1] wie ihre Mutter aus. Ihr Bruder Ralf sieht aus wie sein Vater. Er sieht seiner Mutter nicht _______________[2]. Er lacht nicht wie seine Mutter, er geht nicht wie seine Mutter, er sieht ganz _______________[3] aus. Auch sonst sind Susi und Ralf sehr _______________[4], sie streiten sehr viel. Ich mag die beiden, weil sie so _______________[5] sind.

B Aus der Reihe. Welches Wort passt nicht dazu? Unterstreichen Sie dieses Wort.

1 ebenso – ebenfalls – hingegen – genauso
2 umgekehrt – gleich – genau – ebenfalls
3 Gegenteil – Gegensatz – gleich – umgekehrt
4 verschieden – unterschiedlich – gleich – anders

C Verkehrte Welt. Die folgenden Sätze sind falsch. Verbessern Sie die Fehler.

ebenso ▪ genaue ▪ gleich ▪ hingegen

1 Maria und Lea haben schwarze Haare und braune Augen. Sie sehen ganz <u>unterschiedlich</u> aus.
2 Paul und Peter sind immer einer Meinung. Wenn Peter etwas sagt, sieht Paul es <u>anders</u>.
3 Fünf und fünf sind zehn. Das ist das <u>ungefähre</u> Ergebnis.
4 Uta liebt das Meer. Paul liebt <u>auch</u> nicht das Meer, sondern die Berge.

D Berufe. Ergänzen Sie die Sätze mit den folgenden Wörtern.

auch ▪ einzig ▪ jeweiligen ▪ andere ▪ derartig

1 Lea ist Ärztin. Manchmal muss sie 24 Stunden auf einmal arbeiten. Sie arbeitet entsprechend den _______________ Bedingungen.

2 Ralf arbeitet als Beamter. Paul ist _______________ Beamter.

3 Früher gab es noch _______________ Bauern in Sebastians Dorf. Jetzt ist er der einzige.

4 In Claudias Familie sind alle Frauen Lehrerinnen. _______________ Claudia ist Ärztin.

5 Sebastian bekommt von seinem Chef jetzt 100 Euro mehr im Monat. Er hat sich _______________ gefreut, dass er in die Luft gesprungen ist.

E Familie. Beantworten Sie die Fragen. Benutzen Sie dafür die Wörter dieses Kapitels.

Haben Sie Schwestern und Brüder? Sehen die Ihnen ähnlich oder sehen sie anders aus?
Ist eine große Familie gut oder schlecht? Nennen Sie verschiedene Aspekte. Sehen Ihre Eltern alles so wie Sie?
Bei welchen Themen gibt es Unterschiede? Beschreiben Sie Ihre Meinung und die Ihrer Eltern.

Durch die Tür

Lea und Anna gehen *zugleich* durch die Tür.

„Sie *zuerst*, junge Dame."
„Vielen Dank."

Der Koffer, die Tasche und *zusätzlich* die ganzen Bücher …

Warten

Johannes sieht alle 30 Sekunden auf die Uhr. Er guckt *oft*, wie spät es ist, weil er auf Anna wartet. Anna kommt *nie* zu spät, sondern *immer* zu früh. Nur heute nicht. Dabei ist Anna ganz anders als er. Er kommt *ständig* zu spät, das passiert ihm immer wieder. *Manchmal* tut ihm das sehr leid, besonders wenn Anna auf ihn warten muss. Es ist wirklich *selten*, dass er vor Anna irgendwo ist. *Stets* ist sie diejenige, die wartet. Johannes sieht *erneut* auf die Uhr. Plötzlich ruft Anna an: Sie kommt heute nicht mehr, sie hat keine Zeit. Das ist noch *niemals* vorgekommen.

Beim Arzt

Stefan: Herr Doktor, ich bin zurzeit häufig krank. *Zunächst* bin ich nur sehr müde. *Dann* habe ich starke Schmerzen in der Schulter und im Rücken. *Zuletzt* kann ich mich kaum mehr bewegen.

Arzt: Erzählen Sie *nochmal*, wie alles anfängt. *Zuerst* sind Sie sehr müde. Was passiert *dann*?

Stefan: *Dann* habe ich starke Schmerzen in der Schulter und im Rücken.

Arzt: *Meist* kommen die Schmerzen in der Schulter und im Rücken zusammen. Kommen die Schmerzen bei Ihnen auch *gleichzeitig*?

Stefan: Nein, *meistens* habe ich *erst* Schmerzen in der Schulter, *anschließend* im Rücken.

Arzt: Sie arbeiten zu viel. Am besten gehen Sie jetzt ins Bett und bleiben *nächste* Woche zu Hause. *Danach* machen Sie *täglich* Sport. Bald sind Sie bestimmt nicht mehr krank.

Heiraten

Lea wollte nie heiraten. Doch als sie 29 Jahre alt war, *unmittelbar* vor ihrem 30. Geburtstag, hat sie Markus getroffen. Da wollte Lea doch heiraten. Sie dachte: Jemanden wie Markus treffe ich *einmal* und nie *wieder*. Deswegen hat sie „Ja" gesagt. Nur vier Wochen später haben Lea und Markus geheiratet. Noch einen Tag *zuvor* hatte Lea ein bisschen Angst davor, dass das Fest nicht schön wird. Aber es ist ein sehr schönes Fest geworden. Kurz *vorher* konnten sie sich nicht entscheiden, ob sie bald wie Markus' oder Leas Familie heißen sollen. *Nachher* haben sie Leas Namen gewählt. Obwohl Lea nie heiraten wollte, hat sie *schließlich* doch geheiratet. Aber *erst* mit 30 Jahren. *Eher* hatte sie keine Lust dazu.

A Sie bereiten ein großes Essen für Freunde vor. Ihre Freundin fragt Sie, wann Sie am Abend das jeweilige Gericht essen werden. Ordnen Sie die folgenden Wörter in die Tabelle ein.

schließlich ▪ zuvor ▪ anschließend ▪ erst ▪ nachher ▪ davor ▪ zugleich ▪ dann ▪ zunächst ▪ vorher

zuerst	gleichzeitig	danach

B Wie war es früher? Finden Sie das Gegenteil. Ergänzen Sie die Sätze mit den folgenden Wörtern.

häufig ▪ oft ▪ nie ▪ zuerst ▪ danach

1 Mama, hast du deine Freunde früher selten gesehen? – Nein, ich habe sie __________ gesehen.

2 Mama, wurdest du beim Fußball zuletzt in die Mannschaft gewählt? – Nein, ich wurde __________ in die Mannschaft gewählt.

3 Mama, hast du manchmal Liebesfilme gesehen? – Ja, ich habe __________ Liebesfilme gesehen.

4 Mama, hast du immer für die Schule gelernt? – Nein, ich habe __________ für die Schule gelernt.

5 Das war 1979. Hattest du zuvor schon Bilder verkauft? – Nein, ich habe erst __________ Bilder verkauft.

C Eins ist falsch. Welches Wort passt nicht dazu? Unterstreichen Sie dieses Wort.

1 meist – stets – oft – einmal
2 eher danach – zunächst – zuvor
3 nochmal – zusätzlich – außerdem – einzig

D Stefans Traum. Ergänzen Sie die Sätze mit den folgenden Wörtern.

erneut ▪ ständig ▪ niemals ▪ sonst ▪ wieder ▪ unmittelbar

Ich stehe vor einem großen Haus mit einem Garten. Immer ______________[1] versuche ich die Tür zum Garten zu öffnen, aber es gelingt mir nicht. Ich versuche es ______________[2], mit großer Kraft. Da öffnet sie sich. ______________[3] zuvor war ich in einem so schönen Garten. Ich laufe durch den Garten. Ich habe ______________[4] Angst, dass ich mich in diesem großen Garten verlaufe. Aber ich will auch wissen, was in dem Haus ist. Ich gehe näher, doch ______________[5] in diesem Moment höre ich eine Stimme: „Steh auf, es ist spät, du musst heute früher zur Arbeit als ______________[6]."

E Und wie ist es bei Ihnen? Beantworten Sie die Fragen. Benutzen Sie dafür die Wörter dieses Kapitels.

Was erledigen Sie morgens, bevor Sie das Haus verlassen? Was sind Ihre Hobbys?
Wie viel Zeit verbringen Sie mit den einzelnen Tätigkeiten? Zählen Sie die wichtigsten Ereignisse Ihrer Jugend auf.
War es bei Ihren Schwestern und Brüdern genauso?

Herr Müller besucht seinen alten Vater

Der Vater von Herrn Müller ist schon alt. Er hört nicht mehr so gut und muss deswegen oft fragen. Herr Müller begrüßt *seinen* Vater. *Sein* Vater fragt: „*Was* hast du gesagt?" Herr Müller wiederholt den Satz: „Ich habe gesagt, Hallo Vater, *wie* geht es *dir*?" „Mein Sohn", antwortet der Vater, „ich höre und sehe schlecht, aber es geht mir gut. Und *dir*?"
„Mir geht es nicht so gut. Ich fühle *mich* nicht gut. Wenn das so weitergeht, brauche ich bald Urlaub. Ich arbeite gerade an einem großen Projekt. Das bedeutet: *viel* Arbeit."

Derselbe Mann

Heute hat Herr Schmidt sehr schlecht geschlafen. *Dies* ist der Grund, dass er jetzt schon wach ist. Er isst ein Brot und schaut dabei aus dem Fenster. Und plötzlich sieht er *ihn*: den Mann, den die Polizei seit gestern sucht. Er ist *sich* ganz sicher. Das ist *derselbe* Mann, *dessen* Foto gestern in der Zeitung war. In der Zeitung stand auch, dass *diejenige* Person, die den Mann sieht oder andere Informationen über ihn hat, sich melden soll. Er geht also zum Telefon, um bei der Polizei anzurufen und *ihnen* zu sagen, wo der Mann ist.

Kann mir jemand helfen?

Es muss doch in diesem Laden *jemanden* geben, der mir mit meinem Computer helfen kann. Ich suche schon die ganze Zeit einen Mitarbeiter, der mir helfen kann. Ah, da ist *einer*. Können Sie mir mit meinem Computer helfen? – Nein, da sind Sie hier in der falschen Abteilung. Hier kann Ihnen *niemand* helfen. Gehen Sie mal nach oben. Da kann *man* Ihnen sicher helfen. – Können Sie mir helfen? Mein Computer funktioniert nicht. – Da kann ich Ihnen nicht helfen. Sehen Sie den Mann dort? Gehen Sie zu *ihm* und fragen Sie ihn.

Hier ist dein Geschenk

Ina: Hallo Lea, hier ist *dein* Geschenk. Es ist von Peter und mir.

Lea: Oh, vielen Dank. *Euer* Geschenk ist sehr schön. Aber steht doch nicht so da. Setzt *euch* doch oder nehmt *euch* etwas zu essen.

Ina: Lea, das Brot ist sehr gut. Hast du es *selber* gemacht? Ich habe *solch* ein gutes Brot noch nie gegessen.

Lea: *Welches* Brot meinst du denn? Ach, das da. Das haben Stefan und Sebastian mitgebracht. Entschuldige mich, da kommen neue Gäste. *Denen* muss ich erst mal „Hallo" sagen.

A Ihm, ihn, jemand, niemand. Welches Wort passt zu welchem Satz? Ordnen Sie zu.

1 Kennst du den Mann? → d
2 Es gibt keine Person, die das weiß.
3 Kannst du das nicht ohne meine Hilfe machen?
4 Vielleicht gibt es eine Person, die wir anrufen können.
5 Da ist eine Person, die wir fragen können.
6 Wir können dem Kind nicht helfen.

a niemanden, der
b einer, den
c jemanden, den
d ihn
e ihm
f selber

B Ein schlechter Anfang. Ergänzen Sie den Dialog mit den folgenden Wörtern.

mich ▪ selber ▪ ihnen ▪ wer ▪ dasselbe ▪ dir ▪ wie ▪ man ▪ was

Mona: Was weckst du mich denn schon? Es ist erst halb sieben. Immer ____________[1]. Es gibt kein Wochenende, an dem ____________[2] lange schlafen kann. Ich kann ____________[3] nicht erinnern, wann ich mal bis neun Uhr geschlafen habe. Und das Essen ist auch noch nicht fertig. Alles muss man ____________[4] machen.

Jonas: Wir bekommen heute Besuch. Deswegen wollte ich, dass du aufstehst.

Mona: Warte mal, ____________[5] hast du gesagt? Wir bekommen Besuch? ____________[6] kommt denn? ____________[7] lange wollen sie denn bleiben?

Jonas: Markus und Susi kommen. Ich habe ____________[8] gesagt, dass sie bis Sonntag bleiben können. Immer vergisst du alles, es ist immer das Gleiche mit ____________[9].

C Einen Brief schreiben. Ergänzen Sie den Text mit den folgenden Wörtern.

man ▪ euch ▪ euch ▪ viele ▪ solchen ▪ sich

Liebe Claudia, lieber Peter,

ich schreibe ____________[1] heute aus Berlin. Es ist Sommer und in den Parks sitzen ____________[2] Menschen. Es ist sehr schön, ____________[3] in den Park zu setzen und zu lesen oder die anderen Leute zu beobachten. Berlin gefällt mir sehr gut. ____________[4] kann hier viel unternehmen. Es macht mir ____________[5] Spaß, die Stadt zu entdecken. Bald schreibe ich mehr.

Liebe Grüße sendet ____________[6]

Lea

D Und bei Ihnen? Beantworten Sie die Fragen. Benutzen Sie dafür die Wörter dieses Kapitels.

Erzählen Sie von Ihrem letzten Besuch bei Freunden oder Verwandten. Benutzen Sie die Possessivartikel.
Waren Sie auch schon einmal in einem Laden und niemand konnte Ihnen helfen? Erzählen Sie davon.
Wie oft besuchen Sie Ihre Familie oder bekommen Besuch von Verwandten?

Ein großes Fest

Ich möchte an meinem Geburtstag *ein* großes Fest feiern, aber *dazu* sind Entscheidungen zu treffen. Alles beginnt mit *der* Frage: Wen lade ich ein? Ich möchte ja nicht, dass *irgendwelche* Leute kommen, sondern ich möchte diese Leute gern besser kennen. *Darum* würde ich gerne *all* meine Freunde einladen, aber das geht nicht. So viel Geld kann ich nicht ausgeben. Also lade ich nur *einige* Freunde ein, *nämlich* die Freunde, die ich am meisten mag. Schwierig wird es auch, *das* Essen vorzubereiten. *Manche* Freunde von mir essen *kein* Fleisch. *Deren* Essen muss ich also ohne Fleisch kochen, denn *irgendetwas* wollen sie auch essen. Aber zum Glück weiß ich, was *jeder* gerne isst oder nicht isst.

Hallo Mama!

Kind: Heute hat *irgendein* Mann angerufen. Ich erinnere mich nicht mehr an seinen Namen.
Mutter: Hat er gesagt, *weshalb* er anruft?
Kind: Nein, *davon* hat er nichts gesagt.
Mutter: Und *wieso* hast du ihn nicht gefragt?
Kind: Weil *der* Mann nicht sehr freundlich war.
Mutter: Dann gib mir mal *das* Telefon, *damit* ich schauen kann, ob seine Nummer noch gespeichert ist.

Darunter, dadurch, dabei

- Weißt du, was *eine* Aktiengesellschaft ist? – *Nein, darunter* kann ich mir nichts vorstellen. Was ist das?
- Ich darf den Geburtstag von Stefanie nicht vergessen. Ich muss unbedingt *daran* denken.
- Hast du mir mein Buch mitgebracht? – Oh nein, *das* habe ich nicht mit *dabei*. Entschuldige.
- Stört es Sie, wenn ich hier rauche? – Nein, ich habe nichts *dagegen*, wenn Sie rauchen.
- Wir haben kein Geld mehr. Wir haben *daher* keine andere Möglichkeit, als unser Haus zu verkaufen.
- Ich gehe jetzt immer sehr früh ins Bett. *Dadurch* kann ich mehr schlafen.
- Sag mir endlich *die* ganze Wahrheit! *Heraus* mit der Wahrheit!
- Diese Zeitungen hier erscheinen täglich, *jene* dort nur einmal pro Woche.

Wo ist das Brot?

Manchmal passieren Dinge, die ich mir nicht erklären kann. Ich habe mir vor einer Stunde *ein* Brot gekauft. Ich habe *das* Brot in kleine Stücke geschnitten und auf den Tisch gelegt. Aber jetzt fehlt *die* Hälfte. – Keine Sorge, es gibt sicherlich eine Erklärung *dafür*. [Eine Minute später:] Na klar, sieh mal aus dem Fenster. Da auf dem Baum *am* Haus sitzt *ein* Vogel. Ich bin mir sicher, dass er sich *etwas* von deinem Brot genommen hat. – Ja, du hast Recht. Ich habe natürlich nicht *darauf* geachtet, *das* Fenster zu schließen. Naja, man lernt aus seinen Fehlern. – Ja, man lernt *daraus*.

A Der, die, das. Ergänzen Sie die Sätze mit den folgenden Wörtern.

darunter • die • daher • dadurch • das • am • ein • der • dagegen

1 ____________ Haus, ____________ Firma und ____________ Wagen gehören ihrem Vater.

2 Liebe. Ich verstehe ____________, dass sich zwei Menschen sehr nahe sind.

3 Die Stadt hat kein Geld mehr, wir müssen ____________ Geld sparen.

4 Viele Bürger sind ____________, aber ich bin dafür!

5 Paul hat einen neuen Job und kann ____________ besser für seine Familie sorgen.

6 Wir treffen uns ____________ Bahnhof und fahren dann gemeinsam nach Leipzig.

7 ____________ Freund hat mir gesagt, dass Julia jetzt einen neuen Freund hat.

B Dabei, davon, daraus. Ordnen Sie den Sätzen die passenden Ausdrücke zu.

1 Ich habe von diesem System noch nie etwas gehört. → b
2 Man kann mit diesem Computer viel machen.
3 Er glaubt nicht an die Veränderung der Situation.
4 Er achtet immer auf die Meinung der Anderen.
5 Sie stimmen für das neue Gesetz.
6 Ich bin beim Lesen fast eingeschlafen.
7 Er hat viel zum Frieden beigetragen.

a dafür
b davon
c darauf
d dabei
e daran
f dazu
g damit

C Was kann man machen? Ergänzen Sie die Wortgruppen mit den folgenden Wörtern.

irgendwelche • jeden • irgendetwas • irgendein

1 ____________ Buch lesen
2 ____________ Leute treffen
3 ____________ Tag früh aufstehen
4 ____________ nicht verstehen

D Wieso, weshalb, warum? Ordnen Sie ähnliche Sätze einander zu.

1 Weshalb freust du dich so?
2 Ich bleibe zu Hause, ich bin nämlich krank. → a
3 Auf diesem Fest kenne ich einige Leute, aber nicht alle.
4 Ich möchte dazu etwas sagen.
5 Ihre Aufgabe besteht darin, Menschen zu helfen.
6 Ich habe keine Lust auf Fußball.
7 Ich lade alle meine Freunde ein.
8 Ich komme am Morgen nicht aus dem Bett heraus.

a Ich fühle mich nicht so gut, darum bleibe ich hier.
b Ihre Aufgabe ist es, Menschen zu helfen.
c Wieso lachst du?
d Ich habe Probleme beim Aufstehen.
e Ich habe dazu einige Worte zu verlieren.
f Manche Personen hier habe ich noch nie gesehen.
g Ich möchte, dass alle meine Freunde kommen.
h Ich will jetzt nicht Fußball spielen.

E Ein Fest planen. Sie haben bald Geburtstag und planen ein Fest. Beantworten Sie die Fragen und benutzen Sie dafür die Wörter dieses Kapitels.

Welche Personen wollen Sie einladen und warum? Was wollen Sie kochen und warum?

Rufe ich an oder rufe ich nicht an?

Lea sitzt auf einer Bank. Sie überlegt: Rufe ich Paul heute an, *oder* rufe ich ihn nicht an? Ich bin mir nicht sicher, *ob* er sich freut *oder ob* es ihm egal ist. Ich muss mir eine Frage überlegen, die ich ihm stellen kann. *Entweder* er beantwortet mir die Frage sehr freundlich *und* redet eine Weile mit mir, *oder* das Gespräch wird nur sehr kurz. Ich denke oft, *dass* er mich mag, *aber* manchmal bin ich mir nicht sicher. Ich mochte Paul schon, *als* ich ihn das erste Mal gesehen habe. *Aber* ich weiß trotzdem nicht, *ob* ich ihn anrufe. *Nachdem* Lea eine Stunde auf der Bank gesessen *und* überlegt hat, geht sie nach Hause. Sie kann Paul auch morgen anrufen.

Maria

Maria möchte berühmt werden. Seit sie ein kleines Mädchen ist, sagt Maria immer: *Wenn* ich einmal groß bin, werde ich berühmt. Sie tut viel dafür. *Sofern* sie nicht gerade singt *oder* tanzt, liest sie alles über berühmte Leute. Dabei liest sie *sowohl* Bücher als auch Artikel im Internet. Außerdem geht sie häufig ins Kino *und* ins Theater *sowie* auf Konzerte. *Falls* sie berühmt wird, möchte sie sich ein Schloss in Frankreich *und* ein Haus in New York kaufen.

Paul auf der Bühne

Es ist wirklich schwierig mit Paul. Er möchte *weder* Romeo noch Othello spielen. Er ist *aber* der Einzige, der diese Rollen spielen kann, *weil* er der einzige Mann ist. *Wie* kann ich ihn nur überzeugen? – *Na,* ganz einfach. Du kaufst ihm dafür eine Karte für das Konzert von den Rolling Stones. – Meinst du? – Na klar. Er liebt ihre Musik. – *Na ja* gut, dann probier ich es *halt* mal mit einer Karte für ein Konzert. – *Zumal* du ihm damit eine doppelte Freude machst. – Wieso? – Na, *weil* er dann die Gelegenheit hat, abends auszugehen. Oh, darf er das sonst nicht? – Nur sehr selten, *denn* seine Eltern sind sehr streng. Übrigens werde ich mir auch eine Karte für das Konzert kaufen. – Na, *umso* besser. So kann ich Pauls Eltern *ja* erzählen, dass er nicht allein auf das Konzert geht. Wie viel kostet eine Karte? – Es gibt Karten für die ersten zehn Reihen *und* Karten für die übrigen Reihen. Sie kosten 65 *beziehungsweise* 48 Euro.

Meine Oma und ich

- Meine Oma denkt immer, *dass* ich einen Hund habe. *Aber* ich habe keinen Hund, *sondern* eine Katze. Ich habe in ihrer ganzen Wohnung Bilder von meiner Katze aufgehängt, *sodass* sie nicht mehr denkt, ich habe einen Hund. *Aber* es hilft nichts.
- Meine Oma denkt auch, *dass* ich immer noch mit Maria zusammen bin. *Obwohl* ich ihr immer wieder gesagt habe, *dass* meine neue Freundin Lea heißt, fragt meine Oma immer am Telefon, wie es Maria geht. Lea guckt mich dann immer böse an.
- Meine Oma denkt auch, *dass* ich gern Fisch esse. *Solange* ich denken kann, bereitet sie jedes Mal Fisch vor, *wenn* ich sie besuche. *Aber* ich mag keinen Fisch.
- Meine Oma denkt auch, *dass* ich jeden Sonntag um 7 Uhr aufstehe *und* eine Stunde durch den Park renne. *Sobald* es am Sonntag 7 Uhr ist, ruft sie mich an *und* wünscht mir einen schönen Sonntag.
- Meine Oma denkt auch, *dass* ich mich für Fußball interessiere. Sie denkt, sie macht mir eine Freude, *indem* sie mir alle Artikel aus der Zeitung zum Thema „Fußball" gibt. *Aber* ich habe nie Fußball gespielt und interessiere mich auch nicht dafür.
- Meine Oma denkt auch, *dass* Hip-Hop ein französischer Sport ist. Aber *bevor* ich versuche, ihr zu erklären, was Hip-Hop wirklich ist, werde ich noch eine Weile warten.

A Buchstabensalat. Finden Sie neun Wörter dieses Kapitels im Wörtergitter.

W	E	D	E	R	Q	W	E	R	T
Z	U	I	O	P	A	S	S	F	F
F	D	A	S	S	G	O	D	E	R
H	J	K	L	O	Y	N	X	C	V
N	E	N	T	W	E	D	E	R	B
A	Q	E	Z	O	U	E	I	E	T
B	A	I	H	H	J	R	K	D	W
E	Y	N	N	L	M	N	L	G	E
R	X	E	D	C	R	F	G	B	N
W	S	O	B	W	O	H	L	B	N

B Die Zeitung. Ergänzen Sie die Sätze mit den folgenden Wörtern.

sowie ▪ falls ▪ beziehungsweise ▪ indem ▪ sodass

Ich informiere mich über die Lage im Land, ________________[1] ich jeden Tag Zeitung lese ________________[2] Berichte im Fernsehen sehe. ________________[3] ich am Morgen keine Zeit habe, lese ich die Zeitung am Abend. Am Wochenende ist die Zeitung immer besonders dick, ________________[4] ich häufig mehr als zwei Stunden lese. Die Zeitung kostet Montag bis Freitag 90 Cent ________________[5] am Wochenende 1,20 Euro.

C Lea telefoniert mit Paul. Ergänzen Sie den Dialog mit den folgenden Wörtern.

dass ▪ solange ▪ wenn ▪ als ▪ sobald ▪ und ▪ zumal ▪ sofern ▪ naja

Paul: Ich rufe an, ______________[1] ich weiß, wann ich da bin. Ich hoffe, ______________[2] die Zeit reicht, um einen Kaffee mit dir zu trinken. ______________[3] der Zug zu spät ist, muss ich direkt in die Firma ______________[4] wir sehen uns später.

Lea: Wie viel Zeit brauchst du in der Firma?

Paul: Ich weiß nicht. Der Chef hat keinen Grund genannt, ______________[5] er mich angerufen hat. ______________[6] ich nicht mit ihm geredet habe, weiß ich es nicht.

Lea: ______________[7], ich werde trotzdem das Essen vorbereiten.

Paul: Ok. Ich werde gegen 20.00 Uhr bei dir sein, ______________[8] du nichts dagegen hast. Der Chef arbeitet nie spät, ______________[9] er heute Geburtstag hat und bestimmt nach Hause möchte.

D Die Freizeit. Beantworten Sie die Fragen. Benutzen Sie dafür die Wörter dieses Kapitels.

Wann lesen Sie Zeitung, wann nicht? Machen Sie lieber Urlaub in den Bergen oder am Meer?

Wo sind die Bücher?

Die Bücher *liegen* auf dem Boden.

Lea *stellt* die Bücher ins Regal.

Die Bücher *stehen* im Regal.

Lea *setzt* sich auf den Stuhl.

Wer sind Sie?

- Wie *ist* Ihr Name? – Ich *heiße* Sebastian Müller.
- Was *sind* Sie von Beruf? – Ich *bin* Arzt und *arbeite* im Krankenhaus.
- *Sind* Sie verheiratet? – Ich *bin* seit drei Jahren verheiratet.
- *Haben* Sie Hobbys? – Ich *spiele* gerne Fußball und ich *gehe* oft ins Kino.
- Wohnen Sie in einem Haus oder in einer Wohnung? – Ich *lebe* in einem großen Haus in der Stadt.
- *Haben* Sie ein Auto? – Ja, ich *fahre* jeden Tag mit dem Auto zur Arbeit.

Paul feiert Geburtstag

Paul *hat* bald Geburtstag. Er *wird* 30 Jahre alt. Er *hat* uns zu seiner Feier eingeladen. Ich möchte dabei *sein*, ich *komme* auf jeden Fall. Die Feier fängt um 22 Uhr an. Sie *beginnt* um 22 Uhr. Susi *geht* noch zu einer anderen Feier, um 23 Uhr. Sie kann nur kurz auf Pauls Feier *bleiben*. Paul *ist* sehr krank, deshalb *kann* er nichts kochen. Er *wird* das Essen von Freunden machen *lassen*. Da Paul krank ist, darf er nichts trinken, kein Bier, keinen Wein. Deshalb sollen auch Pauls Gäste nicht in seiner Wohnung Bier oder Wein trinken. Diese Bitte *gilt* für alle, auch für Pauls Freundin.

Denken und sprechen

- Susi *macht* oft alles nur so, wie sie es *will*. Dann *denkt* sie nur an sich.
- Er *ist* sehr offen. Du *kannst* mit ihm über alles *sprechen*.
- Ich *bin* sicher, dass das Projekt funktionieren wird. Ich *glaube* an seinen Erfolg.
- Ich habe ihn heute Morgen mehrmals angerufen, aber ich habe ihn nicht erreicht. Am Abend werde ich es noch einmal *versuchen*.
- Die Firma existiert schon seit 100 Jahren. Sie *besteht* schon seit einem Jahrhundert.

A Was steht und liegt auf dem Tisch? Ergänzen Sie die Tabelle mit den folgenden Wörtern.

	steht	auf dem Tisch.
	stehen	
	liegt	
	liegen	

die Pflanzen
das Weinglas
der Computer
50 Euro
das Papier
das Bild

B Wer sind Sie? Ergänzen Sie die Wortgruppen mit den folgenden Wörtern.

gehen ▪ sein ▪ heißen ▪ spielen ▪ fahren ▪ arbeiten

Lea, Ralf, Uta: ______________[1] – verheiratet, 20 Jahre alt: ______________[2] – bei einer Firma, im Krankenhaus, von 9 bis 17 Uhr: ______________[3] – mit dem Zug, mit dem Bus, mit dem Auto: ______________[4] – ins Museum, ins Konzert, ins Theater: ______________[5] – Fußball, Volleyball, Basketball, Handball: ______________[6]

C Meine Geburtstagsparty. Ergänzen Sie den Text mit den folgenden Wörtern.

kommen ▪ beginnt ▪ setzen ▪ werde ▪ versucht ▪ bleiben ▪ gilt ▪ lassen

Morgen habe ich Geburtstag. Ich ____________[1] 30. Ich habe eine tolle Party für morgen organisiert. Dazu habe ich 20 Freunde eingeladen. Eigentlich ____________[2] die Party um 20 Uhr, aber viele Gäste ____________[3] erst um 20.30 Uhr und ____________[4] dafür länger auf der Party. Ich habe nicht so viele Stühle, aber nicht alle ____________[5] sich, viele stehen. Schlimm ist nur, dass meine Musikanlage nicht mehr funktioniert. Ich habe gestern oft ____________[6], Musik zu hören, aber ohne Erfolg. Hoffentlich kann ich mir damit bis morgen von meinem Freund helfen ____________[7]. Morgen ____________[8] für alle Gäste: gute Stimmung mitbringen.

D Was gehört wozu? Ergänzen Sie die Sätze mit den folgenden Wörtern.

mit seinem Chef sprechen ▪ glaubt an Gott ▪ an sie denkt

1 Susi geht jeden Sonntag in die Kirche. Sie ______________________________.

2 Sebastian hat viele Probleme bei der Arbeit. Er möchte ______________________________.

3 Stefan liebt seine Freundin so sehr, dass er den ganzen Tag ______________________________.

E Wie sieht es bei Ihnen aus? Beantworten Sie die Fragen. Benutzen Sie dafür die Wörter dieses Kapitels.

Beschreiben Sie Ihr Schlafzimmer: Wo liegen/stehen Ihre Sachen?

Kann man, darf man, muss man, soll man oder will man?

Stefan *kann* schwimmen.

Herr Schmidt *muss* warten.

Herr Müller *darf* höchstens 100 km/h *fahren*.

Paul, du *sollst* dir die Hände waschen.

Anna *will* mit ihrem Freund telefonieren.

Das Alte Museum in Berlin

Eine ältere Dame aus Spanien *ist* zum ersten Mal in Berlin. Sie *kennt* die Stadt nicht. Sie *spricht* nur Spanisch und *versteht* kein Deutsch. Sie *will* ins Alte Museum gehen. Sie *fragt* im Hotel nach dem Weg. Ein Mitarbeiter des Hotels *gibt* ihr eine Karte von Berlin und *zeigt* ihr den Weg auf der Karte. Die Dame freut sich, *sagt* „Danke schön" und *geht* los. Auf dem Weg trifft sie eine Gruppe Spanier, die den Weg *kennen* und sie zum Museum *führen*. Die Dame ist froh und *folgt* den Spaniern gern. Als die Gruppe am Museum ankommt, *macht* die Dame ein Foto von den freundlichen Spaniern. So *hat* sie eine schöne Erinnerung.

Unsere Tante

Kannst du kurz mal die Taschen *halten*? Ich *muss* noch zur Post. Meine Schwester und ich haben einen Brief für unsere Tante in Italien vorbereitet und ich sollte ihn zur Post *bringen*. Sie *hat* in drei Tagen Geburtstag und wir hoffen, dass sie den Brief an diesem Tag *bekommt*. Wir schicken ihr ein Buch, mit dem sie Deutsch *lernen* kann. Seit sie einmal in Hamburg und Berlin war, *erzählt* sie uns immer am Telefon, wie sehr es ihr gefallen hat. Ich habe einen deutschen Satz von ihr gelernt: „Was kann ich für Sie *tun*?" Das *fragt* man immer die Kunden in Deutschland. Meine Tante hat vor zehn Monaten eine Tochter bekommen. Sie *nennen* sie Johanna, weil es ein deutscher Name *ist*.

Die schönen Schuhe

Lea *hat* ein schönes Kleid, aber keine Schuhe, die dazu passen. Sie *braucht* neue Schuhe. Sie sucht in den Läden der Stadt nach neuen Schuhen, aber sie *sieht* keine Schuhe, die ihr gefallen. Sie *findet* erst im Internet ein Paar schöne Schuhe. Sie bestellt sich die Schuhe und fragt ihre Freundin, was sie zu den Schuhen *meint*. Die Freundin meint, dass sie die Schuhe so schön findet, dass sie sich auch diese Schuhe kaufen *möchte*.

A Wer kann/muss/soll/will/darf laufen? Unterstreichen Sie das passende Wort.

1 Maria ist ein Baby. Sie darf/kann/soll noch nicht laufen.
2 In diesem Dorf fahren keine Autos. Die Touristen können/wollen/müssen hier laufen.
3 Stefan bewegt sich nicht. Wir sagen ihm, er soll/will/darf mehr Sport machen.
4 Die Sonne scheint. Claudia genießt dieses Wetter und muss/soll/will zur Schule laufen.
5 Die Menschen müssen warten. Nur Ärzte dürfen/wollen/können hier entlang laufen.

B Mir oder mich? Ergänzen Sie die Sätze mit den folgenden Wörtern.

kennt mich ▪ gibt mir ▪ folgt mir ▪ führt mich ▪ erzählt mir ▪ frag mich

1 Ich habe morgen Geburtstag, aber sie ______________ das Geschenk schon heute.

2 Mein Hund ______________ jeden Tag bis zum Bahnhof.

3 Mein Freund ______________ nicht, dass er eine neue Kollegin hat.

4 Wenn du etwas nicht verstehst, dann ______________!

5 Ich kann nichts sehen, deshalb ______________ die Frau über die Straße.

6 Er ist wie ein Bruder für mich. Er ______________ seit fünfzehn Jahren.

C Was macht man? Ordnen Sie die Wörter den passenden Erklärungen zu.

1	Fotos, das Essen, Kaffee	a	bekommen
2	Geschenke, eine E-Mail, Briefe	b	zeigen
3	gut, schlecht, nur mit Brille, viel, wenig	c	lernen
4	das Paket zur Post, die Kinder in die Schule	d	sehen
5	aus dem Schrank etwas, aus dem Regal etwas	e	tun
6	Mathematik, Chemie, von den Eltern	f	nehmen
7	für arme Kinder etwas	g	machen
8	Fotos, Bilder, die Stadt, die Umgebung	h	bringen

D Wie sagt man das anders? Ergänzen Sie die Sätze mit den folgenden Wörtern.

braucht ▪ meint ▪ findet ▪ hat ▪ halten

1 Viele Kleider hängen bei Susi im Schrank. Susi ______________ viele Kleider.

2 Sie hat eine schwarze Tasche, aber keine braune. Sie ______________ eine braune Tasche.

3 In einem neuen Geschäft sieht sie die richtige Tasche. Dort ______________ sie die Tasche.

4 Susis Hände sind voll. Sie kann nichts mehr ______________.

5 Sie fragt den Verkäufer, was er denkt. Sie fragt ihn, was er ______________.

E Und bei Ihnen? Beantworten Sie die Frage. Benutzen Sie dafür die Wörter dieses Kapitels.

Was können/müssen/sollen/wollen/dürfen Sie machen?

1.01

A 1 das Mädchen – 2 der Junge – 3 die Frau – 4 der Mann – 5 die Erwachsenen – 6 die Kinder
B 1e – 2g – 3f – 4b – 5d – 6a – 7c
C 1 Personen – 2 heiraten – 3 Jugend
D 1 bin – 2 Mein Geburtstag – 3 wohne – 4 Herr

1.02 ▪ 1.07 I

A 1 ursprünglich, Ausländerin – 2 Ausland – 3 jüdischen – 4 Juden – 5 Amerikaner
B 1 Amerikaner – 2 Türkisch – 3 Englisch – 4 Spanisch
C 1 bayrische – 2 amerikanische – 3 britischen – 4 arabische – 5 ausländischen – 6 traditionelle
D 1 Heimat – 2 Russisch – 3 Deutsch – 4 Berliner – 5 Land – 6 Französisch – 7 Traditionen

1.03 ▪ 1.07 II

A 1 die Mutter – 2 der Vater – 3 der Sohn – 4 die Tocher – 5 die Eltern – 6 die Kirche – 7 der Pfarrer
B 1 Tante – 2 Ehe – 3 aufgewachsen – 4 Mama – 5 Jugendlichen – 6 Religion – 7 katholisch
C 1 Partnerin – 2 Alltag – 3 christliche, religiös

1.04 ▪ 1.05

A 1d – 2a – 3e – 4f – 5c – 6b
B 1 dünn – 2 groß, riesig
C 1 nett – 2 dünn – 3 ordentlich – 4 streng
D 1 ordentlich – 2 ehrlich – 3 aufmerksam – 4 streng – 5 verhält sich – 6 typisch – 7 Willen – 8 stolz – 9 offene – 10 toll – 11 Figur – 12 Haare – 13 perfekt – 14 normal – 15 froh

1.06

A 1 Auto – 2 Papier – 3 Maschine – 4 Person – 5 Hauptstadt
B 1b – 2e – 3a – 4f – 5g – 6c – 7h – 8d
C 1 sich für Sport, sich für Musik – 2 die Freizeit – 3 ein Lied – 4 die Landschaft – 5 sich mit Kindern – 6 sich für Sport, sich für Musik
D 1 Fähigkeit – 2 erfüllt – 3 Freizeit – 4 nimmt … vor – 5 gefällt, lieber

2.01 I ▪ 2.02

A 1 beziehen – 2 Nachbar – 3 streichen – 4 Dinge – 5 Ordnung – 6 rücken – 7 Haushalt
B 1 Gegenstand – 2 verwenden – 3 Nutzung
C 1a – 2d – 3c – 4e – 5b
D 1 das Tor – 2 einer Bank – 3 Der Garten – 4 einem Schloss – 5 einem Platz – 6 Die Stromleitung

2.01 II ▪ 2.03

A *Teil einer Wohnung:* das Bad, die Küche, das Zimmer, der Gang
Teil eines Zimmers: die Wand, das Fenster, der Boden, die Tür, die Decke
Möbelstücke: das Bett, der Tisch, der Stuhl
B 1 Haus – 2 Dach – 3 Garten – 4 Mauer – 5 betritt – 6 Tür – 7 Stufen
C 1 das Fenster, die Tür – 2 ein Haus – 3 das Gebäude, das Haus, die Wohnung – 4 das Fenster, die Tür – 5 ein Haus – 6 die Wohnung, das Haus
D 1 Wand – 2 ein Haus – 3 Zimmer – 4 Hof – 5 Gebäude

3.01 ▪ 3.02

A 1 Ort– 2 fließt, Steine – 3 Stelle – 4 Berg – 5 Lage
B 1c – 2b – 3a
C 1 die Insel – 2 die Landschaft – 3 das Wasser
D 1 See – 2 Welle – 3 Meer – 4 Fluss – 5 Ebene – 6 Feld – 7 Erde – 8 Wald

3.03 ▪ 3.04

A 1f – 2c – 3a – 4e – 5b – 6d
B 1 Hund – 2 Vogel – 3 Katze – 4 Pferd – 5 Tier – 6 Holz – 7 Baum – 8 wachsen – 9 Pflanze – 10 Blatt
C 1 scheint, Himmel – 2 entstanden – 3 Luft, Grad – 4 wachsen – 5 Zellen – 6 schützen
D 1 Wind – 2 biologisch – 3 Umwelt

4.01

A 1 hin – 2 zurück – 3 links – 4 rechts – 5 hinauf – 6 hinaus
B 1 verlaufen – 2 Weg – 3 entfernt – 4 Nähe – 5 Ecke – 6 suche – 7 Richtung – 8 Straße – 9 gelangen
C 1c – 2d – 3e – 4b – 5a

4.02

A 1 Saison, Hotels – 2 unternommen – 3 Touristen – 4 Tourismus – 5 Informationen – 6 reist – 7 zurückgehen
B 1 Urlaub – 2 Reise – 3 geplant – 4 Ziel – 5 Plan – 6 Hotels – 7 zurückkommen – 8 packen
C 1f – 2e – 3d – 4b – 5c – 6a

4.03 ▪ 4.04

A 1 Bus, Linie – 2 Verkehr – 3 Geschwindigkeit, gefährdest – 4 Anschluss – 5 Start – 6 Strecke – 7 Schiffe, gesunken
B 1 Fahrt – 2 Boot – 3 Fahrer
C 1 das Auto, der Bus, das Fahrrad, der Wagen – 2 das Boot, das Schiff – 3 das Flugzeug – 4 das Flugzeug – 5 der Flughafen, die Insel
D 1d – 2c – 3b – 4e – 5a

5.01 ▪ 5.02

A 1 kocht – 2 trinkt – 3 probieren – 4 isst – 5 bestellen – 6 reicht – 7 auswählen – 8 scharf – 9 enthält
B 1 bestellen – 2 kochen – 3 reichen – 4 bedienen – 5 das Gericht – 6 genug – 7 Kaffee
C 1 gar – 2 Flasche – 3 trinkt – 4 probieren – 5 kochen – 6 reichen – 7 genügt

6.01 ▪ 6.04

A 1 passt – 2 erledigen – 3 empfehlen – 4 übrig
B 1d – 2e – 3f – 4a – 5c – 6b
C 1 Paar – 2 kaufen – 3 Qualität – 4 passt – 5 zahle
D 1 echt – 2 Käufer – 3 Loch – 4 Liste – 5 Kleid – 6 übrig – 7 trage – 8 Tasche – 9 anziehen

6.02

A 1 verfügt – 2 betragen – 3 anlegen – 4 los – 5 Wert, gestiegen – 6 spare
B 1 Bank – 2 angemessen – 3 Franken – 4 billig
C 1f – 2e – 3d – 4a – 5c – 6b
D *waagerecht:* finanziell, Bank, los, Euro, teuer
senkrecht: Franken, billig, Preis, anlegen, kosten, zählen, Euro, Geld, Wert

6.03

A 1 eröffnen – 2 Anbieter – 3 Nachfrage – 4 Umsatz – 5 Branche
B 1cD – 2bB – 3dC – 4aA
C 1 eröffnet – 2 gehandelt – 3 erweitert – 4 Gewinn – 5 Verlust – 6 Nachfrage
D 1 Geschäfte – 2 Lager – 3 Konkurrenz – 4 Produkt – 5 Angebot – 6 Verlust – 7 Einnahmen

7.01

A 1 verweise – 2 Behörden – 3 betrifft – 4 zuständig, Ausnahme – 5 bestätigt – 6 beschränkt
B 1c – 2a – 3b
C 1 begrenzt – 2 vollständig – 3 Antrag – 4 melden – 5 überprüft
D 1 vertritt – 2 Vorgang – 3 Forderung – 4 Institution – 5 Amt – 6 Beitrag – 7 Verwaltung – 8 Grundlage

7.02

A 1 verursachen – 2 bedürfen – 3 helfen – 4 rufen – 5 ankündigen
B 1 benötigen – 2 erhalten – 3 mitgeteilt – 4 bereit – 5 Unterstützung
C 1 beachten – 2 sozialen – 3 Hilfe – 4 erleichtern – 5 helfen
D 1d – 2b – 3a – 4e – 5c

7.03

A 1 die Software – 2 das Netz – 3 der PC
B 1d – 2c – 3a – 4b
C 1 Daten – 2 System – 3 Anwendung, automatisch – 4 steuert – 5 online – 6 Computer
D 1 elektronisch – 2 Verbindung – 3 verbunden

7.04 ▪ 7.05

A *die Polizei:* ermitteln, verfolgen, warnen, beweisen
die Täter: verstecken, verbergen, töten, verschwinden
B 1 verraten – 2 das Opfer – 3 die Gewalt – 4 die Polizei
C 1 angezeigt, vermuten, beweisen, Polizei – 2 Gewalt – 3 weg – 4 Waffe – 5 zwingen – 6 sicher
D 1f – 2e – 3d – 4c – 5a – 6b

8.01

A *der Kopf:* das Gehirn, die Stirn, das Ohr, der Mund
vom Hals bis zu den Füßen: das Herz, der Rücken, das Knie, das Bein
B 1 der Kopf – 2 das Auge – 3 die Nase – 4 der Hals – 5 die Schulter – 6 die Brust – 7 der Arm – 8 die Hand – 9 die Finger – 10 das Bein – 11 der Fuß
C 1 Ohren – 2 schlafen – 3 Augen, Rücken – 4 Haut – 5 abnehmen – 6 Stimme – 7 Körper

8.02 ▪ 8.03

A 1 gesund – 2 Tod – 3 körperlich – 4 Ruhe – 5 Bedürfnis – 6 Krankheit – 7 Gesundheit
B 1 beruhigen – 2 belasten – 3 pflegen
C 1 das Risiko – 2 das Bedürfnis – 3 verhindern – 4 beinahe – 5 tot
D 1 krank – 2 leide – 3 Schmerzen – 4 körperliche – 5 Mangels – 6 Zustand – 7 wohl – 8 Gesundheit – 9 Leben

8.04

A 1 Praxis – 2 Verband – 3 Doktor – 4 Medizin – 5 retten – 6 Behandlung – 7 Therapie
B 1 Doktor – 2 Patienten – 3 Medizin – 4 Krankheit – 5 Kopf – 6 Verband – 7 Behandlung
C 1 überlebt – 2 gerettet – 3 Krankenhaus – 4 medizinische – 5 Verband – 6 entfernt – 7 Therapie – 8 Mittel – 9 Wirkung – 10 Behandlung

9.01 I ▪ 9.02

A :-) glücklich, Freude, lachen, freuen
;-(Leid, traurig, Sorge, weinen
:-o Angst, erschrecken, fürchten, schreien
B 1 fürchten – 2 traurig – 3 wirklich – 4 entdecken
C 1 das Gefühl – 2 hofft – 3 Reaktion – 4 geträumt – 5 Freude – 6 Bewusstsein
D *waagerecht:* lachen, traeumen, lieben, fuehlen
senkrecht: reagieren, weinen, zuhoeren, hoffen

9.01 II ▪ 9.04

A 1 Hat das Kleid eine helle Farbe? – 2 Hast du kalte Füße? – 3 Ist der Stuhl leicht? – 4 Ist die Musik zu leise? – 5 Ist der Tisch zu schwer? – 6 Ist dir warm? – 7 Wirst du die Musik lauter machen? – 8 War es draußen schon dunkel?
B 1 höre – 2 höre – 3 still – 4 sichtbar – 5 wahrnehmen – 6 Sinn
C 1 dunkel – 2 laut – 3 kalt – 4 warm – 5 schwer – 6 leicht – 7 hell – 8 leise

9.03

A *der Wagen*: ziehen, schieben – *der Kopf*: nicken, schütteln – *der Ball*: werfen, treten
B 1 in die Temperatur, in den Baum – 2 den Tourismus, einen Flughafen – 3 das Schicksal, die Sonne – 4 gegen die Information, gegen die Veränderung – 5 den Strom, den Schatten – 6 die Suche, die Verwaltung
C 1 springen – 2 bewegen – 3 drückt – 4 tritt
D 1 binden – 2 stecken – 3 hängen – 4 sitzen – 5 springen – 6 legen – 7 holen – 8 aufstehen – 9 umdrehen – 10 drehen

10.01 I ▪ 10.02 I

A 1 Schule – 2 Unterricht – 3 schreibt – 4 stört – 5 fortsetzen – 6 Gymnasium – 7 lesen – 8 Lehrer
B 1d – 2e – 3b – 4a – 5c
C 1 Gymnasium – 2 Lehrer – 3 Pause – 4 Fach
D 1 Geschichte – 2 Bildung – 3 übt – 4 Anforderungen

10.01 II ▪ 10.02 II

A 1 konzentrieren – 2 merken – 3 unterrichtet – 4 definieren – 5 wissen
B 1 schwierig – 2 erklärt – 3 durchführen – 4 ergänzen – 5 historischen – 6 betreut
C 1d – 2e – 3a – 4c – 5b
D 1 Antwort – 2 Summe – 3 fördert – 4 abgeben – 5 angehen – 6 Beispiel – 7 Vergleich

10.03

A 1c – 2f – 3e – 4g – 5a – 6b – 7d
B 1 Universität – 2 theoretischen – 3 Professor – 4 Theorie
C 1e – 2d – 3f – 4c – 5a – 6b
D *waagerecht:* Universität, Studium, theoretisch, Bildung, Wissenschaft
senkrecht: Empirie, Kurs, Ansatz

10.04

A 1 Ausbildung – 2 eignest – 3 Hochschule – 4 praktisch – 5 Perspektiven – 6 Erfahrungen
B 1 wechseln – 2 leisten – 3 ausbilden – 4 erfordern – 5 vermitteln
C 1c – 2e – 3a – 4d – 5b
D 1 Tätigkeit – 2 Beruf – 3 spezifisch – 4 Erfahrung – 5 Erfolg

10.05

A 1 beurteilt – 2 lösen – 3 lassen … zu – 4 entsprechen – 5 anstrebt – 6 vorzubereiten – 7 Fehler
B 1c – 2a – 3d – 4b
C 1 richtig – 2 anstreben – 3 schriftlich – 4 Fehler
D 1 schriftlich – 2 komplex – 3 verbessern – 4 Kriterium

11.01

A 1 Trainer – 2 Direktor – 3 Chefin, Mitarbeitern – 4 Beamter – 5 Job – 6 Manager – 7 Kollegen
B 1 Schriftsteller – 2 Bauer – 3 Polizist – 4 Künstler – 5 Wissenschaftler/Forscher – 6 Richter
C 1 der Arbeitnehmer – 2 der Experte – 3 der Job – 4 der Mitarbeiter
D *waagerecht:* Wissenschaftler, Trainer, Polizistin, Künstlerin, Soldat, Forscher, Schriftsteller
senkrecht: Bauer, Arzt, Richter

11.02 ■ 11.03

A 1 Abteilung – 2 produziert – 3 Planung – 4 Belastung – 5 schaffen – 6 angenommen
B 1 stellt … ein – 2 stellt … her – 3 verdiene – 4 ausüben – 5 organisieren
C 1 der Wechsel – 2 die Verfügung – 3 die Stellung – 4 anerkennen
D 1 Bedingung – 2 Stellung – Auftrag – 4 Projekt – 5 Papier – 6 Gewerkschaft – 7 Büro

12.01

A 1 wiederholen – 2 beherrschen – 3 zusammenfassen – 4 einsetzen
B 1 Gespräch – 2 Sprachen – 3 vergessen – 4 bedeuten – 5 deutlicher – 6 lauten – 7 beschreiben
C 1 Erklärung – 2 Begriff – 3 Niveau – 4 Bedeutung – 5 Wörter – 6 bezeichnet – 7 sprachlich – 8 übersetzen

12.02

A 1 Rat – 2 überzeugen – 3 akzeptiert – 4 versichere – 5 ansprechen – 6 danke – 7 Bitte
B 1b – 2d – 3a – 4c
C 1 Dank – 2 kritisieren – 3 verspreche – 4 diskutieren – 5 Ausdruck – 6 aussprechen – 7 versichern – 8 Bitte – 9 geantwortet – 10 übrigens

12.03 I

A 1 allerdings – 2 egal – 3 Also – 4 eben – 5 doch – 6 Einerseits – 7 andererseits – 8 Insbesondere – 9 außer
B 1f – 2d – 3a – 4e – 5g – 6h – 7c – 8b
C 1 durchaus – 2 durchsetzen – 3 Dennoch – 4 entsprechend – 5 aufgrund – 6 durch – 7 Deswegen – 8 allgemein

12.03 II

A 1 total – 2 trotzdem – 3 überhaupt – 4 so – 5 völlig – 6 wegen – 7 sowieso
B 1 unbedingt – 2 trotz – 3 weiterhin
C 1 Laut – 2 somit – 3 sonst – 4 zwar – 5 mittels
D 1 sozusagen – 2 okay, natürlich – 3 selbstverständlich – 4 Letztlich

12.04

A 1d – 2c – 3a – 4b

B 1 Meinung – 2 Ansicht – 3 einzugehen – 4 Entscheidung – 5 entschieden – 6 Grund – 7 Zweifel – 8 Wahrheit

C 1 umgehen – 2 ändern – 3 Erkenntnisse – 4 erfahren – 5 Ahnung – 6 Überlegung – 7 begründen

12.05

A 1b – 2d – 3e – 4a – 5c

B 1 sehr – 2 fast – 3 offenbar – 4 hauptsächlich – 5 jedenfalls – 6 Sogar

C 1 grundsätzlich – 2 eigentlich – 3 Möglichkeit – 4 üblich – 5 beispielsweise – 6 normalerweise – 7 Eventuell – 8 relativ – 9 tatsächlich – 10 wahrscheinlich

13.01 ▪ 13.02

A 1 der Beginn – 2 das Ende – 3 die Zuschauer – 4 der Anlass

B 1 das Ende – 2 der Besucher – 3 der Wunsch – 4 gelingen – 5 die Belastung

C 1 überraschen – 2 wünscht – 3 hingehen – 4 feiert – 5 schenken – 6 gelingt

D 1 findet … statt – 2 Karte – 3 Leute – 4 bringt … mit – 5 die Stimmung – 6 zu Ende – 7 hingewiesen

13.03 ▪ 13.04

A 1 beteiligen – 2 Antwort – 3 Krankenhaus – 4 Spur – 5 Vorwurf – 6 springen

B 1 anzuschauen – 2 stellen...dar – 3 bekannt – 4 auftreten – 5 präsentieren – 6 unbekannt – 7 klingt

C *Kino und Theater:* Rolle, Reihe, Kinoprogramm, Auftritt, Bühne, Szene
Museum: Form, Ausstellung, Modell, Objekt, Kunst

13.05 ▪ 13.06

A *Buch:* Figur, Inhalt, Kapitel, Literatur, Roman, Seite, Thema, Titel, Verlag
Zeitung: Absatz, Abschnitt, Ausgabe, Inhalt, Seite, Thema, Titel, Verlag

B 1c – 2g – 3b – 4a – 5h – 6d – 7f – 8e

C 1 Abschnitte – 2 Bücher – 3 Der Titel – 4 informieren

13.07 ▪ 13.08

A *waagerecht:* Teilnehmer, Verein, Team, Weltmeisterschaft, schwimmen, Kraft, Stärke, Sieg, Schiessen, Runde
senkrecht: laufen

B 1 der Fahrer – 2 der Gast – 3 der Bürgermeister – 4 kochen – 5 die Musik

C 1 gewinnen – 2 sportlich – 3 starten – 4 aufstellen – 5 verloren – 6 aufgeben – 7 kämpfte – 8 teilnehmen – 9 Bewegung

14.01

A 1 richte – 2 füge – 3 berücksichtige – 4 beeinflusst – 5 zusammen – 6 gemeinsam – 7 Umgang – 8 Unser, uns – 9 meine, mir

B 1c – 2d – 3e – 4a – 5b

C 1 abhängig – 2 fremd – 3 sorgen – 4 teilen – 5 umgehen – 6 miteinander – 7 achte – 8 gegenseitig

14.02

A 1 enttäuscht – 2 Streit – 3 endgültig – 4 intensiv – 5 gehören

B 1 vertraue – 2 bemüht – 3 empfinde – 4 trennen – 5 zurückziehen

C 1c – 2d – 3e – 4b – 5a

D 1 Liebe – 2 allein – 3 bevorzugt – 4 beide – 5 zurückziehen – 6 enttäuscht – 7 Freund – 8 empfinden – 9 geprägt

14.03

A 1 Termin, vorschlagen – 2 absagen – 3 Gast, begrüßt – 4 Dank – 5 einladen – 6 verabschiedet

B 1b – 2e – 3a – 4d – 5c

C 1 warte – 2 Besuch – 3 erwarte – 4 Dank

D 1 ansetzen – 2 erwarte – 3 leider – 4 auffordern – 5 Für – 6 Besuch – 7 Dank

15.01 ▪ 15.04 I

A 1 Hintergrund – 2 Auswirkungen – 3 eingegangen – 4 Lage – 5 verändert – 6 eingetreten – 7 Veränderungen – 8 Einheit

B 1g – 2h – 3a – 4e – 5d – 6c – 7b – 8f

C 1 globale – 2 weltweit verändert – 3 Auswirkungen – 4 absehen – 5 eine Debatte – 6 Ursachen – 7 entscheidende

15.02

A 1 Kritik – 2 Bürger, beitragen – 3 Öffentlichkeit – 4 Umständen – 5 Verteilt – 6 Zugang
B 1d – 2e – 3f – 4c – 5b – 6g – 7a
C 1 begleiten – 2 der Umstand – 3 die Hinsicht
D 1 Druck – 2 fordert – 3 Nachteil – 4 Kultur – 5 Struktur – 6 Dimensionen

15.03 I ▪ 15.05

A 1 dienen – 2 verstärkt – 3 zu zerstören – 4 droht
B 1c – 2d – 3f – 4a – 5b – 6e
C 1 Widerstand – 2 eine Strategie – 3 den Kampf – 4 Politiker – 5 vom Frieden
D 1 Gefahr – 2 frei – 3 offizielle – 4 Einsatz – 5 militärischen – 6 innere

15.03 II ▪ 15.07 I

A 1c – 2e – 3b – 4a – 5d
B 1 beschließen – 2 wählen – 3 senken – 4 regeln 5 bilden – 6 Koalition – 7 Wahl – 8 Regeln – 9 Parlament – 10 Bundespräsident
C 1 nationales Parlament – 2 Bundesregierung – 3 Bundesländer – 4 wenig – 5 Abgeordneten
D 1 Regierung – 2 Kandidat – 3 Kanzler – 4 Regeln – 5 Staatliche – 6 Bundestag

15.04 II

A 1c – 2e – 3f – 4a – 5d – 6b
B 1 Kommission – 2 angesichts – 3 vereinbart – 4 internationalen, Prozess – 5 Sitz
C 1 Alternative – 2 bedeutender – 3 einen Zusammenhang – 4 knapp – 5 Führung
D 1 einführen – 2 mächtiger – 3 auslösen – 4 zusammenhängen – 5 auftauchen – 6 politische – 7 umsetzen – 8 herrschen

15.06

A 1 Hersteller, Produktion – 2 Aktiengesellschaft, Aktien – 3 Wirtschaft, Industrie – 4 Gesellschafter – 5 GmbH
B 1c – 2d – 3f – 4a – 5b – 6e
C 1 Position – 2 Leitung – 3 Der Standort – 4 Der Konzern, erzeugt
D 1 der Verein – 2 beruflich – 3 der Vorwurf – 4 probieren – 5 der Wunsch

15.07 II

A 1f – 2c – 3g – 4e – 5b – 6i – 7h – 8d – 9a
B 1 Aussage – 2 Schuld – 3 wahr – 4 behauptest – 5 eindeutigen – 6 Prozess – 7 gewinnen – 8 stützen
C 1c erlaubt, gesetzlich – 2e Fall, Prozess – 3b rechtliche, Regelung, BGB – 4a wahr, stützen – 5d verpflichtet

16.01

A *waagerecht:* Gegenwart, heute, Vergangenheit
senkrecht: Zukunft, morgen, gestern
B 1 ablaufen – 2 verbringen – 3 vergehen
C 1b – 2a – 3d – 4c
D 1 Früher – 2 einen Augenblick – 3 Gelegenheit – 4 dringend – 5 im Zeitraum – 6 zeitlichen – 7 Weile gedauert – 8 schon

16.02

A Montag – Dienstag – Mittwoch – Donnerstag – Freitag – Samstag – Sonntag
B 1 Samstag – 2 Sonntag – 3 Minuten – 4 Ein Jahrzehnt – 5 Ein Tag – 6 Eine Woche – 7 Sekunden – 8 Ein Jahr – 9 der Morgen – 10 Eine Stunde – 11 Monate – 12 Ein Jahrhundert
C 1 Peter trinkt am Nachmittag einen Kaffee. – 2 Peter geht am Morgen zur Arbeit. – 3 Peter geht am Abend immer mit seiner Freundin etwas essen. – 4 Peter schläft am Abend.

16.03 I

A 1 früh – 2 damals – 3 bis – 4 nach
B *Vergangenheit:* damals, bisher
Gegenwart: jetzt, sofort
Zukunft: ab, bald
C 1 halb – 2 während – 3 nun – 4 nach – 5 sofort
D 1 vor – 2 noch – 3 endlich – 4 bereits – 5 inzwischen – 6 nach

16.03 II

A *1850:* ehemalig, einst, damalig – *2008:* zurzeit, gegenwärtig, derzeit – *2200:* künftig
B 1 zurzeit – 2 längst – 3 innerhalb – 4 langfristig – 5 bisherige – 6 erstmals – 7 bislang
C 1 ehemaligen – 2 ewig – 3 wann – 4 diesmal
D 1 Seitdem – 2 irgendwann – 3 Gegenwärtig

16.04

A 1 je – 2 wenig – 3 Umfang – 4 allzu
B 1 kaum – 2 höchstens – 3 ganzen – 4 sonstigen – 5 mehr – 6 nur
C 1f – 2d – 3c – 4e – 5a – 6b
D 1 wenig – 2 bloß – 3 wenigstens – 4 ungefähr – 5 Teilweise – 6 meisten – 7 zahlreichen – 8 erheblich – 9 Rest

16.05 I

A 1 drei –2 sieben – 3 hundert – 4 zwölf – 5 tausend – 6 dreißig
B 1 vier + fünf = neun – 2 zehn + sechs = sechzehn – 3 zwanzig – dreizehn = sieben – 4 einhundert : zwei = fünfzig – 5 fünf · drei = fünfzehn – 6 zwölf – eins = elf
C 1 Drittel – 2 Stück – 3 Hälften – 4 einzelne
D 1 Millionen – 2 Hälfte – 3 Milliarde – 4 Zahl

16.05 II

A 1 Mal – 2 Einheiten – 3 doppelt – 4 Anzahl – 5 sämtliche
B 1c – 2d – 3e – 4a – 5b
C 1 bisschen – 2 nichts – 3 mehrere – 4 insgesamt – 5 pro

16.06 I

A 1 arm – 2 gut – 3 stark – 4 schnell
B 1 reich – 2 leer – 3 nett – 4 voll
C 1c – 2e – 3b – 4a – 5d
D 1 Eigenschaften – 2 vielfältig – 3 Kennzeichnet – 4 wunderbar – 6 negativen

16.06 II

A *Ein Mensch kann … sein:* erfolgreich, vorsichtig, zufrieden
Ein Mensch kann nicht … sein: wesentlich, dicht, rasch sein
B 1e – 2d – 3a – 4b – 5c
C 1 sauber – 2 wichtig – 3 klar – 4 schlecht
D 1 neues – 2 besonders – 3 geraten – 4 Weise – 5 speziell – 6 schlimm

16.07 I

A 1 vor – 2 oben – 3 nah – 4 in – 5 unter – 6 zwischen
B 1 Woher – 2 bei – 3 hinten – 4 auf – 5 nach – 6 um – 7 bis
C 1 zu – 2 daneben – 3 von – 4 an – 5 ab

16.07 II

A 1 Osten – 2 Süden – 3 Westen – 4 Norden
B 1 mitten – 2 draußen – 3 dort – 4 herum – 5 überall – 6 drüben
C 1 irgendwo, wo, hier – 2 rechten, linken
D 1e – 2g – 3h – 4i – 5d – 6a – 7c – 8b – 9f

16.08

A 1 schwarz – 2 Spitze – 3 Farbe – 4 rund – 5 Rot – 6 bunt – 7 breit – 8 schmal – 9 niedrig
B 1 breit – 2 kurz – 3 hoch – 4 weiß
C 1e – 2d – 3a – 4g – 5b – 6h – 7c – 8f
D 1 grau – 2 Farbe – 3 niedrig – 4 schmal – 5 langen – 6 bunten – 7 hohen – 8 tief

16.09

A 1 genau – 2 ähnlich – 3 anders – 4 unterschiedlich – 5 verschieden
B 1 hingegen – 2 ungekehrt – 3 gleich – 4 gleich
C 1 gleich – 2 ebenso – 3 genaue – 4 hingegen
D 1 jeweiligen – 2 auch – 3 andere – 4 Einzig – 5 derartig

16.10

A *zuerst:* zuvor, erst, davor, zunächst, vorher
gleichzeitig: zugleich
danach: schließlich, anschließend, nachher, dann
B 1 oft – 2 zuerst – 3 häufig – 4 nie – 5 danach
C 1 einmal – 2 danach – 3 einzig
D 1 wieder – 2 erneut – 3 Niemals – 4 ständig – 5 unmittelbar – 6 sonst

17.01 I

A 1d – 2a – 3f – 4c – 5b – 6e
B 1 dasselbe – 2 man – 3 mich – 4 selber – 5 was – 6 Wer – 7 Wie – 8 ihnen – 9 dir
C 1 euch – 2 viele – 3 sich – 4 Man – 5 solchen – 6 euch

17.01 II ▪ 17.02 I

A 1 Das, die, der – 2 darunter – 3 daher – 4 dagegen – 5 dadurch – 6 am – 7 Ein
B 1b – 2g – 3e – 4c – 5a – 6d – 7h
C 1 irgendein – 2 irgendwelche – 3 jeden – 4 irgendetwas
D 1c – 2a – 3f – 4e – 5b – 6h – 7g

17.02 II

A *waagerecht:* weder, dass, oder, entweder, obwohl
senkrecht: aber, sowohl, sondern, wenn
B 1 indem – 2 sowie – 3 Falls – 4 sodass – 5 beziehungsweise
C 1 sobald – 2 dass – 3 Wenn – 4 und – 5 als – 6 Solange – 7 Naja – 8 sofern – 9 zumal

18.01 I

A *steht:* der Computer, das Weinglas
stehen: die Pflanzen
liegt: das Bild, das Papier
liegen: 50 Euro
B 1 heißen – 2 sein – 3 arbeiten – 4 fahren – 5 gehen – 6 spielen
C 1 werde – 2 beginnt – 3 kommen – 4 bleiben – 5 setzen – 6 versucht – 7 lassen – 8 gilt
D 1 glaubt an Gott – 2 mit seinem Chef sprechen – 3 an sie denkt

18.01 II

A 1 kann – 2 müssen – 3 soll – 4 will – 5 dürfen
B 1 gibt mir – 2 folgt mir – 3 erzählt mir – 4 frag mich – 5 führt mich – 6 kennt mich
C 1g – 2a – 3d – 4h – 5f – 6c – 7e – 8b
D 1 hat – 2 braucht – 3 findet – 4 halten – 5 meint

Arbeitsanweisungen

DEUTSCH	ENGLISCH
Beantworten Sie die Fragen. Benutzen Sie dafür die Wörter dieses Kapitels.	Answer the questions. Use words from this chapter.
Benennen Sie die Zahlen in den Bildern.	Name the numbers in the pictures.
Beschriften Sie das Bild mit den folgenden Wörtern.	Label the pictures with the following words.
Bilden Sie Fragen zu den Sätzen.	Form questions to match the answers.
Die folgenden Sätze sind falsch. Verbessern Sie die Fehler.	The following sentences are wrong. Correct the mistakes.
Ergänzen Sie den Dialog mit den folgenden Wörtern.	Complete the dialogue with the following words.
Ergänzen Sie den Text mit den folgenden Wörtern.	Complete the text with the following words.
Ergänzen Sie die Sätze erst mit den folgenden Wörtern und ordnen Sie dann den Fragen die passenden Antworten zu.	Complete the sentences with the following words and match the questions with the appropriate answers.
Ergänzen Sie die Sätze mit den folgenden Wörtern.	Complete the sentences with the following words.
Ergänzen Sie die Sätze mit Wörtern aus dem Wörtergitter.	Complete the senteces with words from the word puzzle.
Ergänzen Sie die Tabelle mit den folgenden Wörtern.	Complete the table with the following words.
Ergänzen Sie die Wortgruppen mit den folgenden Wörtern.	Complete the phrases with the following words.
Ersetzen Sie die unterstrichenen Wörter durch ähnliche Wörter.	Replace the underlined words with similar ones.
Ersetzen Sie die unterstrichenen Wörter durch folgende Wörter.	Replace the underlined words with the following words.
Finden Sie (...) Wörter dieses Kapitels im Wörtergitter.	Find (...) words from this chapter in the word puzzle.
Finden Sie (...) Wörter im Wörtergitter und ordnen Sie diese in die Tabelle ein.	Find (...) words from this chapter in the word puzzle and arrange them in the table.
Finden Sie die fehlenden Wörter.	Find the missing words.
Finden Sie die folgenden Wörter im Wörtergitter.	Find the following words in the word puzzle.
Finden Sie die folgenden Wörter im Wörtergitter. Markieren Sie die Wörter und ordnen Sie sie in die Tabelle ein.	Find the following words in the word puzzle, mark them and arrange them in the table.
Finden Sie die folgenden Wörter im Wörtergitter. Markieren Sie die Wörter und ordnen Sie sie in die Tabelle ein. Einige Wörter passen in beide Spalten.	Find the following words in the word puzzle, mark them and arrange them in the table. Some words fit in both columns.
Finden Sie fünf Wörter aus diesem Kapitel im Wörtergitter und setzen Sie diese in die Sätze ein.	Find five words from this chapter in the word puzzle and use them to complete the sentences.

DEUTSCH	ENGLISCH
Füllen Sie das Kreuzworträtsel aus.	Fill in the crossword puzzle.
Lesen Sie den Text und beantworten Sie die Fragen dazu mit folgenden Wörtern.	Read the text and answer the questions using the following words.
Ordnen Sie ähnliche Sätze einander zu.	Match similar sentences.
Ordnen Sie den Sätzen die passenden Ausdrücke zu.	Match the sentences with the appropriate expressions.
Ordnen Sie den Wörtern das passende Gegenteil zu.	Match the words with their opposites.
Ordnen Sie die Antworten den passenden Fragen zu.	Match the answers with the appropriate questions.
Ordnen Sie die folgenden Verben den passenden Wörtern zu.	Match the following verbs with the approriate words.
Ordnen Sie die folgenden Wörter in die Tabelle ein.	Arrange the following words in the table.
Ordnen Sie die Wochentage der Reihe nach.	Organise the days of the week.
Ordnen Sie die Wörter den Fragen zu.	Match the words with the questions.
Ordnen Sie die Wörter den passenden Bildern zu.	Match each word with the appropriate picture.
Ordnen Sie die Wörter den passenden Erklärungen zu.	Match each word with the appropriate definition.
Ordnen Sie die Wörter den passenden Personen zu.	Match each word with the appropriate person.
Schreiben Sie die passenden Wörter vor das Verb. Es gibt mehrere Lösungen.	Match each word with the appropriate verb. There is more than one correct answer.
Schreiben Sie die Zahlen und das Ergebnis als Wort.	Write down the numbers and the results as words.
Unterstreichen Sie das richtige Wort.	Underline the correct word.
Verbinden Sie die passenden Teile.	Match the appropriate parts.
Welche Wörter passen zusammen? Ordnen Sie zu.	Which words go together? Match them.
Welche Wörter passen am besten zu welchem Gesicht? Zu jedem Emoticon gehören vier Wörter.	Which words go best with which face? There are four words for each emoticon.
Welches Wort passt nicht dazu? Unterstreichen Sie dieses Wort.	Which word does not fit? Underline it.
Welches Wort passt zu welchem Bild? Ergänzen Sie die folgenden Wörter.	Which word goes with which pictures? Use the following words.
Welches Wort passt zu welchem Satz? Ordnen Sie zu.	Which word goes with which sentence? Match them.
Welches Wort passt zu welcher Erklärung? Ordnen Sie zu.	Which word goes with which definition? Match them.
Zwei Sachen passen nicht. Finden Sie sie.	Two things do not fit. Find them.